A Casa de Adão no Paraíso

Coleção Estudos
Dirigida por J. Guinsburg

Equipe de realização – Tradução: Ana Gabriela Godinho de Lima, Anat Falbel, Margarida Goldsztajn e Mário H. S. D'Agostinho; Revisão de provas: Eloísa Graziela Franco de Oliveira; Índice remissivo: Luiz Henrique Soares; Sobrecapa: Sergio Kon; Produção: Ricardo W. Neves e Sergio Kon.

Joseph Rykwert

A CASA DE ADÃO NO PARAÍSO

A IDEIA DA CABANA NA HISTÓRIA DA ARQUITETURA

Título do original em inglês
On Adam's House in Paradise. The Idea of the Primitive Hut in Architectural History

Dados Internacionais de Catalogação na Publicação (CIP)
(Câmara Brasileira do Livro, SP, Brasil)

Rykwert, Joseph, 1926 –
A casa de Adão no Paraíso: a ideia da cabana primitiva na história da arquitetura / Joseph Rikwert. São Paulo : Perspectiva, 2009. – (Estudos ; 189 / dirigida por J. Guinsburg)

Título original: On Adam's house in Paradise
1 reimpr. 1. ed. de 2003
ISBN 978-85-273-0321-7

1. Arquitetura – Aspectos psicológicos 2. Arquitetura-História 3. Arquitetura primitiva I. Título. II. Título: A ideia da cabana primitiva na história da arquitetura. III. Série

03-0090 CDD-720.9

Índices para catálogo sistemático:
1. Arquitetura: História : 720.9

1ª edição – 1ª reimpressão
[PPD]

Av. Brigadeiro Luís Antônio, 3025
01401-000 São Paulo SP Brasil
Telefax: (011) 3885-8388
www.editoraperspectiva.com.br

2019

Sumário

Agradecimentos

Este ensaio foi concebido em uma conversa com Roberto Calasso devendo-lhe muito, tanto no material quanto na forma.

Michael Ayrton e Frank E. Brown discutiram o tema comigo em algumas ocasiões, leram o texto e fizeram relevantes sugestões. George Baird, Françoise Choay, Cristopher Cornford, Eric John, Alasdair MacIntyre e Dalibor Vezely discutiram o material comigo em vários momentos. Alguns amigos e colegas fizeram sugestões mais específicas as quais segui: Günther Nitschke, Michael Podro, Tony Vidler e Dudley Young.

Devo agradecer a Richard Miranda, Günther Nitschke e Ludwig Glaeser pela ajuda com as ilustrações.

Os funcionários de várias bibliotecas suportaram pacientemente meus inquéritos, particularmente aqueles da American Academy em Roma, da London Library e da Marquand Library, na Universidade de Princeton.

Tenho um grande débito de gratidão com meus amigos do Museum of Modern Art por originalmente assumir esta publicação, e com a Graham Foundation for Advanced Studies in the Fine Arts por seu apoio financeiro.

Maureen Reid suportou pacientemente a longa tarefa de preparar o manuscrito.

J.R.

Prólogo à Edição Brasileira

JOSEPH RYKWERT, *A CASA DE ADÃO NO PARAÍSO*

Joseph Rykwert nasceu em Varsóvia em 1926. Aos quatorze anos de idade seguiu para a Inglaterra, aí realizando seus estudos de arquitetura na Bartlett School e na Architectural Association School. Foi professor do Royal College of Art de Londres, onde obteve seu título de doutor em 1970, e das universidades de Essex e Cambridge, estabelecendo-se nos Estados Unidos em 1988. Além de intensa participação em revistas especializadas de arquitetura (*Forum*, *Domus* etc.), ministrou cursos na Alemanha, Itália e França, dentre outros países. Atualmente leciona História da Arte na Universidade da Pennsylvania (com o título honorífico de Paul Philippe Cret Professor of Architecture), tendo sob sua responsabilidade a coordenação do curso de pós-graduação em arquitetura.

Suas publicações, numerosas, surpreendem pela abrangência dos temas e ousadia de investigação. A cidade na Roma Antiga, os arquitetos do século XVIII, expoentes da arquitetura moderna, urbanismo, arte contemporânea, muitos os assuntos a que se tem dedicado. E ainda: com N. Leach e R. Tavernor, empreendeu uma cuidadosa tradução do tratado de arquitetura de Leon Battista Alberti (MIT/Cambridge, 1988); com A. Engel, foi curador do catálogo de exposição sobre o mesmo arquiteto, realizada no Palazzo Te em Mântua (Olivetti/Electa, 1994). Membro da Société Internationale Leon Battista Alberti, Rykwert integra o conselho editorial da revista *Al-*

bertiana, criada em 1998. Dentre seus títulos mais recentes, além da monumental *The Dancing Column* (1996), sobressaem dois lançamentos: *The Palladian Ideal*, em parceria com o fotógrafo Roberto Schezen (Rizzoli, 2000), e um estudo sobre a cidade contemporânea, intitulado *Seduction of Place*: *The City in the Twenty-First Century and Beyond*.

Esses dados são suficientes para ilustrar a fortuna – e urgência – da presente edição, a disponibilizar em língua portuguesa uma obra de indubitável destaque no elenco de publicações do autor. Joseph Rykwert, é de todos sabido, está entre os maiores historiadores da arquitetura.

São peculiares as circunstâncias nas quais *A Casa de Adão no Paraíso* conquista divulgação entre nós. Publicada em 1972 pelo Museum of Modern Art, de Nova York, com traduções para o espanhol, o francês e o italiano, sua circulação junto aos meios universitários cedo assinalou orientes novos para o ensino de história da arquitetura. Por uma parte, ajudou a esmaecer o veio formalista ainda preponderante na historiografia brasileira e brasilianista (recorde-se que *A Arquitetura Religiosa Barroca no Brasil*, de Germain Bazin, teve sua primeira edição em português na década de 1980); por outra, revigorou os estudos sobre a chamada tradição clássica. O cuidado do historiador com os tratados, escritos de arte, obras de estética, manifestos, em suma, com o universo literário da arquitetura, avizinha-o desde logo àqueles autores notabilizados por reunirem à seiva da *vie des formes* o éter da *vie des idées*. Nesse diapasão, entretanto, que se tome como exemplo a obra paradigmática de Rudolf Wittkower e logo se evidenciará a insígnia própria que Rykwert imprime a seus estudos.

A Casa de Adão no Paraíso ganha forma num intricado contexto de significados. Para compreendê-los em seu devir temporal o historiador recorre múltiplas vias: o Livro Santo e outros escritos sagrados, obras de arquitetura, práticas construtivas, ritos, procissões religiosas... e, pouco a pouco, vemo-nos absorvidos no próprio caminho. Qual o seu sentido para aquele que o persegue? A guisa de prólogo, reúno aqui alguns apontamentos sobre essa trajetória, a qual, creio, adita novos encantos ao livro que o leitor tem diante os olhos.

Primeiro, e em contraponto às afirmações iniciais, o presente livro denota tal senso de atualidade, tal vitalidade, que se distancia em muito dos estudos "estritamente historiográficos". Em 1965, ao término de um ensaio sobre a origem da coluna coríntia no limiar do século IV a.C. reunido em *A Necessidade do Artifício* (The Necessity of Artifice, 1982), Joseph Rykwert justificava-se pelo tom da escrita e a atitude antiacadêmica então adotada, esclarecendo: "antiacadêmica porque – e aqui o leitor poderá sentir-se no direito de exigir desculpas por ter sido enganado – esse é um artigo não sobre arquitetura antiga, mas sobre arquitetura moderna". Olhos dirigidos à casa adâmica, o leitor advertirá a mesma atenção para com o moderno, ou antes, o presente, a perpassar toda a sua obra.

Talvez o fascínio da escrita de Rykwert resida mesmo nesse "rito de passagem" a que convida o leitor, nesse consignado exercício de dispor-se "no limiar", como que reanimando o semblante de Jano. Limiar entre o antigo e o moderno, o passado e o futuro... entre a recordação e a promessa, para concluir com suas palavras. Nessa divisa, *A Casa de Adão no Paraíso* ocupa posto privilegiado. Patente já na abertura do livro, o interesse pela arquitetura moderna é aí constante, e alcança significação plena nas páginas que ultimam o estudo. Mas não cabe antecipar uma trajetória cuja força está propriamente em ser percorrida; compete, sim, ressaltar o lugar da presente obra no quadro de uma produção intelectual de maior amplitude.

Por certo, muitas das questões que ora se perfilam à luz de uma aurora paradisíaca comparecem também no centro das indagações e preocupações de Joseph Rykwert com os caminhos seguidos pela arquitetura nos nossos tempos. Em seu livro, *Os Primeiros Modernos* (The First Moderns. The Architects of the Eighteenth Century, Massachusetts, 1980), a definição dos fundamentos absoluto e arbitrário da arquitetura – igualmente abordados no terceiro capítulo deste livro – faz proêmio ao sinuoso percurso que leva a Jacques-Nicolas-Louis Durand e ao sequente menoscabo dos valores formais em detrimento de uma concepção arquitetônica "em termos de análise estrutural e composição geométrica". Recorde-se, nesse viés, *A Necessidade do Artifício*, conjunto de artigos engajados na revisão do racionalismo moderno – o título, não menos expressivo, insinua-se como jogo de palavras a nos endereçar, uma vez mais, aos divisores entre necessidade e convenção, positivo e arbitrário, que balizam a obra presente.

Tal diligência com os problemas da forma, com "a natureza de nossas respostas a um mundo de artefatos, o modo como grupos e comunidades se apropriam do espaço" (*Os Primeiros Modernos*), coliga-se a outro interesse, comprometido com as disputas em torno à cabana primitiva. São uma constante na obra de Joseph Rykwert as reflexões sobre a significância dos adornos e revestimentos, dos ornamentos da arquitetura. No ano em que vem à luz sua *Adam's House*, o historiador organiza uma importante seleção de textos sobre Adolf Loos (Milão, 1972); três anos depois, "Ornament is no Crime" (Ornamento não é Delito), artigo reunido em *A Necessidade do Artifício*, parafraseia o polêmico manifesto do arquiteto austríaco. Em 1974, participa do Simpósio sobre Gottfried Semper realizado em Zurique, com um estudo sobre a contribuição do arquiteto para a concepção de estilo. Por fim – e para maior brevidade –, recentemente volta à cena em *Rivestimento* (co-autoria de M. Wigley e G. Malossi, 1998). Elenco suficiente para pôr-nos em sentinela. No campo da cabana, acendem-se calorosas querelas: Riegl, Semper, Perrault, Blondel, Laugier, Lodoli, Piranese... Também aí, o empenho do historiador em recompor uma trajetória coaduna-se ao de desvencilhá-la dos juízos positivistas e psicológicos que guarnecem a arquitetura moderna.

As formulações clássicas da psicanálise têm notórios influxos sobre o estudo do ornamento. O vaticínio de Loos é exemplar: "Toda arte é erótica. A primeira obra de arte, a primeira atividade artística que o artista rabiscou na parede foi para se despojar de seus excessos". Nessa linha, a evolução cultural equivale à erradicação da ornamentação, e "pode-se medir o grau de civilização de um país pela quantidade de rabiscos que se encontra nas paredes de seus banheiros". Convém deter-se brevemente sobre o argumento. "Ornamento não é Delito" opera uma reviravolta nas interpretações do ornato. Para Semper, o ato primordial de adornar o corpo resultava de um "instinto" próprio ao sentido de beleza, "requeria primeiro a participação ativa do sentimento estético"; em Riegl, por sua vez, o foco recaía na "intenção" que motiva o primitivo a um desenho "cuja finalidade não pode ser outra que ornamental, puramente artística." Loos não dá margem a dúvidas, a solução do ornato reclama um só veredicto: trata-se de "extravasar" sentimento (e não só o "estético"). Ora, em seu livro sobre a ideia de cidade no Mundo Antigo, *A Ideia de Cidade* (The Idea of a Town, Londres, 1976), Rykwert contesta enfaticamente argumentações similares. Em 1909, em um conjunto de conferências sobre psicanálise, Sigmund Freud propõe a interpretação dos monumentos da cidade como "paradigma de histeria" – grosso modo, o citadino aferra-se aos monumentos como o neurótico às lembranças (ou o delinquente aos rabiscos eróticos). Em mais de um lugar, o historiador assinala os limites dessa diagnose de "casos patológicos".

É bem verdade que o repúdio de Loos passa longe das generalizações que, com frequência, se lhe imputam – "nunca tenho afirmado, como sustentam até o absurdo alguns puristas, que se deva abolir o ornamento sistematicamente e de forma consequente". Mas cabe insistir sobre tal aspecto psicológico, pelo evidente motivo de que as considerações de Rykwert em *A Ideia de Cidade* fazem eco às palavras de *A Casa de Adão no Paraíso* dedicadas ao estudo dos ritos (e não só ao das tribos seminômades da Austrália central, à pintura de corpo e à *waninga* como objeto ritual). Primordial à constelação dos *trattati*, o solar dos ritos deslinda profícuos horizontes para se repensar quais desígnios a arquitetura risca, num tempo em que "temos perdido todas as singelas certezas acerca da forma em que funciona o universo". Em seus significados simbólicos os ritos cingem questões de fundo da arquitetura, e de seu sentido nos dias de hoje.

Eximindo-se da reconstituição arqueológica de um original, como o da construção em madeira para o templo dórico, este livro mantém em mira um protótipo, cuja imagem se delineia com um gama de significações históricas. Certo, voltando-se para a *ideia*, não basta o esquadrinhamento da primeira casa com o aparato conceitual, é salutar, lembra o historiador, abeberar-se noutra fonte, anterior, em que se "rememorava a sua forma e natureza mediante cerimônias e ritos de povos que, todavia, uns ainda chamam de primitivos". A observação dos ritos é um distintivo de nosso autor. Por seu intermédio o leitor haverá muitas vezes de se impressionar com a ausência de um nítido divisor de águas, entrevendo continuidades, permanências de posturas, de aspirações que dissipam os limites estanques entre Razão e Mito. Ainda, no enredo dos ritos e cerimônias religiosas, sequer competirá o garimpo de visões turvas, que, presume-se, apenas em estágios evolutivos posteriores virão conscientemente articuladas, emersas à plena luz. "A consciência de questões bastante complexas", escreve Rykwert, "não necessariamente implica uma capacidade para articulá-las." Que se recorde Aby Warburg: "A substituição da causalidade mitológica por aquela tecnológica – diz na conferência sobre os índios Pueblo do Novo México (1923) – elimina o temor experimentado pelo homem primitivo. Mas não nos sintamos muito seguros em asseverar, sem mais, que liberando o homem da visão mitológica se possa verdadeiramente ajudá-lo a dar respostas adequadas aos enigmas da existência. [...] Tenho dúvidas de que isso faça justiça à magnífica alma dos índios, ancorada, por assim dizer, em uma visão poético-mitológica". Tais palavras fiam a sorte de *A Casa de Adão no Paraíso.*

Aquém do Éden, a "primeira casa" perfila-se na divisa entre a ideia e o ideal. Guardadas as precauções, é sugestivo aproximar tal prospecto àqueles concebidos sob inspiração platônica. Como um "modelo" a iluminar atitudes, cânones artísticos, léxicos e sintaxes formais, ele reacende antigas suspeitas: mero simulacro ou paradigma legítimo, jogo de ilusão ou ascese, depuração fenomênica ou princípio metafísico, imanência ou transcendência – para repor a fórmula clássica: *eîdos* ou *eídolon!* A nós, ao fim e ao cabo, apresenta-se como subterfúgio desnecessário, ou não?

Que fique em suspenso o seu destino, insuspeito é o solo onde principia. Desejos, temores, aspirações... aí têm vida os "modelos", as "ideias", aí perfilam-se intenções e significados superlativos na forma como os homens organizam seu espaço vital, seja uma simples cabana ou uma grande cidade. Reiteremos: um só fio une este livro às invectivas do historiador contra Durand ou os urbanistas que consideram a cidade "exclusivamente pela perspectiva da economia, da higiene, dos problemas de tráfego ou dos serviços". Aqui como alhures os olhos dobram sobre um presente no qual "os espaços psicológico, cultural, jurídico ou religioso não são tratados – lê-se no exórdio da *Ideia de Cidade* – como outros tantos aspectos do espaço ecológico".

Última observação, ao resguardo das objeções a uma historiografia empenhada fundamentalmente na compreensão dos significados ou semântica das formas. Sobre esse mundo simbólico, onde Rykwert transita como poucos, este livro tem muito a nos dizer.

Mário H. S. D'Agostino
Professor da FAU-USP

Introdução

Dificilmente encontraremos um historiador contemporâneo, seja qual for a sua área de estudos, que inicie sua obra falando de Adão e Eva no Paraíso, ou seja, no *Gan Éden* bíblico. Mas é assim que Joseph Rykwert abre o presente livro, *A Casa de Adão no Paraíso*, que a Editora Perspectiva traz agora aos seus leitores. Refletindo sobre seu texto, chego à conclusão que foi justamente essa sua particularidade que me induziu a debruçar-me sobre os estudos desse autor tão original, levando-me a propor ao Prof. Jacó Guinsburg a sua tradução e edição. Ao ser consultado sobre qual de suas obras gostaria de ver publicado em português, o Prof. Rykwert sugeriu, entre todas, o texto aqui apresentado. Por que razão iria um arquiteto utilizar como título de seu livro "A Casa de Adão no Paraíso"? Somente a leitura de suas páginas densas de reflexões, informações, analogias e, acima de tudo, pavimentadas de novas e atraentes pistas que nos ajudam a compor a história inacabada da arquitetura, é que pode revelar o significado mais profundo desse inusitado título. A descrição da criação do mundo foi, e sempre será, uma alegoria ou metáfora arquitetônica e seu autor, o Arquiteto por excelência, o demiurgo, o divino artífice que Platão descreve no *Timeu*, é que cria o mundo à semelhança da realidade ideal. Na literatura rabínica, *Midrasch Raba* (*Bereschit Raba 1:1*), encontramos uma notável descrição da Divindade como o artífice-arquiteto na qual a *Tora* é o instrumento de Deus: "assim como um rei de carne e osso constrói um palácio, não por ele mesmo, mas com um arquiteto que utiliza plantas e maquetes [...]". Mas a *Tora é* o verbo divino, ou a palavra de Deus, e sua exegese é desde o início um dever necessário para nos adentrarmos em seu conteúdo. Nesse sentido, adivinha-se algo mais profundo no título *A Casa de Adão no Paraíso*, que nos leva a penetrar na personalidade do arquiteto-historiador. Assim, já em Filo de Alexandria, o complexo e difícil conceito de *Logos*, central no pensamento desse judeu helenístico, preenche o papel de demiurgo intermediário da Divindade, e acaba sendo assimilado à própria *Tora*, que por sua vez é chamada de "receptáculo", ou instrumento da Criação, o qual, ao mesmo tempo, antecede a Criação (*De Opificio Mundi, 27 ss.*). A palavra "receptáculo" no texto grego consta como *oikos*, termo que por sua vez corresponde, em hebraico, a *bait* ou *beit*, que significam "casa" e "receptáculo", tendo seus equivalentes nos vocábulos *kli* e *vessel*. Por outro lado, a primeira letra da palavra *Bereschit* que dá início ao Gênesis é o *beit*, objeto de especulação e da imaginação dos místicos judeus na Cabala. No entanto, a expressão *beit ilan* (que aparece no *Talmud Babilônico, Bava Metzia, 103b*), que significa "horto", também tem como sinônimo hebraico *pardes*, que corresponde à expressão *Gan-Eden*, isto é, "Paraíso". Em uma passagem talmúdica, o Paraíso está entre as sete antecipações que Deus criou antes do mundo (*Pessakhim*, 54 a). *Pardes* também é a "sabedoria divina" tal como nos lembra a narrativa talmúdica dos "quatro sábios que entraram no *Pardes-Paraíso*" (*Hagiga* 14b). Poderíamos, pois, até inferir com certa ousadia – e um pouco de descontração – que Rykwert os imitou, tentando ingressar no Paraíso a fim de encontrar a primeira casa do homem recém-criado... já que era um judeu que, em sua meninice, estudara as Escrituras Sagradas, impregnando-se desse mundo espiritual que podemos claramente detectar em seus escritos, mas cujo impacto sobre o autor não podemos desenvolver nessa curta introdução. Ainda assim, permitimo-nos fazer uma observação adicional com respeito ao Paraíso como um espaço perfeitamente planejado, que, entre outras árvores, abrigava a da Sabedoria, e em que o casal primevo fora instalado pela Divindade antes que o mal rompesse a sua harmonia. O Jardim do Éden é o primeiro espaço organizado conforme nos atesta o Gênesis, sendo que a iconografia medieval o representa como um espaço delimitado pelos quatro rios que teriam nele suas nascentes, Gihon, Pischon, Tigris e Eufrates, ou por uma cerca protetora como que simbolizando a muralha de uma urbe daquele tempo. Curiosamente, Rykwert entende o Paraíso "não como um refúgio contra as intempéries, mas como um volume que ele [o homem] poderia interpretar em função de seu próprio corpo e que, ao mesmo tempo, fosse uma exposição do plano paradisíaco em cujo centro ele se encontrava".

Tomo essas referências, uma vez que a leitura de Rykwert evidencia sua extraordinária formação humanista. A descoberta do universo espiritual e cultural desse notável historiador exige certa cautela intelectual, pois Rykwert não se prende às "escolas" propriamente ditas; ao contrário, visto que sua obra passa a ser, sob certos aspectos, uma crítica a correntes prevalecentes na arquitetura, além de uma contestação a concepções estratificadas e de antemão aceitas como verdades acabadas. Nesse sentido, corrobora George Baird, em seu texto introdutório ao volume *Body and Building*, *Festschrift* em homenagem aos 75 anos do professor, escreve que dificilmente se poderia identificar na arquitetura contemporânea uma escola rykwertiana, assim como ocorreu com Colin Rowe ou John Q. Hejduk na Universidade de Cornell e na Cooper Union. Entretanto, podemos, sim, nos referir a um estilo rykwertiano e, entre seus alunos, identificamos particularmente o nome de Daniel Libeskind, cuja postura em relação à linguagem do projeto nos lembra o método da hermenêutica explorada por Rykwert, que vai muito além dos "quatro sentidos" da exegese judio-cristã tradicional quando aplicada à compreensão dos textos das Escrituras Sagradas.

O esforço intelectual de Rykwert para voltar ao passado tão longínquo se explica como a busca da própria origem da arquitetura em um momento em que esta se esgota nas certezas e fundamentações. Nesse aspecto, ele representa um elo na cadeia dos arquitetos-pensa-dores-inovadores que alimentam suas reflexões e inspiram suas ideias voltando o olhar para os séculos que os antecederam. Assim não é de estranhar que seu livro procure entender essa mesma postura em arquitetos como Le Corbusier, Adolf Loos e Frank Lloyd Wright e, como bem lembra Baird, nos debates que se sucederam entre os historiadores da geração anterior aos primeiros modernistas, entre os quais se incluem nomes notáveis, como os de Gottfried Semper e seu não menos talentoso antagonista, Alois Riegl.

Partindo do presente para o passado, Rykwert dedica boa parte de sua obra às controvérsias entre os nomes representativos dos inícios do século XIX como o de Jean Nicolas Louis Durand, opondo-o ao de Marc Antoine Laugier, para inevitavelmente aportar na "fonte das fontes", que perpassa a história da arquitetura, apresentando-se como pedra angular confiável que a sustenta através dos tempos: Vitrúvio e o *De architectura*. Para Rykwert, o autor romano não pode ser dispensado ao se retomar a introspecção sobre as origens da arquitetura e da cabana primitiva. O nosso autor mostra como os ecos do *De architectura* continuarão a ressoar através das épocas, influenciando os arquitetos italianos dos séculos XV e XVI – Alberti, Palladio e Filarete. O recuo para o passado e o resgate da "primeira construção" irá deter-se no Templo de Salomão, majestoso símbolo do poder criador e técnico do homem na Antiguidade e imagem perpétua do imaginário arquitetônico de todos os tempos. O Templo de Salomão esteve sempre ligado às especulações dos que se dedicaram a refletir sobre a arte da construção, devido ao seu significado religioso-espiritual na civilização ocidental. A partir de determinado momento o cristianismo absorveria a ideia judaica de construir para a humanidade toda a Cidade de Deus, a Jerusalém Celestial, cujo modelo teria inspirado a terrestre. Também no texto bíblico depara-os uma perfeita e detalhada descrição do grandioso projeto construtivo, digno do "*homo faber et construens*" agraciado, desde que fora criado, com o dom especial de "arquitetar". Rykwert nos lembra do desejo de reconstruir o templo salomônico que acompanhou um arquiteto austríaco do século XVIII, como Johann Bernhard Fischer von Erlach, e o clérigo jesuíta do século XVI, Juan Bautista Villalpando.

No final de seu livro, o autor, com extraordinário fôlego para uma rica leitura interdisciplinar, explora abundantemente tanto a mitologia quanto a antropologia, associando-as aos ritos, tema ao qual consagra um estudo bastante pormenorizado no sexto capítulo de sua obra. Ele afirma que em todas as culturas existe uma vasta gama de rituais de edificação, "[...] seja de residências particulares, templos ou palácios, ou ainda cidades inteiras [...]" que, entretanto, "[...] a mim não provocam maior interesse [...]", pois, para Rykwert, interessa essencialmente o que denomina a "outra" casa, "[...] que existiu em outros tempos, antes que uma intervenção heroica ou divina a tenha transformado em pedra [...]", ideia-mestra que ele expressa numa linguagem beirando a poesia: "[...] Em todos os casos são sempre "outras", que se distinguem das normais no tempo e no espaço. E em todos os casos encarnam alguma sombra ou memória daquele edifício ideal que existiu antes dos tempos: quando o homem sentia-se em sua casa, e sua casa era tão exata como a própria natureza". O mundo dos ritos das antigas civilizações grega, romana, egípcia, mesopotâmica, hebraica, oriental, que muitas vezes viajam na longa duração do tempo e chegam a aportar na contemporaneidade, penetrando e manifestando-se no quotidiano da vida dos humanos, como elementos mágicos e fascinantes, adquire novos sentidos na visão de Rykwert. Eles se associam à "casa" e tudo o que nela encontramos, tudo o que nela se faz, se comemora, se vivência no tempo e no espaço, na vida e na morte. O rito nos permite entrar na "cabana primitiva": *leitmotiv* de Rykwert, que formula a tese da existência de um interesse constante por sua busca como o Santo Graal da arquitetura. Mas, para ele, esse interesse não se limita apenas ao plano especulativo, uma vez que muitos tentaram reconstruir essa cabana primeva em três dimensões, inerentes a toda edificação, mas que podem ser entendidas como planos ou níveis do natural, racional ou espiritual no sentido de revelação divina, segundo a visão adotada. Porém, para Rykwert, ninguém ousou indicar onde a referida cabana poderia se encontrada, ou realizar escavações com esse objetivo, pois havia sido construída em um cenário remoto e primigênio, que chamamos Paraíso e cuja localização não pode ser assinalada em nenhum mapa. A busca do Paraíso perdido é um desejo angustiante e permanente que acompanha a história da humanidade e o autor reconhece, com extrema lucidez, de que a ideia de reconstruir a forma original da cabana primeva, "tal qual havia sido no princípio", é a aspiração das religiões, que recorrerem aos ritos sazonais das festividades que se associam aos tabernáculos e cabanas. Qual seria o significado desse ritual em particular em nossa herança judaico-cristã? Os caminhos para uma interpretação e entendimento do que poderia ser identificado com o sentimento da perda do Paraíso, após a expulsão de Adão e Eva, apontam a várias direções que se unem ou se conjugam na Utopia (em nenhum lugar...) Uma delas pode ser a do *midrasch* do *Pirkei de Rabi Eliezer*, lembrado por Rykwert, que descreve as bodas de Adão e Eva no Jardim do Éden, com os dez dosséis decorados com pedras preciosas, pérolas e ouro... "e não é verdade que um dossel de boda somente se faz para um rei...?" Como poderemos compreender essa preciosa pérola da literatura rabínica senão como a não aceitação da expulsão do Jardim do Éden e, por analogia, a não conformação com o Exílio que na trajetória histórica do povo hebreu, após as duas destruições do Templo de Jerusalém, impregna definitivamente a alma de um povo que deseja ardentemente e a todo custo reconstruir sua "Casa-Templo", e "Uma Casa para a Alma" é o título do último capítulo do livro *A Casa de Adão no Paraíso*. Nesse contexto, devemos recorrer ainda a outro *midrasch* que, talvez, nos possa auxiliar no entendimento do tema em questão: "Deus viu tudo o que tinha feito: e era muito bom" (Gen., 1:31). Rabi Tankhuma comentou: "tudo o que Ele fez é bom e a seu tempo" (Ecl., 3:11), "no devido tempo foi criado o mundo; o mundo não era digno de ser criado antes". Disse Rabi Abahu: "Daí que o Santo, bendito seja, ter criado mundos e os destruído, criava mundos e os destruía, até que criou a este e disse: aqueles não eram agradáveis e belos aos meus olhos, mas este me é agradável e belo" (*Bereschit Raba*, 9), ou então, assim como está escrito em IV Ezra, 6:52 "[...] para você [...] o Paraíso está aberto, a árvore da vida plantada, o tempo futuro está amadurecido, a abundância antevista, a cidade construída, o descanso preparado [...]". Encantadoras metáforas para o homem almejar o seu retorno ao Paraíso, confiante na expectativa messiânica de que um dia isto acontecerá!

A publicação desse livro, verdadeira contribuição para a historiografia da arquitetura, representa o trabalho e o esforço de um pequeno grupo que se empenhou particularmente na iniciativa. Primeiramente cumpre mencionar e agradecer ao Prof. Joseph Rykwert que nos atendeu concordando com a proposta da tradução e generosamente nos acompanhou ao longo do processo de trabalho, esclarecendo nossas dúvidas e, ainda, nos concedendo o texto introdutório, que ele mesmo denominou uma pré-história do original publicado em 1972. O nosso editor, Prof. Jacó Guinsburg, com sua sensibilidade intelectual para identificar textos fundamentais em cada área do conhecimento, foi presença constante e permanente referência. O Prof. Mario Henrique S. D'Agostino, profundo conhecedor da obra de Rykwert, colaborou conosco durante a tradução e a revisão, pondo generosamente à nossa disposição o belíssimo texto do prólogo que data do ano de 2000. Do labor tradutório participaram Ana Gabriela Godinho Lima, companheira nessa e outras jornadas, e Margarida Goldstajn, profissional de grande competência que se envolveu pessoalmente com o tema e nos permitiu chegar ao final desta publicação. Agradecemos também ao arquiteto Sérgio Kon, sempre paciente conosco, e a toda a equipe da Editora Perspectiva.

Anat Falbel
Engenheira e Pesquisadora da FAU-USP

Nota para a Edição Brasileira

Tenho revolvido o tema de uma introdução com o livro ao meu lado. Mas há pouco para acrescentar. Sem o desejo de parecer blasfemo, devo dizer, quod scripsi, scripsi

Porém, talvez uma palavra sobre sua pré-história talvez seja apropriada.

Em 1963 fui convidado a proferir uma série de conferências sobre a história da arquitetura na Architectural Association School, em Londres. Era um território familiar – ali eu havia estudado – e apesar das muitas mudanças pelas quais o local havia passado, permaneci em contato com alguns de seus professores. Não havia nenhum tópico ou uma abertura no curriculum para as conferências. Tive de inventar um tema.

Como muitos dos meus contemporâneos, eu me encontrava bastante atento ao fato de que o campo profissional estava dominado por um pragmatismo demasiadamente confiante, cujos detritos ainda obstruem diversos centros urbanos e entre suas consequências estão muitas das crises às quais estão sujeitas as estruturas urbanas. Contudo, nos anos 1960, haviam algumas vozes dissidentes: Team X teve sua origem como protesto contra a extrema confiança dos "mestres", tomando seu nome do décimo – e penúltimo – congresso do CIAM realizado em Dubrovnik, em 1956.

Nesse sentido, minhas reflexões foram sobre o estranho caminho pelo qual os "renovadores" da arquitetura, de Vitrúvio a Corbusier, retornaram sempre à análise e à exaltação das cabanas dos povos "primitivos" (a palavra não havia adquirido sua conotação negativa), como que condensando a quinta-essência da arquitetura.

O romance que me comoveu – como a alguns de meus contemporâneos – por sua reflexão sobre alguns de nossos problemas, foi *La Modification*, de Michel Butor, publicado em 1957. Em inglês seu título era *Second Thoughts*, tendo sido transformado em um filme, no qual autor do romance não se envolveu. A forma pela qual o herói reflete sobre a natureza das duas cidades nas quais vive de maneiras diversas, Roma e Paris, e a maneira pela qual identifica a estrutura dessas cidades com as duas mulheres de sua vida parecia oferecer um modo de pensar sobre o viver urbano como nossos mestres do CIAM não haviam considerado. Esses mesmos mestres também não haviam estado atentos, pelo menos assim me parecia naquele momento, ao fato de que a atração pelo "primitivo" possuía sua própria historicidade. Eu acreditava que essa consciência poderia levar efetivamente a novas ideias a respeito da natureza da edificação como uma iniciativa social e política. E foi por essa razão que ao encontrar Roberto Calasso em Roma – o que deve ter sido por volta de 1963, quando me encontrava trabalhando nas escavações do Fórum romano – nossas conversas levaram a feitura desse livro.

Joseph Rykwert
Londres 28.7.2002

Para voltar às fontes, dever-se-ia ir em sentido inverso.
René Daumal, *LeMont analogue*

1. Pensar e Fazer

Deus criou Adão "... à sua imagem/à imagem de Deus Ele o criou..." no sexto dia de Seu "grande trabalho... homem e mulher Ele os criou então," nos contam ainda[1]. Deus fez Adão e Eva de forma que eles pudessem ter a companhia um do outro, que pudessem ter relações um com o outro: mas também com Ele, quando Ele "passeava pelo jardim no frescor do dia".

Esse jardim o Criador, Ele mesmo, o plantou com "toda espécie de árvores atraentes à vista e saborosas ao paladar"[2]. O Éden não era uma floresta crescendo selvagem. Um jardim do qual o homem deveria cuidar, "cultivar e guardar" pressupõe uma disposição ordenada de plantas em canteiros e terraços. Entre as fileiras de árvores e canteiros de flores por certo existiriam lugares para andar, sentar e conversar. Talvez os frutos das árvores fossem suficientemente variados para satisfazer todo o desejo humano, ou melhor, adâmico, pela variedade; e talvez a fermentação não estivesse entre as habilidades de Adão; entretanto, se algo como o vinho fosse introduzido no jardim, isto sugeriria jarros e copos e estes, por sua vez, armários e aparadores, e então salas, despensas e tudo o mais: uma casa, de fato. Um jardim sem uma casa é como uma carruagem sem cavalo. E, no entanto, a Escritura, tão específica sobre o ônix encontrado perto do Paraíso, nada diz a respeito dessa casa implícita que leio no texto.

1. Gn 1:27.
2. *Idem*, 2:9.

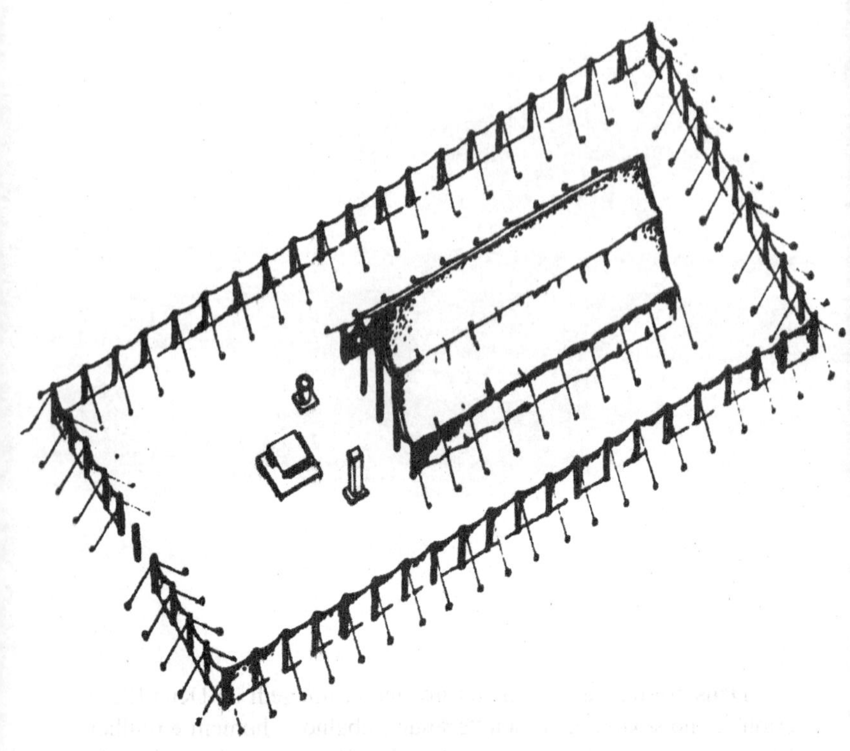

Templo primitivo – O Tabernáculo Judaico no Deserto, extraído de Le Corbusier.

O Livro Sagrado já foi muito interpretado, particularmente seus versículos iniciais, e espero que minha modesta inferência venha a ser irrepreensível. Eu a faço na convicção de que a sombra ou o contorno desta casa assim inferida tem desafiado muitos construtores e arquitetos, da mesma forma que a enigmática descrição do plano do jardim, com seus quatro rios, tem inspirado tantos decoradores, tecelões, tapeceiros, bem como jardineiros. Todos eles têm voltado suas fantasias em torno da estrutura desse plano perdido, pois todo paraíso, como Proust observou com sutileza, deve ser necessariamente perdido. Isso implica, em primeiro lugar, que não serei capaz de propor aos meus leitores uma descrição dessa primeira casa. Além disso, uma vez que tal visão parece ter perseguido todos os envolvidos em construção (muito antes desta ter se distinguido da arquitetura), eu gostaria de traçar o caminho no qual, em diferentes contextos, algumas recordações desse tipo ocorreram, e, a partir da inquietante persistência dessa visão, tecer algumas conclusões sobre a natureza da primeira casa.

Portanto, proponho investigar, em primeiro lugar, os argumentos de alguns arquitetos que são nossos contemporâneos próximos, mas

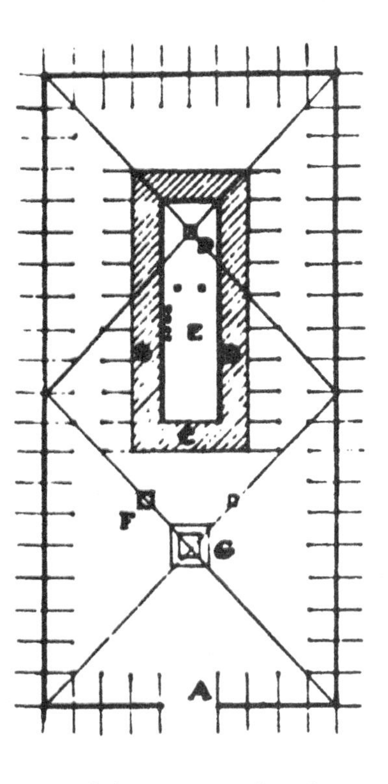

TEMPLO PRIMITIVO

A. entrada;
B. pórtico;
C. peristilo;
D. santuário;
E. instrumento de culto;
F. vaso de libação;
G. altar;

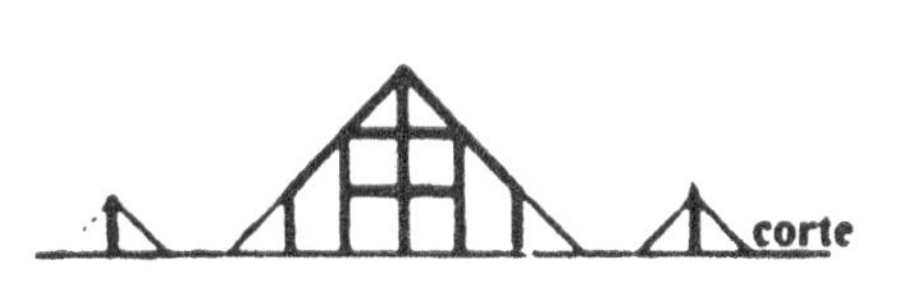

suficientemente afastados no tempo para poderem aparecer como figuras históricas, de forma a mostrar como a noção de uma primeira casa (*correta* por ser *primeira*) foi por eles invocada na condição de uma justificativa: o princípio primeiro de suas reformas radicais. Portanto, tentarei mostrar como essa noção, que ainda não deve ter se exaurido completamente – pois reaparecerá em alguns contextos díspares –, teve uma longa história, sendo certamente tão antiga quanto a teoria arquitetônica. É possível dizer que a teoria da arquitetura começou com Vitrúvio, quando mais não seja porque nenhuma evidência literária anterior sobreviveu. E visto que é uma noção que desejo rastrear, e não uma coisa, não haveria sentido em recorrer a evidências arqueológicas de sua pré-história ou origens. Não pode ter existido uma primeira casa cuja autenticidade os arqueólogos pudessem comprovar. Eles não poderiam sequer indicar onde estaria localizado seu sítio. Para fazê-lo, como já sugeri, teriam que encontrar o Jardim do Éden. Entretanto, além da teoria, existe uma outra fonte disponível: antes que a noção de uma "primeira" casa se tornasse peça do aparato conceitual, foram feitas tentativas de recordar sua forma e natureza por meio de cerimônias e ritos entre povos que alguns ainda chamam de primitivos. A natureza do meu tema, portanto, me induz ao paradoxo, pois o objeto primeiro de minha busca deve ser a memória de algo que não pode estar senão perdido.

Um objeto que sempre esteve perdido não pode ser lembrado –em nenhuma das acepções correntes da palavra. A memória da qual falamos, entretanto, não é exatamente a de um objeto, mas a de um estado – de algo que foi, de algo que foi feito, foi criado: uma ação. É uma memória coletiva mantida viva entre grupos por lendas e ritos. Mas também parece ter surgido em circunstâncias nas quais a transmissão histórica normal não pode ser invocada para explicar sua comunicação e sobrevivência. Aparentemente, haveria uma conexão inerente à visão que o homem tem de seus trabalhos e em particular, de seu abrigo. Porém, antes de ensaiar qualquer explicação genérica, devo ilustrar meu tema.

O Homem Primitivo – Le Corbusier assim apresenta seu selvagem ideal – deteve sua carroça: ele decidiu que aqui seria seu lar. Escolhe uma clareira e derruba as árvores que a obstruem; nivela o terreno em tomo, abre um caminho que o leva ao riacho ou para o assentamento dos seus companheiros que acaba de deixar [...] Este caminho é tão retilíneo quanto lhe permitem fazer seus instrumentos, suas mãos e seu tempo. Os piquetes de sua tenda descrevem um quadrilátero, um hexágono ou octógono: a paliçada (do assentamento) forma um retângulo cujos quatro ângulos são iguais [...] A porta da cabana abre-se no eixo do cercado e o portão deste cercado faz face à entrada da cabana.

Recorrendo à analogia, Corbusier descreve a construção do templo e conclui:

Olhe para o desenho deste tipo de cabana num livro de arqueologia: aqui está a planta de uma casa, a planta de um templo. É exatamente a mesma atitude que você pode encontrar em uma casa pompeiana ou em um templo de Luxor [...] Não existe esta coisa chamada "homem primitivo", existem apenas meios primitivos. A ideia é constante, potente desde o início[3].

Esses primitivos condutores de carroças e portadores de foices, no entanto, não são tão primitivos assim: eles são mais bárbaros que selvagens, de acordo com a pedante discriminação do jargão arqueológico moderno, e se forem identificados por seus equipamentos e seus meios, como Corbusier os descreve, pertencem às sociedades da Idade do Bronze Tardio ou da Alta Idade do Ferro. Porém, sua exata localização na pré-história não tem importância. Nesse contexto, eles são os "primeiros" homens, pois operam pela luz da razão incorrupta e do instinto e por isso são capazes de empregar um expediente aparentemente da maior elaboração: os *tracés régulateurs*, ou balizas geométricas, que capacitam o *designer* a operar uma espécie de rima geométrica com o uso de retângulos similares, e que, Le Corbusier assim sugere, todos os arquitetos devem utilizar como "uma proteção contra o arbitrário."

3. Le Corbusier, *Por uma Arquitetura*, p. 43.

Pelo fato de operar pela luz do instinto, auxiliado somente pela razão, o construtor primitivo de Corbusier podia recorrer diretamente a esses meios tão sofisticados, negados ao arquiteto do século XX, cujo pensamento é limitado pelo artifício e distorcido pelo preconceito. Os *traces régulateurs*, portanto, estão justificados: fundam-se diretamente nos princípios primeiros, produtos da razão incorrupta.

A forma de argumentação de Le Corbusier não é, contudo, nova. Seu homem primitivo é apenas um de uma série de heroicas figuras arquetípicas, cujos protótipos primordiais todos os povos mitificam. "No início" essas figuras deram expressão imediata à sua natureza interior, a qual, não contaminada, seguia em uníssono com as leis fundamentais de toda a criação. Elas eram, portanto, capazes de idear as habilidades essenciais, sendo que a constante imitação dessas primeiras ações conduziu a todas as realizações humanas fundamentais. Assim, Prometeu inventou a feitura do fogo; Dédalo, a serra – e a escultura; Palamedes, o alfabeto e o jogo de dados; Jubal, a feitura da música; e Tubal-Caim, todos os tipos de trabalho em metal.

No mito, os inventores-heróis não são rudes, iniciantes desajeitados, mas trabalhadores célebres e ilustres. Embora Dédalo tenha sido o primeiro a moldar o bronze, ele também foi capaz de produzir o famoso favo com abelhas, considerado um dos grandes feitos técnicos do mundo antigo. Como o construtor primitivo de Corbusier, Dédalo já havia dominado seu método à perfeição; as posteriores melhorias técnicas consistiram apenas em elaborações sobre as habilidades essenciais. O primitivo de Corbusier também possuía esse total domínio do método que os arquitetos do século XX negaram voluntariosamente ou não compreenderam completamente. "Eles esqueceram", diz Corbusier na mesma passagem, "que a grande arquitetura está nas próprias origens da humanidade, sendo o produto imediato do instinto humano"[4]. Esse "produto imediato do instinto humano" é invocado por Le Corbusier no início de seu mais famoso livro, *Por uma Arquitetura*. Os construtores primitivos foram capazes de cumprir as duas condições essenciais para a grande arquitetura: a primeira, seus edifícios, sendo medidos pelas unidades que o homem fez derivar de seu próprio corpo (a polegada, o pé e assim por diante), foram feitos "à medida do homem, na escala humana, em harmonia com o homem"; e a segunda, "sendo guiado por instinto para o uso de ângulos, nos eixos, quadrado e círculo [...] (o homem primitivo) não poderia criar de outra forma senão pela demonstração a si mesmo do que havia criado. Porque eixos, círculos e ângulos retos são verdades da geometria, são as verdades que nossos olhos medem [...] A geometria é a linguagem da mente"[5].

4. *Idem*, p. 44.
5. *Ibidem*.

Os construtores primitivos não eram os únicos exemplos arcaicos nos anos de 1920 e 1930. Duas ou três estrelas do cinema fizeram carreira encarnando o nobre selvagem: Tarzan foi apenas o mais conhecido desses personagens. O ancestral do "construtor primitivo" de Corbusier, assim como de Tarzan ou mesmo do Mogli, de Kipling, é o nobre selvagem dos *philosophes* do século XVIII. Porém o quadro é mais complexo do que uma genealogia assim tão simples pode levar meu leitor a supor.

Nem mesmo na literatura moderna o recurso de Le Corbusier ao primitivo é isolado. Em seu breve e polêmico livro *Architecture*, publicado alguns anos após *Por uma Arquitetura*, André Lurçat invoca as habitações palafitas da Baixa Idade da Pedra como justificativa aos *pilotis* tão favorecidos pelos arquitetos dos anos de 1930 para liberar o terreno congestionado da cidade. Novamente, quando Lurçat discute a produção em massa, refere-se aos templos gregos e às habitações dos "Trogloditas". Em geral, "primitivos" desse tipo eram invocados um tanto perfunctoriamente num momento em que, como o próprio Lurçat coloca, "tudo [deve ser] rejeitado a *priori*, e então rearranjado e criado novamente"[6].

Nos Estados Unidos, o assunto era ainda mais imediato. O homem "primitivo", ali, não era nem fóssil nem o selvagem distante. Os índios das planícies já haviam sido confinados em reservas, resultado de aproximadamente um século de campanha feroz. Quando Frank Lloyd Wright chegou a Chicago, as guerras indígenas estavam uma ou duas gerações para trás. Porém, da costa leste, ele trouxera consigo ideias diversas sobre o viver primitivo: seus pais possuíam uma formação transcendentalista na qual a cultura da cidade era desprezada, e as virtudes da vida em uma pequena cabana nos bosques, exaltadas. Quaisquer que tenham sido os enlevos urbanos a inspirar Whitman, para o cidadão moralista da Nova Inglaterra, o eremitério de Walden era objeto de peregrinação.

Para Thoreau, Emerson e Hawthorne, a pequena cabana nos bosques e a defesa da agricultura de subsistência nada mais era do que uma redução à sua essência da grande tradição utópica. Seja o que for que Wright tenha absorvido de e por meio de seu mestre de Chicago, Louis Sullivan, foi à essa tradição aristocrática que ele prestou sua primeira e maior lealdade.

Inevitavelmente, os dois "mundos" de ideias e a própria posição de Wright como "cavalheiro-arquiteto-artista" vivendo entre os barões do comércio de Oak Park, produziram um conflito que Wright projetou em uma pré-história fabulada:

6. André Lurçat, *Architecture*, p. 39.

Retroceda longe o suficiente no tempo, – ele diz em *The Living City*, texto publicado pela primeira vez em 1945 – a espécie humana estava dividida em agricultores habitantes de cavernas e tribos nômades caçadoras e guerreiras; poderíamos encontrar o nômade saltando de galho em galho na copa frondosa da árvore, garantido pela curva na extremidade de seu rabo, enquanto o mais impassível amante da parede espreitava, por segurança, escondido em algum buraco no chão ou em uma caverna: o macaco? [...] O habitante das cavernas tomou-se o habitante das falésias. Ele começou a construir cidades [...] Seu Deus era um assassino ardiloso... Ele ergueu seu Deus em um pacto misterioso. Quando pôde, fez seu Deus em ouro. Ele ainda o faz.

Mas seu irmão mais ágil e móvel idealizou um lugar mais adaptável e esquivo para morar – a tenda dobrável. Ele era o Aventureiro. Seu Deus, um espírito: devastador ou benevolente assim como ele mesmo[7].

Há muito mais nesse veio. Os mocinhos e bandidos não foram mantidos separados: "Naturezas humanas conflitantes conquistaram ou foram vencidas, casaram, inter-casaram, engendraram outras naturezas; fusão em algumas e uma tensa confusão em outras." O nômade – o leitor já o terá reconhecido, é apresentado por Wright como o protótipo do democrata –, enquanto que o homem das cavernas/agricultor é a incorporação desfocada do antidemocrata. Wright pensava que "no que se refere à cultura, a sombra-na-parede tem parecido, até agora, predominante", por causa das tecnologias desastradas e a violência sempre presente das sociedades mais velhas. Porém, os recentes desenvolvimentos, tanto sociais quanto técnicos, criaram novas condições: "Portanto, está surgindo um tipo humano capaz de transformar rapidamente o ambiente para atender desejos, amplamente capaz de superar a grande cidade de hoje: remanescente da grande e antiga Muralha. Na capacidade de transformação temos o novo tipo de cidadão. Nós o chamamos democrático"[8]. O novo ambiente é previsto na *Broadacre City*, de Wright, com a qual não posso me ocupar aqui. Mas me pergunto o quanto essa divisão da humanidade entre o mau terreno e o bom construtor de tendas espiritualizado – ela mesma uma variação do relato bíblico de Caim e Abel – reflete-se na aguda e constante distinção que os prédios de Wright sempre apresentam, entre os planos "liberados" e aparentemente sem suporte dos telhados e as paredes deliberadamente pesadas, paredes formalmente identificadas com a terra, da qual elas tão frequentemente parecem crescer[9].

Wright, que na sua visão de passado separava todos os homens em bons ou maus, tentou, em certo sentido, reintegrar estes opostos no desenho daquelas casas que ele tão frequentemente construía para pessoas que para ele, provavelmente, continham uma forte dose

7. Frank Lloyd Wright, *The Living City*, pp. 23-24.
8. *Idem*, p. 25.
9. Frank Lloyd Wright, *The Future of Architecture*, pp. 44-48.

da natureza de sombras-na-parede. Talvez ele estivesse sozinho entre os teóricos da arquitetura ao acreditar que a natureza humana é uma combinação de duas tendências opostas entre os nossos mais remotos ancestrais.

Naturalmente, o recurso ao "primitivo" distinguia-se conforme o meio. Era fascinante, ainda que ameaçador, nos Estados Unidos; na Alemanha, apresentava uma atração "conceitual" muito menos evidente. Pouca referência a esse tipo de coisas poderá ser encontrada em *Frühlicht*, a revista expressionista dirigida pelos irmãos Taut nos anos de 1920; nem em G, a mais moderada de todas as publicações *Sachlich*. Ludwig Mies van der Rohe, talvez o mais notável colaborador desta última, faz ecoar tal ideia bastante palidamente em uma tardia "declaração" americana: "Guiemos os alunos pela estrada da disciplina dos materiais, por meio da função, ao trabalho criativo. Guiemo-los ao mundo saudável dos métodos primitivos de construção, onde havia significado em cada golpe de machado, expressão em cada talho de cinzel [...]". Evidentemente, é a visão própria de um pioneiro da *Sachlichkeit*, que lutou, em seus primeiros escritos, pelo que poderia ser chamado de laicização da arquitetura, pela ideia de que toda grande arquitetura é o produto automático do programa, encarnado na própria construção do edifício: "Criar a partir da natureza de nosso trabalho com os métodos de nosso tempo; esta é nossa tarefa," uma vez que a "Arquitetura é o desejo de uma época traduzido em espaço; vivo, transformado, novo"[10].

Os pronunciamentos oraculares de Mies van der Rohe são poucos e secos; eles raramente vão mais a fundo do que a pia generalidade. Erich Mendelsohn, um praticamente contemporâneo, foi mais pródigo com suas palavras, e mais explícito em relação às ideias. Embora fosse muito inclinado ao paralelo histórico, para ele, a imagem "primordial", "natural", não era a primeira moradia do homem primitivo. Os modelos aos quais recorreu, quase que ao contrário, provinham do reino animal; a cidade, ele sustentava, deveria observar as mesmas leis de uma colmeia ou formigueiro. Os primeiros esboços de Mendelsohn dos edifícios fantásticos, sem plantas, desenhados com uma *bravura* expressionista têm sido comparados frequentemente às fantasias futuristas de Antonio St. Elia. Mas a natureza introduziu-se de maneira diferente nos manifestos futuristas: para prover imagens da imensa vitalidade das novas feições da cidade mecanizada. "Os elevadores não devem dissimular-se espremidos como tênias no poço da escada; as escadas, agora inúteis, deveriam ser abolidas e os elevadores, escalarem a fachada

10. Citado em Philip C. Johnson, *Mies Van der Rohe*, pp. 197-198.

do edifício como cobras de aço e vidro [...]" diz St. Elia[11]. Na tentativa de livrarem-se de sua herança positivista, os futuristas substituíram o modelo natural da casa pelo da máquina "dinâmica"; sendo que a visão de evolução que este invoca, e que condiciona o novo estilo, baseia-se numa interpretação positivista da sociedade e da natureza. Mendelsohn inclina-se muito mais diretamente à herança positivista. Embora, é claro, na medida em que trabalhava na Alemanha de Weimar, a razão do homem primitivo, isoladamente, não poderia servir como um arquétipo confiável; os modelos que observou são descritos nas atividades mais elementares dos animais – animais sociais em particular. Os livros sobre a arquitetura dos animais (e, por uma curiosa metonímia, de plantas também) estavam em grande voga na segunda metade do século XIX. O Reverendo J. G. Wood, naturalista e divulgador, devotou, em 1875, um livro esplêndido, ricamente ilustrado, apenas para tal ideia. O título é por si interessante: *Homes without Hands, Being a Description of the Habitations of Animals, Classed According to Their Principles of Construction* (Moradas sem Mãos, como uma Descrição das Habitações dos Animais, Classificadas de Acordo com Seus Princípios de Construção): como se pode notar, não de acordo com o modo de vida de seus habitantes, ou mesmo suas alianças genéticas, mas de forma que ninhos de peixes encontram-se lado a lado com ninhos de pássaros construídos de maneira similar. A ideia subjacente, inerente a essa abordagem, é detalhada explicitamente em outro manual popular, desta vez sobre arquitetura, *Les merveilles de l'architecture*, publicado em 1880, como um volume da *Bibliothéque des merveilles*, por André Lefèvre, um poeta e escritor de mitologia e filosofia (e, a propósito, tradutor de Lucrécio). Ele inicia:

> A Arquitetura não é desconhecida para os animais: o buraco da minhoca, a galeria da formiga, a colmeia da abelha [...] a choça do gorila, a casa, a torre do castelo, o templo e o palácio, todos satisfazem a mesma necessidade, infinitamente diversificada. Uma lei comum pode ser induzida a partir destes, e esta é a lei da adaptação. A utilidade é a base de qualquer estética arquitetônica [...] O indivíduo habita da mesma forma que se veste [...] para defender-se da inclemência e hostilidade que o rodeiam [...][12]

e daí por diante.

Em meio a essa corrente geral do pensamento do século XIX, o leitor pode encontrar uma contradição direta entre essas especulações. "Não pode haver algo como uma arquitetura animal", afirma um historiador positivista que deseja identificar o conceito de arquitetura com a noção de duração permanente, com a monumentalidade.

11. Antonio St. Elia, "Manifesto of Futurist Architecture", *Controspazio*, p. 18.
12. André Lefèvre, *Les merveilles de l'architecture*, p. 11.

Ninhos do pássaro-tecelão africano, segundo J. G. Wood.

Ainda que isso seja realmente um alvoroço em torno da nomenclatura, o fato é que a divisão entre uma arquitetura que pode ser classificada de acordo com materiais ou métodos construtivos, como os ninhos das andorinhas e de certos peixes, deve – mesmo na teoria positivista –ser claramente distinta de uma arquitetura que é construída com intenção monumental, construída para a permanência. Essa distinção sugere uma outra polaridade. E, apesar da aparente superficialidade do ponto em questão, é muito mais interessante.

Geralmente se sustenta que as primeiras habitações do homem eram apoios precários contra alguma superfície rochosa, que os primeiros homens idealizaram para se proteger do clima e de seus vários inimigos. "A arquitetura [...] deve ter tido uma origem simples no esforço primitivo da espécie humana de prover proteção contra o clima inclemente, bestas selvagens e inimigos humanos [...][13] Assim inicia-se *A History of Architecture*, de Banister Fletcher, de onde gerações de arquitetos de língua inglesa extraíram suas lições de história da arquitetura. E esta ainda seria a visão expressa pela maioria;

> É singular – observa o grande pré-historiador francês André Leroi-Gourhan, considerando precisamente este ponto – que os mais antigos edifícios remanescentes são contemporâneos do surgimento das primeiras representações rítmicas [...] [embora] a base da moral e do conforto físico no homem envolva a percepção animal do perímetro de segurança, do refúgio cercado, ou dos ritmos socializados: [de forma que] não faz sentido procurar uma excisão entre o animal e o humano para explicar nossos sentimentos de fixação com os ritmos sociais e o espaço habitado [...] [ainda que] o pouco que se conheça [das habitações *pré-Homo sapiens]* seja o suficiente para mostrar que uma mudança profunda ocorreu por volta do período que corresponde ao desenvolvimento das seções de controle do cérebro nas espécies relacionadas ao *Homo sapiens* [...]. Tal evidência arqueológica [como lá está] poderia parecer justificar o postulado de que, do período paleolítico superior em diante, houve uma tentativa de controlar o conjunto dos fenômenos do espaço--tempo por meios simbólicos, dos quais a linguagem era a principal. Eles implicam numa efetiva 'tomada de controle' do espaço e do tempo por meio da mediação entre símbolos: sua domesticação *stricto sensu*, uma vez que envolve um espaço e um tempo controláveis no interior da casa e a partir dela[14].

O leitor terá notado a contradição. Por um lado, a visão comumente aceita, expressa por Mies, Mendelsohn, Choisy, e daí por diante, do homem adaptando lentamente os vários arranjos precários que lhe são impostos pela inclemência do clima (com efeito, o grande historiador positivista da arquitetura, Auguste Choisy, pensa que foi o início da Era Glacial que forçou o homem aos abrigos e cavernas)[15]; e por outro lado, a insistência do paleontólogo na diferença conceitual, mais do que física, entre as habitações humana e animal. E a

13. Banister Fletcher e Banister F. Fletcher, *A History of Architecture*, p. 1.
14. André Leroi-Gourhan, *Le geste et la parole*, vol. 2, pp. 139-140.
15. Auguste Choisy, *Histoire de l'architecture*, vol. 1, p. 2.

Gropius: A Casa Sommerfeld, Berlim, 1921.

diferença de concepção, o vínculo entre o significado e sua tarefa, que distingue as primeiras tentativas do homem nessa direção das que moveram instintivamente as bestas. Essa segunda visão se parece surpreendentemente com aquela expressa por Le Corbusier em *Por uma Arquitetura*. Existe ainda uma outra reconstituição da casa primitiva em um contexto arquitetônico mais imediato. A palavra "primitivo" aparece atualmente em vários contextos. O argumento filogenético, para tomar um exemplo, sugere que uma criança em idade escolar esteja passando por um desenvolvimento paralelo àquele referente à fase paleolítica da pré-história, tanto quanto um feto condensa, em nove meses de gestação, toda a evolução do terciário e quaternário. De forma análoga, as conquistas tecnológicas de algumas sociedades exóticas permitem que antropólogos incautos chamem de "paleolíticas" certas tribos das matas da Austrália ou da Nova Guiné. Da mesma forma, no fim do século XIX, o homem do campo era visto como uma espécie de "primitivo", e mais, um "primitivo" cujos modos rudes e cujo contato diário com o solo e com os animais, garantiam uma visão mais instintiva, mais "verdadeira" das coisas. Essa visão prevaleceu nos escritos de heróis nacionalistas tais como Wyspianski, as pesquisas musicais de Bartók e Kodály, ou as primeiras pinturas de artistas cosmopolitas como Kandínski. Chamo a atenção para essa atmosfera intelectual a fim de "situar" de forma mais convincente a curiosa casa que Walter Gropius e Adolf Meyer projetaram para um próspero mercador de madeira chamado Sommerfeld, em Dahlem, um subúrbio de Berlim. Referida sempre como a Blockhaus

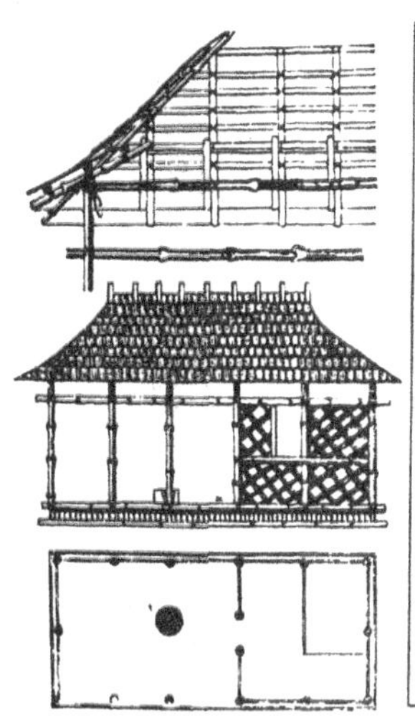

(à esquerda) Cabana caraíba, segundo Semper.
(no centro) A Casa Sommerfeld. Convite para a festa de inauguração. Litografia. Arquivo do Bauhaus.
(à direita) Construção de troncos na Bielo-Rússia (Belarus), segundo Strzygowski.

Sommerfeld (usando o termo germânico), o que levou as pessoas a esquecerem que *blockhaus* significa casa de troncos, ou mesmo cabana de troncos. De certa forma, a escolha do material foi ditada pela profissão do cliente, mas, apesar disso, a casa sempre inspirou debates especiais. O detalhamento ao estilo "camponês" – as extremidades das vigas entalhadas, por exemplo –, bem como o uso de métodos construtivos toscos, muito diferentes de qualquer outra obra de Gropius, convida a um exame mais profundo.

Existe algo na casa que relembra algumas obras americanas anteriores, particularmente de Sullivan ou Elmslie. Porém, Walter Gropius estava muito familiarizado com vários outros aspectos da escola de Chicago e, ao mesmo tempo em que a Casa Sommerfeld estava sendo finalizada, Gropius e Meyer trabalhavam no projeto para o concurso da Chicago Tribune Tower, que, de todos os trabalhos submetidos, era o mais sofisticadamente fiel à obra inicial da escola de Chicago. Esse exemplar, de uma rudeza deliberadamente extravagante, um edifício quase camponês, traz à mente uma nota de rodapé de Semper: "Ainda hoje, os filhos supercivilizados da Europa, quando perambulam pelas florestas primevas da América, constroem para si cabanas de troncos"[16]. O espírito pioneiro dessa observação combina bem com a atmosfera geral da renovação pio-

16. Gottfried Semper, *Der Stil in den technischen und tektonischen Kunsten oder praktische Aesthetik*, vol. 1, p. 7.

neira dos primeiros dias da socialdemocracia alemã. Talvez mesmo o cliente, um homem de negócios autoconfiante, tivesse captado algum eco do grande mito americano, popular antes da guerra de 1914-1918, "da cabana à Casa Branca", a conquista social apesar das mais humildes origens.

Com tudo isso, a casa ocupa uma posição singular na obra de Gropius. Embora esteja ilustrada no livro comemorativo da Bauhaus, não há uma menção sequer a seu respeito na monografia "oficial" sobre Gropius de autoria de Siegfried Giedion. E ainda assim, minhas considerações à parte, a casa foi da maior importância por ser o primeiro esforço coletivo da Bauhaus, o primeiro edifício a exemplificar o *slogan* arrebatador da frase conclusiva do manifesto da Bauhaus: "Juntos conceberemos e criaremos o novo edifício que abraçará arquitetura e escultura e pintura em uma unidade e que se elevará um dia em direção ao paraíso pelas mãos de milhões de trabalhadores como o estandarte cristalino de uma nova fé"[17]. No manifesto, estas palavras são ilustradas pela xilografia de um edifício com aspecto de igreja, de três torres em cujos topos estrelas brilhantes iluminam a escuridão. Porém, na realidade, os ensinamentos do manifesto são demonstrados pela casa de troncos de Sommerfeld, na qual os arquitetos colaboradores foram Josef Albers, responsável pelos vitrais, Joost Schmidt, pelos entalhes de madeira, Hans Jucher, pela serralheria e Marcel Breuer (ainda um estudante), pelo mobiliário. Este, de fato, ainda que feito com grandes peças de madeira continha a promessa do desenvolvimento posterior de Breuer. A casa em si relaciona-se apenas indiretamente com a produção posterior da Bauhaus. No ano seguinte à sua construção, a Bauhaus produziu outro esforço "total", a Haus am Horn, que foi produzida para a exibição de 1923 e que rompeu radicalmente tanto com a prática construtiva corrente quanto com sua predecessora em Dahlem.

No entanto, a casa de troncos de Sommerfeld requer interpretação. As autoridades da Bauhaus não ajudam nessa matéria. O próprio Gropius tomou grande cuidado em se dissociar da contaminação do primitivismo. Numa carta circular aos seus colegas, ele reafirma o propósito essencial da Bauhaus como seu *Urheber* (fonte primária de energia). É um chamado para as realidades do contato criativo com a indústria, e uma condenação a "alguns *Bauhausler*, que cultivam um equivocado retorno rousseauniano à natureza. Alguém que nega o mundo como ele é, deveria retirar-se para uma ilha deserta..." E mais adiante, no mesmo ensaio, o verdadeiro rousseaunismo é resumido em uma sentença: "O arquiteto supervalorizou sua utilidade... o engenheiro, ao contrário, livre do

17. Hans M. Wingler, *Das Bauhaus*, p. 39.

(acima) Mausoléu de Lenin, o segundo edifício em madeira,
(abaixo) Mausoléu de Lenin, o edifício de pedra.

preconceito estético e histórico, alcançou formas claras e orgânicas [...]"[18]

Porém, a casa de Sommerfeld pertence à Bauhaus original, anterior à reforma, do artesanato, dos trabalhos manuais. E o significado desse estranho exercício não é reconhecido por seus projetistas. Eu gostaria, portanto, de interpolar a passagem de um colaborador posterior de Gropius, Konrad Wachsmann, que publicou um livro sobre arquitetura de madeira em 1930, ainda muito tempo antes de colaborar com Gropius. Wachsmann dedica um capítulo à casa de troncos como uma forma de edifício em madeira.

> Esta é – diz ele – a mais antiga forma de construir casas de madeira. São conhecidos exemplos desde a pré-história [...] a casa de troncos representa a concepção interior da casa de madeira, uma vez que, à parte o valor inerente da forma estrutural, ela apresenta as qualidades materiais da madeira em sua forma mais pura. Apesar de todos os refinamentos estruturais possíveis, o princípio da construção permanece inalterado desde a casa de troncos primitiva dos antigos [...]

E mais adiante, no mesmo capítulo: "Apesar de todo o apoio técnico, a construção de uma casa de troncos será sempre um procedimento artesanal, que somente pode ser conduzido por carpinteiros experientes"[19].

Tais ideias derivam, em última instância, do positivismo historicizante de Semper, mediado particularmente por Josef Strzygowski em oposição a outros historiadores da escola de Viena. Strzygowski sustentava que a construção em madeira era a técnica de construção original de seus ancestrais indo-germânicos. Uma vez que a madeira é perecível, o conjunto da arquitetura "nórdica" primitiva estava perdido para o historiador da arte; e, no início do século, ele estabeleceu um instituto de pesquisas em Viena para estudar e documentar as remanescências dessa forma arcaica de construção, que ele reconhecia como o método original de edificação em toda a Europa do Norte e Ásia: separado do Mediterrâneo do Leste e da China por um cinturão de construtores de tijolo e de tendas, respectivamente. Às vezes ele ia mais adiante: "Qualquer um que faça um estudo comparativo da arte, em termos geográficos, é praticamente levado à conclusão de que, na vasta maioria dos países, a madeira foi o material de construção original [...]"[20]

Além disso, opondo-se às técnicas de estruturação e estacas, Strzygowski foi o primeiro a defender a precedência da construção de troncos no Norte. Ainda que as ideias de Strzygowski sobre o assunto tivessem adquirido sua forma definitiva em suas palestras

18. *Idem*, pp. 62-63.

19. Konrad Wachsmann, *Holzhausbau*, pp 30-33.

20. Josef Strzygowski, *Der Norden in der bildenden Kunst Westeuropas*, p. 100.

datadas de 1922-24 e publicadas três anos mais tarde, seu instituto de pesquisas funcionava havia muitos anos, e ele mesmo já falava e escrevia dessa forma há algum tempo[21]. Gropius deve ter tomado conhecimento dessas ideias, uma vez que esteve em Viena nos anos da guerra: elas certamente eram discutidas em seu círculo. Além disso, Strzygowski estava suficientemente familiarizado e favorável às ideias que animavam a Bauhaus a ponto de se tornar membro do comitê da Associação dos Amigos da Bauhaus, formado em 1923.

Inesperadamente, esse tipo de construção ecoa em uma obra quase contemporânea que nunca foi adequadamente descrita ou examinada: o Mausoléu de Lenin. Após o desmonte de um monumento provisório, ele foi construído em 1924 tanto para proteger o corpo embalsamado de Lenin quanto para servir como tribuna para os grandes homens da hierarquia soviética durante as paradas na Praça Vermelha. Embora sua forma posterior de pedra reproduzisse bastante proximamente o edifício de madeira que substituiu, em 1930, ainda ele parece ser uma construção modesta. Anastas Schusov, que desenhou ambas as formas, é lembrado por tê-lo concebido como o túmulo de algum líder primitivo das estepes mongólicas. Um breve exame do prédio da estação Kazan, pelo mesmo arquiteto, mostra bem quão nacionalista e conscientemente "primitivo" o estilo de Schusov podia ser. O túmulo de Lenin foi de fato o primeiro edifício cerimonial permanente da Rússia soviética, e foi de sua origem, e não dos brilhantes projetos; de concreto, aço e vidro de Tatlin e Lissitzki que os arquitetos soviéticos subsequentes adotaram o modelo[22].

O retomo a uma forma arcaica de construção, uma forma que permaneceu inalterada apesar de todos os possíveis refinamentos que tenha sofrido, parece ter sido uma tentativa consciente de fundir elementos estilísticos em uma nova unidade, retomando um modo de construir que carrega consigo, inevitavelmente, as sementes de uma sabedoria e retidão telúricas, imemoriais. Sob várias formas, essa crença teve uma aceitação bastante surpreendente. Em um ensaio publicado em seu periódico *Der Andere* em 1909, chamado simplesmente "Arquitetura", Adolf Loos, descreve sua visita a uma encantadora vila na montanha junto a um lago, onde

> tudo respira beleza e paz. O que é isto então? Uma nota falsa perturba esta paz. Como um ruído desnecessário: entre as casas dos camponeses, que não foram feitas por eles, mas por deus [é dele a letra minúscula], há uma *villa.* O trabalho de um bom ou mau arquiteto? Não sei. Sei apenas que a paz, descanso e beleza fugiram.

21. Josef Strzygowski, *Altai Iran und Völkerwanderung*, pass.

22. K. I. Afanasev, V. Afanasev, and B. E. Chasanova (eds.), *Iz Istorii Sovetskoy Arkhitekturi 1917-1925*, pp. 225-226, 229.

Diante de Deus não existem nem bons nem maus arquitetos [...] Nas cidades, nos reinos de Belzebu, pode haver finas distinções, como há até nas formas de crime. Portanto pergunto: por que todo arquiteto, seja bom ou mau, fere as margens do lago?

O camponês não o faz. Nem o engenheiro, que constrói a estrada de ferro até o lago, ou possui interesses profundamente diferentes em sua superfície brilhante. Eles criam de outro jeito. O camponês demarcou uma porção do prado verde na qual a nova casa deve ficar, cavou uma vala para as fundações. Se há argila na vizinhança, então haverá um forno para fornecer tijolos; se não há, a pedra em torno dos limites do lago servirá igualmente bem. E enquanto o pedreiro assenta tijolo sobre tijolo, pedra sobre pedra, o carpinteiro montou seu cavalete. Ele está fazendo o telhado. Que tipo de telhado? Será belo ou feio? Ele não sabe. Um telhado.

O camponês quis construir uma casa para si, sua família e seu gado, e foi bem-sucedido. Assim como seu vizinho e seu ancestral foram bem-sucedidos. Assim como o animal, guiado por seus instintos, é bem-sucedido. A casa é bonita? Sim, tão bonita quanto a rosa e o cardo, o cavalo e a vaca. Eu, portanto, pergunto de novo: por que o arquiteto, seja ele bom ou mau, fere as margens do lago? Por que o arquiteto, como praticamente todo homem da cidade, não tem cultura. Falta a ele a segurança do camponês, que possui uma cultura... chamo cultura aquela harmonia *[Ausgeglichenheit]* entre o homem interior e exterior que garante, sozinha, a sensibilidade no pensar e agir [...][23]

Mas Loos não leva esta parte do argumento adiante. Para ele, em qualquer caso, a *arte* na arquitetura é preponderante apenas no túmulo e no monumento. Loos quer mostrar ainda que o artista está preocupado com as gerações futuras, mas o artesão, tal como o arquiteto, com o presente. O arquiteto, ele continua, deve buscar criar no espectador um sentimento particular a respeito do prédio que ele está desenhando. E ele conclui, "Quando, ao andarmos pelo bosque, encontramos uma elevação no solo, seis pés de comprimento e três pés de largura, toscamente amontoada em forma de pirâmide, ficamos sérios, e algo interior nos diz: alguém está enterrado aqui. *Aquilo é arquitetura*"[24].

Loos não diz porque os camponeses e engenheiros são aqueles que alcançam essa sabedoria elementar em qualquer coisa que façam. Para ele, parece evidente por si mesmo que ambas as categorias de trabalhadores, por suas circunstâncias particulares, alcancem a sabedoria telúrica ainda acessível àqueles cuja situação social não os tenha condenado à vida sem raízes da cidade, ganhando assim uma estabilidade e consequente segurança, sem as quais poderiam ser considerados desfavorecidos.

Loos plasmava seus ensinamentos em grande parte de seus edifícios. Sua visão de desenvolvimento arquitetônico levou-o a trabalhar de um jeito na cidade, de outro no campo, certamente buscando a simplicidade, a redução ao elementar apreciada pelo camponês.

23. Adolf Loos, *Gesammelte Schriften*, pp. 302-303.

24. *Idem*, p. 137.

Seria fácil desprezar como exceções bizarras a Loos, a Blockhaus Sommerfeld, as ideias de Corbusier que citei anteriormente e outros conceitos. Eu diria, no entanto, que, esses são exemplos do pensamento e da prática dos mais eminentes e influentes arquitetos e historiadores e que todos os exemplos são cruciais para os homens que os produziram.

Com efeito, mesmo um leitor desatento deve ter notado uma curiosa característica em duas das minhas citações; que Le Corbusier em 1922 e Leroi-Gourhan quarenta anos mais tarde (e partindo de premissas bem diferentes) estavam dizendo algo bastante similar. O tema comum era a unidade da espécie humana e, em consequência, sua crença na primazia da razão que poderia, em algum sentido, ser identificada em sua mais pura e precisa fonte: *en arche.* Por outro lado, Loos e a *Bauhausler* estavam falando sobre algo bastante diferente: a sabedoria oculta, secular, telúrica que é vedada ao "civilizado", o "privilegiado", e acessível apenas ao "primitivo".

No entanto, todos estavam de acordo em um ponto. Se a arquitetura deveria ser renovada, se a sua verdadeira função deveria novamente ser entendida após anos de negligência, um retorno ao estado "pré-consciente" do edifício, ou, como alternativa, ao alvorecer da consciência, revelaria aquelas primeiras ideias, das quais nasceria uma verdadeira compreensão das formas elementares com que os arquitetos inevitavelmente jogariam, como fichas em um jogo, simples ou elaborado, a fim de propor das mais simples às mais elaboradas formulações.

2. Necessidade e Convenção

Loos nunca se empenhou em estabelecer um "corpo" completo da arquitetura; na realidade, ele não era um pensador sistemático. Entretanto, subjacente a seus vários ensaios subsiste um conjunto razoavelmente coerente de concepções a respeito de sua arte, ainda que em transformação e em desenvolvimento. Como era de se esperar de um intelectual vienense de sua geração, o que condicionou seu pensamento foi uma base positivista contra a qual ele repetidamente lançava contrapontos linguísticos. Daí sua combinação da retitude "instintiva", se não irracional, dos engenheiros (em resposta direta à necessidade e circunstância) com a harmonia telúrica, ou seja, com a segurança de uma habitação camponesa, como se fosse uma construção animal. Profundamente arraigada na necessidade terrena, essa segurança garantiu que a forma, forma visível, jamais fosse subvertida ou distorcida – como havia sido pelo desenraizado habitante da cidade, sempre à procura de um estilo. Seguindo a Gottfried Semper – neste, como em tantos outros aspectos –, Loos iguala estilo a ornamento; ainda mais, ao embaraçoso desejo pela novidade, à indulgência peculiar e ao capricho individual. Ao camponês, vale observar, Loos permite o ornamento – proibido aos civilizados –, pois seu trabalho é governado pelos imediatos ditames do instinto, reforçado pela tradição, uma herança que adquire geneticamente. Portanto o camponês jamais necessita articular ideias sobre forma e estilo. Forma e estilo desenvolvem-se da forma correta, isto é, inconsciente e espontaneamente, no confronto do homem com o clima através do ofício: sombras de Semper novamente.

Quando Loos publicou "Arquitetura", quinze anos já se haviam passado desde a edição da *Stilfragen* de Alois Riegl, com seu ataque à posição materialista de Semper. Vale recordar que foi naquele ano, 1909, que Freud, em sua primeira viagem aos Estados Unidos, encontrou na sua cabine o camareiro de bordo lendo *A Psicopatologia da Vida Cotidiana*, "o que lhe fez suspeitar que ele [Freud] era famoso"[1]. *A Psicopatologia da Vida Cotidiana* aparecera em 1904 e, ainda que o próprio Loos não a tivesse lido até 1909, as ideias que a obra continha certamente já deveriam ter percolado até ele naquele momento. Em todo caso, ele pode ter tomado contato casualmente com as ideias a respeito do inconsciente "estruturado" – não exatamente no sentido em que Freud o entendia, é claro, mas como Theodor Lipps o defendia tão explicitamente cerca de vinte anos mais cedo, ainda que algumas noções sobre o pensamento inconsciente tivessem sido aventadas muito tempo antes, ainda com Leibniz, pelo menos entre os filósofos alemães. Mas retorno a Riegl e às suas diferenças em relação a Semper.

A diferença surgiu na questão das origens. Semper estabeleceu, de forma sistemática, suas ideias sobre a natureza e o significado do ornamento (e da arte em geral) no início de seu trabalho *Der Stil*, obra singular e talvez a publicação mais influente sobre o assunto no século XIX, que ainda oferece uma fonte de ideias sobre o tema tanto para historiadores quanto para arquitetos. Semper sustentava que a origem de toda forma nos artefatos deveria ser estudada sob dois aspectos:

> Em primeiro lugar – afirma – como resultado do serviço ou uso para o qual foi destinado: seja esse uso imediato ou apenas nocional, entendido em um sentido mais elevado, simbólico; em segundo lugar, como produto do material utilizado, bem como das ferramentas e processos empregados em sua fabricação[2].

Mesmo que essa não seja, estritamente falando, uma formulação materialista, ainda assim, revela, sem dúvida, um modo positivista de enfrentar o problema; com efeito, quando Semper passa a classificar os artefatos, ele o faz por seu aspecto tátil e sua durabilidade. Primeiramente, tem-se aquele "elástico, tenaz, porém resistente à esgarçadura, de maior estabilidade"; em segundo lugar, aquele que é "macio, maleável (*plastisch*), capaz de endurecer, prestando-se a uma variedade de formatos, e, uma vez endurecido, conseguindo reter a forma que lhe foi dada"; em terceiro, aquele "em forma de

1. Ernest Jones, *Sigmund Freud*, vol. 2, p. 60.

2. Gottfried Semper, *Der Stil in den technischen und tektonischen Kunsten oder praktische Aesthetik*, vol 1, p. 7.

bastão, elástico, de notável força relativa, ou seja, resistente às forças perpendiculares ao seu eixo"; e em quarto, aquele

> forte, com densa consistência agregada, resistente à compressão e fragmentação e, portanto, com alta capacidade de reação, constituído de tal maneira que a forma desejada pode ser obtida por meio da subtração de partes da peça principal ou por composição, em um sistema estável a partir de fragmentos regulares da mesma substância [...][3]

É evidente que as categorias das substâncias descritas de forma abstrata, correspondem, na verdade, a quatro grupos de ofícios: tecelagem, cerâmica, "tectônica" (i.e., carpintaria) e "estereotomia" ou cantaria. O grosso do livro de Semper articula-se conforme essa divisão. Atribuindo, de forma axiomática, prioridade lógica à tecelagem, Semper deduz de seu postulado que o primeiro artefato (na minha interpretação) é o nó ou a trança de margaridas, a guirlanda[4]. Naturalmente, quando se dirige às origens da arquitetura, Semper também as vê a partir dessas categorias: então, a decorrência evidente da hipótese é que a forma primária da casa é, *logicamente*, a tenda.

> Se as influências climáticas e outras circunstâncias são suficientes para explicar este fenômeno da história cultural, mesmo que, a partir daí não possamos deduzir que estamos lidando com uma regra universalmente válida do desenvolvimento da civilização, não obstante, permanece verdadeiro que os primórdios da construção coincidem com aqueles da tecelagem... Assim, gostaríamos de reconhecer a tela, a cerca feita de ramos e galhos trançados e amarrados – cuja confecção requer uma técnica que a natureza oferece ao homem –, como a primeira divisória feita com as mãos, a primeira divisão vertical do espaço inventada pelo homem. A transição do entrelaçamento de galhos para o entrelaçamento do cânhamo com fins domésticos similares é fácil e natural[5].

Note a terminologia: a passagem gradual, sutil, do dispositivo "natural" ao artifício. Semper prossegue examinando as origens da arquitetura em termos dessa combinação ramos-tecelagem, na China e na Índia, no Fértil Crescente e na Antiguidade Clássica. Os detalhes desse exame não nos interessam aqui, mas o procedimento de buscar, a cada etapa do desenvolvimento, um edifício cada vez mais formal e mais durável, tem em si uma curiosa e evidente falta de motivação. Os três princípios que Semper propõe no início do livro para estabelecer critérios críticos a fim de ordenar a variedade em uma unidade são: a simetria, ilustrada pelos flocos de neve; a eurritmia, ilustrada pelas plantas; e a direção (por implicação: propósito, função física), exemplificada pelo reino animal e especialmente pelo homem. Esses três critérios constituem a base de toda criação e toda

3. *Idem*, p. 819.
4. *Idem*, p. 113.
5. *Idem*, p. 213.

percepção formal: esse é o conteúdo, no que diz respeito à arte, que permite a unidade[6].

Esse resumo, um tanto seco, faz injustiça à grande sutileza e intuição de Semper. Desde a introdução do livro, o autor reflete sobre essa unidade final que o "conteúdo" deve produzir. O Homem, afirma, não é simplesmente o macaco desnudo diante dos elementos:

circundado por um mundo repleto de maravilhas e de poder, cuja lei o homem pode intuir, deseja compreender, mas não consegue decifrar ou esclarecer – um mundo no qual apenas lhe alcançam umas poucas e fragmentadas harmonias, que mantêm seu sentimento em uma constante e insolúvel tensão – ele assim conjura a tal totalidade perdida. Cria para si um mundo diminuto onde as leis cósmicas agem em um sistema diminuto, mas independente – atuando no sistema em sua totalidade: nesse jogo o homem satisfaz seu instinto cosmogônico. Portanto, a música e a arquitetura não devem ser pensadas – ainda que tenham origem nas sequências rítmicas e regulares do tempo e do espaço, assim como, a guirlanda de margaridas, o colar de pérolas, a concha, a dança circular, e assim por diante – como imitativas, ao contrário, elas não são jamais imitações da aparência da natureza, mas representam as artes mais elevadas, puramente cósmicas. E nenhum outro artefato ou arte pode isentar-se de seu poder legislativo[7].

Argumentando contra Semper, Riegl acusa os "inumeráveis discípulos" do velho homem de traírem a sua doutrina pela ênfase desmesurada em seus ingredientes materialistas: e, ainda assim, ele vê Semper como um quase-naturalista.

A escola histórico-naturalista, que busca as inter-relações causais de todo fenômeno, não poderia deixar de satisfazer-se com a hipótese que encontrava – para um ramo da atividade humana tão eminentemente espiritual como o da criação artística – um motivo dominante, e uma origem tão fascinante por sua naturalidade como surpreendente por sua simplicidade [...] A concepção materialista-naturalista do mundo resultou em graves consequências no campo do estudo da arte. Acreditava-se que a arte não poderia ter existido, desde o início, como a expressão mais elevada de um desenvolvimento espiritual, mas que teria sido precedida por uma técnica direcionada ao alcance de objetivos meramente práticos [...]

Riegl analisa como o aparecimento dos objetos decorados com figuras geométricas elementares e o estabelecimento da tecelagem como a primeira arte sugeriram que os estilos geométricos tivessem sido gerados espontaneamente a partir de uma técnica.

Com uma segurança – prossegue Riegl – que sugere que estivessem realmente presentes e com seus próprios olhos assistissem aos homens primitivos inventando as primeiras formas de arte enquanto estes trabalhavam com seus materiais e ferramentas, os arqueólogos foram capazes de explicar os padrões geométricos individuais dos vasos mais antigos como sendo originários das técnicas têxteis, metalúrgicas e estereométricas

– e assim por diante. Tendo investido contra os seguidores, Riegl retorna ao criador da teoria para prestar-lhe homenagem, reconhe-

6. *Idem*, p. xxiv.

7. *Idem*, pp. xxi-xxii.

cendo a posição fundamental de Semper, mas interpretando a passagem a respeito da cerca, considerada como a origem da arquitetura, conforme já citei anteriormente nesse capítulo. Na verdade, Semper havia feito certas concessões nesse parágrafo: o desenvolvimento dos ramos entrelaçados para o cânhamo tecido, ele afirmava, é natural – prosseguindo:

> como também é a origem da tecelagem, que se utiliza primeiramente de caules de ervas, ou fibras vegetais naturais, e mais tarde de fios vegetais ou animais, já processados. As diferenças de cores, naturais às fibras, estimularam a alternância das cores, e o surgimento dos diferentes padrões. Logo essas dádivas da natureza foram superadas pela preparação artificial dos materiais etc. [...][8]

Riegl considera essa afirmação como ponto central da argumentação, pois, ao mesmo tempo em que Semper sugere que a descoberta de um possível padrão na tecelagem "natural" teria estimulado um estágio de desenvolvimento mais avançado, ele fracassa em demonstrar como esse discernimento teria sido adquirido ou empregado. Ou seja, o homem não identificou o padrão acidentalmente, como o texto de Semper pode nos sugerir, mas por um impulso criativo deliberado. Essa é a contradição que Riegl pretende apontar na teoria de Semper. Evidentemente, ele estava em vantagem com relação ao acadêmico anterior, pois Semper somente pôde tomar conhecimento da descoberta da arte paleolítica após a publicação de sua grande obra: as pinturas de Altamira seriam descobertas no ano de sua morte. Essa descoberta, assim como os contínuos achados de arte mural nas cavernas, sugere uma teoria alternativa à de Semper, a qual Riegl resume afirmando que "o início de toda criatividade artística é a reprodução direta dos objetos naturais com a intenção de alcançar a melhor imitação de sua aparência, ou seja, a manifestação concreta de um processo psicológico". Riegl rejeita, porém, ambas as interpretações por furtarem-se à verdade essencial pela qual

> o homem traz consigo algo que o leva a encontrar prazer na beleza formal, e que não somos capazes de definir, nem nós, nem os seguidores da escola que explica a origem das artes na técnica e no material. Algo que estimulou – de forma livre e independente – a combinação geométrica das linhas, sem a necessidade de intermediários materiais, cuja introdução não tomaria as coisas mais claras, proporcionando, quanto muito, uma miserável vitória formal à concepção materialista do mundo[9].

O "algo indefinível", que Riegl pressupõe ser a misteriosa fonte da arte, é a expressão mais aproximada que ele encontra para estabelecer o conceito de *Kunstwollen* (que eu traduzo, sem qualquer esperança, como "intenção artística"), um conceito que pos-

8. Alois Riegl, *Stilfragen*, pp. 23-24.
9. *Idem*, pp. 30-41.

sui uma longa carreira a despeito de suas nebulosas origens. Embora tenha tido sua serventia, ensinando aos historiadores que os artistas de outras épocas não faziam necessariamente parte de uma corrente cujos últimos elos, perfeitamente concatenados, eram eles próprios, pouco se fez para integrar o conceito de *Kunstwollen* a uma visão coerente da natureza humana, ou seja, para situar a psicologia da arte em um contexto, inserindo-a numa perspectiva global da fisiologia da personalidade e de suas transformações históricas. Talvez fosse impossível fazê-lo no fim do século XIX, quando Freud estava apenas começando a tratar obras de arte como espécimes patológicos, e Morelli autenticava obras primas utilizando um método baseado no reconhecimento de "deformações" convencionadas de detalhes anatômicos, que como resultado do inconsciente eram consideradas como a única e verdadeira assinatura do artista.

O enfoque do historiador e do esteta sobre o anormal na obra de arte era inevitável naquela época. (Nesse sentido, a teoria da "pura visibilidade" foi ideada entre Munique e Viena – embora, na verdade, tenha sido Croce que lhe tenha dado o nome – como instrumento conclusivo e precípuo na abordagem das obras de arte para fornecer a contraposição idealista àquilo que Riegl denominava de concepção técnico-materialista da origem da arte). Tudo isso tornou as reflexões acerca da arquitetura bastante complexas, situação que persiste até nossos dias. Mesmo uma obra como *Feeling and Form* (Sentimento e Forma) de Susanne Langer, subordinada como era à tradição do idealismo alemão, apresenta essa mesma dificuldade, particularmente quando desenvolve a noção de que a arte é a reprodução de modelos naturais (mas modelos que apresentam sentimento e não estrutura) em arquitetura e música.

Semper distinguiu essas duas artes das outras. O prazer resultante de toda arte era uma subcategoria de um mesmo sentimento, assim como o prazer na beleza e na admiração da natureza. Semper encontrava nos povos mais primitivos a consciência do ritmo e, portanto, de uma estruturação do universo: fosse ela evidenciada por uma guirlanda ou um colar no espaço, pelo ritmo das palmas ou das batidas dos remos[10].

A primeira edição do livro de Semper é de 1860. Mas sua classificação já havia sido definida anteriormente, de uma forma mais simplificada, quando formulou o projeto para um museu ideal em Londres, em 1852. Os três ou quatro anos nessa cidade contribuíram provavelmente de outros modos para o seu pensamento. Pode-se presumir que o estímulo inicial de seu pensamento anti-idealista tem partido dos historiadores "filológicos", tais como

10. Semper, *op. cit.*, vol. 1, p. xxii.

von Rumohr, cuja primeira *Italienische Forschungen* apareceu em 1827. Ele também deveria estar familiarizado com a teoria acadêmica francesa, particularmente com os escritos de Quatremère de Quincy, que tanto alvoroço vinham provocando entre a década de vinte e o início dos anos trinta do século. Deve ter lido ainda, o estranho artigo "The Poetry of Architecture" (A poesia da arquitetura), assinado por "Kata Phusin", que tinha como subtítulo "The Architecture of the Nations of Europe Considered in Its Association with Natural Scenery and National Character" (A arquitetura das nações da Europa considerada conforme seu cenário natural e caráter nacional), publicado por John Ruskin no *London's Architectural Magazine*, e no qual o autor utiliza o *cottage* inglês, o chalé suíço, e a casa de campo da Bretanha e da Itália, como exemplares das especificidades nacionais e como expressões de uma fé[11].

A concepção do caráter nacional que a arquitetura comportava, em oposição ao estilo "internacional" das academias, estava na pauta do dia. No ano em que o primeiro fascículo do artigo de Ruskin foi publicado, o edifício do Parlamento em Londres foi destruído num famoso incêndio. O concurso para os novos edifícios especificava, peremptoriamente, que eles deveriam ser em "estilo nacional". O projeto escolhido, no qual o arquiteto neoclássico Charles Barry colaborava com Augustus Welby Pugin, oferecia um amálgama perfeito, ou seja, uma estrutura neoclássica coberta com ornamentos ingleses do século XV. Pugin pertencia à segunda fase do Gothic Revival, que havia abandonado os aspectos bárbaros do gótico; mas para ele, o gótico representava um atrativo totalmente novo. Era, com efeito, um apelo ao passado, mas a um passado civilizado e ideal, que não teria sucumbido frente aos falsos valores do bárbaro contemporâneo. Para Pugin, o estilo da Inglaterra do século XV encarnava a conjuntura estético-social perfeita: uma sociedade que não excluía ninguém, e na qual o artista podia manter seu merecido lugar, como testemunham os traços arquitetônicos dos mesmos edifícios. Para Pugin, foi o período em que a arquitetura chegou o mais perto de preencher as duas condições essenciais de sua verdadeira realização: "1º – que em um edifício não existissem elementos que não fossem necessários por conveniência, construção ou decoro; 2º – que todo ornamento se reduzisse ao enriquecimento da construção essencial do edifício". Essas condições lhe pareciam atendidas "por mais estranho que possa parecer, apenas na arquitetura ogival [...]. Além do mais – acrescenta Pugin – os arquitetos da Idade Média foram os primeiros a explorar as propriedades dos materiais em todas as suas possibilidades, fazendo de seu mecanismo uma característica

11. John Ruskin, *The Poetry of Architecture*, pass.

Cottage próximo a Alidori, segundo Ruskin.

de sua arte". Pugin recorre à arquitetura grega para confirmar seu argumento:

> A arquitetura grega – argumenta, seguindo antigas autoridades – é essencialmente de madeira em sua construção [...] seus mestres jamais possuíram suficiente imaginação ou habilidade para conceber qualquer distanciamento do tipo original [...] [este] é, a um só tempo, o modo de edificar mais antigo e bárbaro que se possa imaginar; é pesado [...] e fundamentalmente de madeira; mas é extraordinário que quando os gregos começaram a edificar em pedra as propriedades desse material não lhes sugeriram um modo de construir diferente e mais adequado. Pelo contrário, eles dispuseram dintéis de pedra da mesma forma que os de madeira, em plano reto [...] o mais sofisticado templo dos gregos é construído segundo os mesmos princípios de uma grande cabana de madeira [...] Os gregos erigiram suas colunas tal como os menires de Stonehenge [...] Os arquitetos cristãos, pelo contrário, com pedras pouco maiores que tijolos comuns, alçaram suas altivas abóbadas a partir

de esbeltos pilares vencendo um vasto espaço intermediário [...][12] –prosseguindo nesse veio.

A razão de Pugin situar o paraíso ideal – se não o próprio Paraíso (não fora a Reforma uma segunda perda da inocência?) – na Inglaterra do século XV é um subproduto do novo historicismo. É parte dessa historicização do mito que se iniciou um século antes. O passado medieval, o último passado medieval, a época do gótico plenamente maduro – que alguns dos sucessores de Pugin considerariam decadente – oferece a combinação de virtudes para as quais os arquitetos devem retornar com o intuito de se renovarem. Começando novamente desse ponto ideal, um novo estilo, adequado ao tempo presente, poderia se desenvolver. O retorno precisava ser empreendido: mas Pugin, plenamente consciente dos horrores da vida nas novas cidades industriais (*Contrasts* surgiu em 1836, após uma sucessão de epidemias de cólera), lutava pelo retorno somente em termos formais. Essa é a diferença em relação a Ruskin. Este também viu um ideal, um estado paradisíaco na Idade Média, mas não quanto às formas que ela havia produzido, e que podiam ser reproduzidas em um modo mais fácil. O que o atraía no contexto medieval era a relação entre a superfície trabalhada e o modo de trabalho, entre o artesão e o seu produto. Seu ódio não estava reservado aos produtos da industrialização, mas à mecanização dos processos de trabalho –tal como se evidenciava pela superfície mecanicamente produzida. Era a relação do trabalhador com seu produto, bem como com o tecido social, que fascinava Ruskin em seus últimos dias. Porém, já no primeiro ensaio que mencionei, "Kata Phusin" (de acordo com a natureza), esse ponto de vista está constituído. As casas construídas no campo, as únicas que interessam ao autor, devem seguir os modos costumeiros das edificações do homem do campo. Elas devem se "ajustar" à paisagem, devem se tornar parte dela: esse é o modo de fazer do camponês, "uma vez que (o *cottage*) é comumente erguido pelo camponês onde ele quer e como ele quer, e portanto, como podemos ver, frequentemente com bom gosto"[13]. O argumento todo soa um pouco como uma versão modificada do de Loos. O *cottage* do camponês ganhou com Ruskin um *status* tão elevado porque era, em certo sentido, uma parte da natureza, porque o camponês podia espelhar imediatamente seu caráter nacional nas formas que ele derivava da natureza: aquela natureza que Ruskin continuamente perscrutou para encontrar o modo pelo qual a superfície pudesse revelar a estrutura, e esta, por sua vez, o processo de construção. Evidentemente, o formalismo de Pugin, bem como suas veementes opiniões religiosas, pode ter pa-

12. A. Welby Pugin, *The True Principles of Pointed or Christian Architecture*, p. 2.
13. Ruskin, *op. cit.*, p. 80.

recido desprezível para ele. Ruskin era um naturalista, pertencia à geração e ao clima intelectual de Darwin; Pugin, por sua vez, à geração de Chateaubriand e Overbeck. Se houve um homem com uma visão de arquitetura que, embora diferente da sua, ele julgou que tinha algo a contribuir, esse homem foi Viollet-le-Duc.

Dificilmente foi acidental o fato de ambos serem fascinados por geologia, anticlericais, apegados às regras sociais a despeito de seus radicalismos, e de encontrarem no apelo ao gótico a expressão para suas preocupações de caráter nacional e mesmo racial. Ruskin devia essa preocupação à tradição idealista da qual era herdeiro, a Friedrich Schlegel em particular, mediado por Coleridge e De Quincey. Em certo sentido, as cabanas discutidas por Ruskin em *The Poetry of Architecture* [A Poesia da Arquitetura] são tão exemplares da retidão quase-natural, nascida da mediação entre a natureza e o caráter nacional, quanto as *Ancient Ballads* [Antigas Baladas] o foram para Wordsworth e Coleridge. O bispo Percy, dedicando sua grande coleção dessas baladas à Condessa de Northumberland em 1765, afirma explicitamente que estava oferecendo à distinta dama "os rudes produtos de nossos ancestrais, produtos da natureza, não da arte"[14]. Embora no caso do bispo Percy isso não seja mais que uma alusão, a doutrina da estreita correlação entre a arte e o clima, a raça e a condição moral é firmemente estabelecida pelos teóricos do Romantismo, particularmente por Madame de Staël e Chateaubriand, e de modo mais restrito por Hazlitt e De Quincey na Inglaterra. Carlyle desenvolveu a ideia por implicação, ainda que em maior escala, e, é claro, Ruskin a expressa em *The Poetry of Architecture*, em tom mais brando. Mesmo o mais ferrenho dos teóricos acadêmicos não pode escapar dessa ideia. Quatremère de Quincy, cujos primeiros escritos pertencem a uma etapa anterior, teve um segundo período de produção e influências diversas, entre as décadas de 1820 e 1830. Sua fé clássica se diluiu nas polêmicas. Ele sustentava, evidentemente, que existia algo como a beleza absoluta, argumentando que essa beleza era alcançada pelas raças eleitas (isto é, as raças belas), assim reconhecidas pelo consenso geral de todas gerações. Para ele, é claro, isto devia significar os gregos.

A julgar por esse quadro, não há progresso possível nas artes: elas avançam por acumulação e não por desenvolvimento, e em tal perspectiva a cabana primitiva só pode ser pensada como a mais miserável predecessora das grandes invenções do povo civilizado. Nos dois volumes de seu *Dictionary of Architecture* [Dicionário de Arquitetura], Quatremère torna claro esse ponto de vista. Ele exclui da denominação de arquitetura qualquer edifício que possua função

14. Thomas Percy, *Reliques of Ancient English Poetry*, vol. 1, p. 2.

puramente material, pois nenhuma arquitetura é possível antes que alcance um certo nível material e moral. De acordo com o clima e o costume, o homem adotou certos estilos de construções além dos abrigos que a natureza lhe ofereceu, tais como as cavernas e as árvores; a madeira deve ter parecido, de forma natural e geral, o material de construção para todas as sociedades primitivas, como ficou provado – acrescenta Quatremère de Quincy – pelos viajantes que retornaram de partes selvagens do mundo. A cabana foi primeiramente construída com galhos, depois com troncos de árvores, e essa forma de construção, como ele observa, ainda é utilizada em várias cidades europeias. Mas o uso de tábuas ou mesmo da madeira trabalhada evidenciou a adesão às formas primitivas de carpintaria, "e aquela *cabana simbólica*, que se tornaria o protótipo da arquitetura na Grécia, nada mais representa que os primeiros ensaios da arte do carpinteiro, ou seja, de uma habilidade mecânica"[15]. Embora Quatremère acredite que essa cabana tenha realmente existido, ela consiste meramente em um produto das circunstâncias naturais: a imitação desse modelo "natural" não eleva a edificação ao *status* de arquitetura.

Foi emulando a natureza pela adoção das proporções do corpo humano que os primitivos construtores gregos elevaram seu ofício ao *status* de grande arte. Quatremère acha necessário retornar ao argumento em seu dicionário, no verbete *Cabane*. Repudia as cabanas contemporâneas e *cottages* como exemplos primitivos e malfeitos, ou simplificações vulgares de edifícios mais complexos e importantes, mas insere o verbete apenas por suas implicações teóricas. A cabana em si não é necessariamente o germe da arquitetura; pode muitas vezes resultar estéril. Ela, *sim*, mostrou-se visivelmente fértil na Grécia, onde o modelo da cabana se converteu em um sistema teórico

> indubitavelmente fundamentado no fato primitivo, mas que então o transformava em uma sorte de cânone ao mesmo tempo inventado e real, cânone ao qual podiam sempre ser referidas as modificações – mais ou menos necessárias ou prováveis – de formas já existentes, para assim se justificar a validade *[verifier la raison]* ou para confirmar um novo uso.

Ela é, na frase do próprio Quatremère, "a regra para corrigir o abuso".

A abordagem de Quatremère não foi universalmente aceita. Sua visão estática e histórica do passado não contribuía para o progresso e, certamente, nem para a imagem do gênio revolucionário, figura popular na primeira metade do século XIX. As ideias de Quatremère estavam entre as muitas coisas que Victor Hugo baniu. Na época em

15. Antoine Chrysostome Quatremère de Quincy, *Dictionnaire historique de l'architecture*, v. "Architecture".

que Quatremère era exaltado como uma autoridade, os jovens o consideravam insuportável. Foi vaiado num famoso tumulto na Ecole des Beaux-Arts, em 1826, e em 1829 sua crítica a Labrouste teve como consequência a formação de um partido de oposição que, depois das grandes mudanças do ano seguinte, o levaria a um crescente isolamento.

Viollet-le-Duc, por sua vez, embora professasse uma doutrina substancialmente distinta da de Quatremère, seria forçado a se calar na Ecole des Beaux-Arts trinta anos mais tarde, quando inicia a série de conferências nas quais sintetiza seus ensinamentos. Sua impopularidade se devia também à sua devoção ao passado, particularmente à sua visão da arquitetura medieval, confrontando uma nova oposição clássica. Tal como Quatremère, Viollet-le-Duc produziu um grande dicionário, bem mais longo, que se limitava à arquitetura francesa na Idade Média. E, do mesmo modo, utilizou o verbete sobre arquitetura para anunciar seus princípios fundamentais. A arquitetura, afirma, pode ser dividida em duas partes: a teoria, que lida com tudo aquilo que é permanentemente válido, tanto as regras da arte quanto as leis da estabilidade; e a prática, que consiste em adaptar essas leis eternas às condições variantes de tempo e espaço. Era a perfeita incorporação na arquitetura medieval das eternas leis racionais tanto da arte como da ciência da construção, aquilo que tanto atraía a admiração de Viollet-le-Duc.

Tal clareza na "estruturação" de seu material e tão inabalável fé no poder da razão deram a Viollet-le-Duc uma enorme segurança como historiador. Ele parece duplamente seguro quando redige escritos populares, para leitores adolescentes, como se realmente tivesse presenciado os eventos com os próprios olhos, ou melhor, com os olhos de dois seres sobrenaturais: Doxi, o sonhador e pensador (consequentemente o conservador), e Epergos, o realizador e inovador, aquele que mostra aos homens como ele e Doxi encontraram, em suas viagens no tempo e no espaço, o modo de melhorar as habitações que eles haviam ideado para si mesmos mediante lenta experimentação – embora, no princípio, "habitação" dificilmente fosse o termo mais adequado. Doxi e Epergos encontram

uma dúzia de seres de membros robustos, tez de um amarelo lívido, seus crânios cobertos por esparsos cabelos negros que caíam sobre seus olhos, suas unhas em forma de gancho, amontoados sob uma árvore frondosa cujos galhos mais baixos tinham sido dobrados em direção ao solo e mantidos assim com torrões de barro. O vento sopra com força e dirige a chuva diretamente a esse refúgio. Algumas esteiras de junco, algumas peles de animais, mal protegem os membros desses seres que, usando suas longas unhas, dilaceram pedaços de carne animal, devorando-os instantaneamente[16].

16. Eugène Viollet-le-Duc, *Histoire de l'habitation humain*, p. 4.

"A Primeira Construção", segundo Viollet-le-Duc.

Um pouco depois, Viollet-le-Duc compara esse refúgio tão primitivo a um ninho de cobras, e mais, descreve esses seres como devoradores de répteis. Epergos comove-se diante daquela miséria. Na manhã seguinte ele escolhe duas árvores jovens, distantes poucos passos uma da outra.

> Subindo em uma delas, a enverga com o peso de seu corpo e puxando a copa da outra com a ajuda de um cajado, une seus galhos e os amarra com alguns juncos. Os seres que então se amontoam em torno dele estão impressionados. Mas Epergos não espera que eles permaneçam ociosos. Ele os faz entender que devem procurar outros arbustos ao redor. Usando paus e as próprias mãos, eles as arrancam e as levam para Epergos [...]"[17]

Ele mostra como trançar e amarrar os arbustos jovens em cabanas circulares, revestidas de barro e calçadas com terra batida. Ao fim do dia, cada família dessa tribo (Viollet-le-Duc as chama Nairriti), deseja uma cabana como a que Epergos construiu.

Doxi não acha certo interferir. "Por que ir contra aquilo que está feito? Irá você agora ensinar os pássaros a construir seus ninhos e os castores suas tocas de um modo diferente daquele que já conhecem? [...]" "Quem sabe!", responde Epergos. "Voltemos em cem mil dias e vejamos se esses seres esqueceram minhas instruções para viver como viviam ontem. Se assim fizerem, estou errado em interferir [...] mas se tiraram algum benefício de meu conselho, se as cabanas que encontrarmos forem melhores que essas, então estou certo, pois esses seres não são animais"[18].

A ação réptil e alimentação réptil desses Nairriti foram evidentemente escolhidas por Viollet-le-Duc para sugerir um estágio humilde na escala evolutiva. E o exemplo cripto-providencialmente produzido dos dois arbustos unidos pelo topo que dá aos primeiros homens o impulso essencial, donde se originam todos os edifícios: sua primeira construção, galhos de árvore presos ao solo com barro sob os quais eles se abrigavam da tempestade, é notoriamente uma construção inferior à maioria das habitações animais descritas no livro do Reverendo Wood.

Histoire de l'habitation humaine foi, por certo, uma obra de divulgação tardia. Em um tom mais grave, Viollet-le-Duc já havia se detido sobre esse assunto detalhadamente quando compôs, cerca de vinte anos antes, suas *Lições* como professor na Ecole des Beaux-Arts. Nelas ele pretendia

> inquirir sobre as razões de toda forma – porque toda arte arquitetônica tem suas razões; apontar a origem de vários princípios que subjazem nelas [...] chamar a atenção para as aplicações possíveis dos princípios da arte antiga às necessidades

17. *Idem*, p. 5.
18. *Idem*, p. 9.

de hoje: porque as artes nunca morrem; seus princípios permanecem verdadeiros em todos os tempos; a humanidade é sempre a mesma [...] sua constituição intelectual é inalterável [...] as várias linguagens não fazem senão capacitá-la a expressar em todas as eras as mesmas ideias e buscar satisfazer as mesmas vontades[19].

Ruskin era, em todos os sentidos, um amador talentoso; sua educação díspar, ainda que extensa, suas longas viagens, seus surtos de doença nervosa e sua fortuna pessoal lhe propiciaram em tudo uma experiência diferente da formação profissional de Viollet-le-Duc, iniciada pelas mãos de A. F. R. Ledere, de sua linhagem burocrática e de sua dedicação fanática ao trabalho. O próprio Leclère tinha sido pupilo de Percier, mas começou sua carreira no ateliê de Durand. E embora tenha quase imediatamente abandonado o ateliê de seu primeiro professor, os ensinamentos de Durand o influenciaram tanto quanto a maioria dos arquitetos de sua geração.

Pouco depois de Viollet-le-Duc nascer, em 1802, o mais popular e influente livro de Durand, resultado de suas lições na Ecole Polytechnique, foi publicado pela primeira vez. A escola havia sido fundada apenas uma década antes com o objetivo de formar uma nova geração de arquitetos que rejeitasse toda a bagagem mítica que a tradição clássica, a despeito de suas muitas profissões de fé racionalistas, ainda impunha ao arquiteto praticante. Era necessário produzir *designers* guiados em primeiro lugar pela lógica de novas técnicas; profissionais competentes e racionais. Durand resume seus ensinamentos do seguinte modo: "A habilidade do arquiteto está na capacidade de resolver dois problemas: 1. dada uma certa quantia, produzir o edifício do modo mais decente possível, como na construção privada; 2. dadas as conveniências requeridas por um edifício, produzi-lo pelo menor custo possível, como nos edifícios públicos"[20].

Apesar dessa asserção sumária de Durand, a excisão dos valores antigos ainda não está completa; a tradição e a razão lhe ensinam a lição essencial: "Quer se inquiram as razões ou se examinem os monumentos, ficará claro que o prazer nunca pode ter sido a finalidade da arquitetura nem a decoração arquitetônica, seu objeto. A utilidade pública e privada, a felicidade e a preservação dos indivíduos e da sociedade [...] tal é a finalidade da arquitetura"[21]. Posto que a arquitetura tem de satisfazer as necessidades mais urgentes da humanidade, deve, ao satisfazê-las, igualmente aprazer. Não é totalmente necessário buscar efeito aprazível na arquitetura. "Dispondo-se um edifício de um modo apropriado ao seu uso [...] não diferirá notoriamente de um outro, destinado a um uso distinto? [...] Se as diver-

19. Eugène Viollet-le-Duc, *Lectures on Architecture*, vol. 1, p. 7.

20. Jean-Nicolas-Louis Durand, *Précis des leçons d'architecture données à l'Ecole Royale Polytechnique*, vol. 1, p. 21.

21. *Idem*, p. 9.

sas partes desse edifício, destinadas a diversos usos são dispostas rigorosamente, cada uma delas da maneira que deve ser, não diferirão entre si?"[22] e assim por diante. O que deve ser evitado a todo custo é a imitação, doutrina que ecoará posteriormente através de Ruskin: "Toda imitação tem sua origem na vaidade, e a vaidade é o flagelo da arquitetura", ele escreve, preconizando a utilização de "formas naturais e nacionais somente"[23]. Mas as formas propostas por Durand não são *nacionais*; pelo contrário, são *racionais*. Embora nunca tenha explicitado claramente o que esse termo significava, no clímax de sua exposição sobre o processo de *design* (ao início da terceira seção de seu *Précis*) ele exalta a variedade que se poderia obter jogando com as combinações possíveis de um repertório de formas fechadas[24]. Este é o ponto em que se torna aparente a natureza insidiosa – e contraditória – dos ensinamentos que Durand recebeu de seu mestre Boullée. Embora ele nunca estabeleça *a priori* sua predileção pelos corpos geométricos elementares (ideia sobre a qual retornarei mais tarde), é claro que, se recorre exclusivamente à geometria "elementar" para prover uma base "racional" à invenção formal, então deixa pouco lugar para os ornamentos, quaisquer que sejam. Ainda mais, como todos os manuais de arquitetura de seu tempo, e muitos dos posteriores, Durand dá instruções precisas sobre a sintaxe das ordens, o que, não obstante, sente-se compelido a justificar retrospectivamente. Após explicar os detalhes das diferentes colunas e suas possíveis aplicações com respeito às propriedades dos materiais e ao clima, ele conclui: "Tais são as formas e as proporções que a natureza mesma das coisas nos tem recomendado para as principais partes das ordens, bem como os hábitos que temos adquirido vendo as ordens antigas e suas imitações, e devemos cuidar para não fatigar os olhos com proporções estranhas". E continua afirmando que seu sistema de arquitetura econômico repousa sobre uma base mais sólida "que a imitação da cabana ou do corpo humano [...] Simples e natural, é tão fácil de memorizar como de compreender"[25].

Logo no início de seu ensaio Durand ironiza aqueles que escrevem sobre uma arquitetura cuja arte "não é construir edifícios úteis, mas decorá-los". Daí por que, ele prossegue afirmando, eles jogam com as ordens que os antigos nos legaram e que a maior parte da Europa adotou; e supõem que elas tenham origem na imitação do corpo humano e da cabana primitiva, que a maioria entre eles considera como a essência da arquitetura. Proposição contra a qual ele reserva o grosso dos seus sarcasmos.

22. *Idem*, p. 19.
23. Ruskin, *op. cit*, p. 245.
24. Durand, *op. cit*, vol. 1, pp. 90-91.
25. *Idem*, p. 58.

3. Positivo e Arbitrário

O alvo mais destacado do ataque de Durand foi o Abade Laugier, Marc-Antoine Laugier, um ex-jesuíta e *homme des lettres*, que se havia ocupado com temas arquitetônicos, aproximadamente uma geração antes. Em 1753, Laugier publicou seu primeiro *Essai sur l'architecture* [Ensaio sobre a Arquitetura], que foi reeditado, acompanhado de ilustrações, dois anos depois – justamente quando seu autor deixava a Companhia de Jesus. Alguns anos mais tarde, em 1765, ele publicava um segundo texto sobre o mesmo tema, *Observations sur l'architecture* [Observações sobre a Arquitetura], no qual procedia a uma revisão de algumas de suas primeiras formulações.

Porém, para Durand, o primeiro livro de Laugier, muito mais difundido, era um alvo conveniente e, como era esperado, é a partir do tema da imitação que ele trava a sua polêmica com o abade.

Antes que pudesse formular sua própria visão de arquitetura, Durand acreditava ser necessário eliminar os argumentos que tratavam do amplo tema da mímesis, a imitação da natureza na arte. Ele resume sua atitude transgressora da seguinte forma:

> Se a arquitetura deve agradar através da imitação, ela deve imitar a natureza da mesma forma que as outras artes. Portanto verifiquemos se a primeira cabana feita pelo homem era um objeto natural; se o corpo humano pode servir como um modelo para as ordens; e finalmente se as ordens são uma imitação da cabana e do corpo humano[1].

1. Jean-Nicolas-Louis Durand, *Précis des leçons d'architeture données à l'Ecole Royale Polytechnique*, vol. 1, p. 9.

Já relatei anteriormente a tentativa de Durand de desvencilhar-se de uma analogia entre o corpo e o elemento coluna. Para iniciar sua argumentação a respeito da hipótese das ordens como imitação da cabana primitiva, Durand utiliza o texto supostamente auto condenatório de Laugier que aparece logo no início do primeiro *Essai*, no qual o autor convida o leitor a refletir sobre

> [...] o homem em suas origens primitivas, sem qualquer ajuda, sem outro guia além do instinto natural de suas necessidades. Ele deseja um lugar para acomodar-se. Ao lado de um córrego tranquilo, ele avista um prado; a relva fresca agrada seus olhos, a maciez o convida. Ele se aproxima; e reclinando sobre as cores radiantes desse tapete, pensa somente em desfrutar na paz, as dádivas da natureza; nada lhe falta e ele nada deseja; mas logo, o calor do sol começa a crestá-lo, forçando-o a procurar abrigo. A floresta vizinha oferece a frescura de suas sombras, ele corre para se esconder em seu interior, novamente satisfeito. Nesse ínterim, milhares de vapores que se haviam elevado em vários pontos se encontram e se agrupam; nuvens espessas escurecem o ar e temíveis chuvas escorrem em torrentes abaixo na deliciosa floresta. O homem, mal abrigado pelas folhas, não sabe como se defender do desconforto da umidade que parece atacá-lo por todos os lados. Uma caverna surge à sua frente: ele escorrega para dentro, sentindo-se protegido da chuva e encantado com sua descoberta. Mas novas inconveniências tomam essa moradia do mesmo modo desagradável; ele vive no escuro, obrigado a respirar o ar insalubre. Ele deixa a caverna, decidido a compensar com sua indústria as omissões e negligências da natureza. O homem deseja uma moradia que o abrigue sem enterrá-lo. Alguns galhos quebrados da floresta serão o material para seu propósito. Ele escolhe quatro dos mais fortes, erguendo-os perpendicularmente ao chão e formando um quadrado. Sobre esses quatro, ele apoia quatro outros, dispostos de través e, acima desses, outros ainda, inclinados para ambos os lados e que se encontram num ponto no centro. Esse tipo de telhado é coberto com folhas espessas o suficiente para proteger tanto do sol como da chuva: e assim o homem se encontra alojado. É bem verdade que nessa casa, aberta por todos os lados, ele sofrerá os excessos do frio e do calor, mas então ele preencherá os espaços intermediários com colunas e assim se sentirá seguro.
>
> A pequena cabana que acabei de descrever é o tipo sobre o qual são elaboradas todas as magnificências da arquitetura. [Pois] É pela aproximação à sua simplicidade de execução que os defeitos fundamentais são evitados e a verdadeira perfeição alcançada. As peças verticais de madeira sugerem a ideia das colunas, e as peças horizontais nelas apoiadas, os entablamentos. Finalmente, os elementos inclinados que formam o telhado resultam na ideia do frontão. Observe, portanto, aquilo que todos os mestres da arte têm professado.

Mas, apesar de confessos anteriores, é Laugier que elabora essa doutrina, de forma mais intensa, tornando-a o ponto cardeal de seu ensinamento. A segunda edição dos *Essai* traz uma representação da arquitetura como uma figura feminina apontando para a cabana primitiva acima descrita, como um verdadeiro modelo para os arquitetos.

A mesma passagem prossegue: "Nunca existiu um princípio mais fértil em suas consequências; com ele como guia é fácil distinguir entre os elementos essenciais de uma ordem arquitetônica e os que são introduzidos somente pela necessidade ou acrescentados pelo capricho". Não há arcos, arcadas, pedestais, áticos, portas ou mesmo janelas na cabana elementar. Para ela, e consequentemente para toda a arquitetura, são essências somente a coluna, o entablamento e o frontão. Laugier estava disposto a considerar os ditames da necessidade, ou seja, as paredes, as janelas, as portas etc., como elementos arquitetônicos. Estes, por não contribuírem de modo algum para a beleza essencial do edifício, são *licenças*, um termo que na antiga teoria da arquitetura foi aplicado em relação aos caracteres ornamentais que não eram consagrados pela antiguidade. São justamente essas licenças que Laugier condena por completo como acréscimos devidos ao capricho. Mesmo a pilastra, para a qual havia amplos precedentes na antiguidade romana, deveria ser abolida. Laugier foi ainda mais longe: para ele, as paredes e as pilastras deveriam ser aliviadas da tarefa de suportar cargas, sendo essa tarefa confiada unicamente à própria coluna; logo, é a cabana primitiva que instiga e garante. E Laugier exorta seu leitor: "não nos deixemos nunca perder de vista nossa pequena cabana."[2]

Os primeiros teóricos da arquitetura, como pretendo mostrar, se referiram um tanto quanto superficialmente às relações entre as origens da arquitetura e seus princípios, porém, para Laugier as origens desfrutavam de uma autoridade única. Considerando-se as inevitáveis diferenças entre os dois homens, e a desigualdade na escala de seus empreendimentos, a concepção da autoridade da cabana primitiva de Laugier não diverge do significado que Rousseau atribui à família, como arquétipo da organização social. Qualquer que tenha sido a autoridade conferida anteriormente à cabana, a formulação de Laugier é sancionada pela razão seduzida que foi pela antropologia contemporânea. Correndo o risco de demonstrar o óbvio, eu gostaria de particularizar as diferenças entre a descrição das origens de Laugier e Viollet-le-Duc. Assim, os primeiros homens de Viollet-le-Duc eram criaturas bestiais e brutas, dificilmente reconhecíveis como seres humanos e que se defendiam contra a violência da natureza hostil utilizando artefatos ineficazes. O homem primitivo de Laugier encontra-se à vontade na natureza. O riacho ao lado do qual ele se instala corre suavemente, o prado é verde e macio. Por vezes, o sol pode se tornar demasiado quente e a chuva insuportavelmente úmida, mas essas não são as condições essenciais da existência desse homem primitivo, ao contrário, são incidentes cujos inconvenientes são remediados com a construção da cabana, para a qual a caverna e a floresta são modelos nocionais. Assim, a cabana é construída a partir de troncos de árvores como colunas, sem a necessidade de qualquer obra de argila ou trançado; portanto, também pode ser considerada como uma mediação entre a natureza e a arte através do instinto e da razão agindo em uníssono. Com tudo isso, as filiações de Laugier tornam-se evidentes. No tempo do *Essai* ele já circulava

2. Marc-Antoine Laugier, *Essai sur l'architetture*, p. 2.

A personificação da arquitetura e a cabana primitiva, segundo Laugier.

entre os limites do círculo dos enciclopedistas. Sintomaticamente, ele descreve a si próprio *como philosophe* e é *en philisophe* (como filósofo) que ele defende seu direito, em relação aos profissionais enredados pelo pragmatismo, de pronunciar as regras e os objetivos de uma arte como a arquitetura. Já me referi a uma certa semelhança entre o método dedutivo de Laugier e Rousseau. Contudo, apesar das similitudes entre os dois autores, coexistem certas diferenças, sob esse aspecto em particular, que devem ser notadas.

> Eu o vejo – diz Rousseau sobre seu homem primitivo – como deveria ser quando surgiu pela mão da Natureza [...] Eu o vejo feliz sob um carvalho, revigorado ao lado do riacho mais próximo, encontrando pousada ao pé da mesma árvore que garantiu seu alimento: e assim, suas necessidades estão inteiramente satisfeitas[3].

Como tantas das descrições sobre os primeiros estágios do homem, esta última apresenta um antecedente clássico respeitável: sua fonte imediata parece ter sido o *Discurso sobre a Origem e os Fundamentos da Desigualdade entre os Homens* (1755), que Rousseau escreveu para a Academia de Dijon. Alguns anos antes, dirigindo-se à mesma Academia com o tema *A Contribuição da Arte e da Ciência para o Refinamento dos Modos* (o tema proposto pela academia resultou no Discurso sobre as ciências e as artes, 1750), ele havia sido ainda mais explícito:

> Não é possível refletir sobre os costumes sem pretender lembrar a simplicidade dos tempos antigos. Eis aqui uma margem tranquila de rio, vestida unicamente pelas mãos da natureza, para a qual os olhos se voltam incessantemente e da qual nos afastamos com pesar; num tempo em que homens inocentes e virtuosos rogavam aos deuses para que testemunhassem suas ações, uns e outros vivendo juntos nas mesmas cabanas. Mas logo os homens tornaram-se perversos, e cansados dos espectadores embaraçosos, relegaram seus deuses para templos grandiosos. E, finalmente, os homens os expulsaram totalmente, para que pudessem eles próprios residir nesses templos, ou pelo menos, os templos dos deuses quase não se distinguiam mais das casas dos cidadãos. Então, foi alcançado o cume da degradação e o vício jamais foi levado tão longe como quando foi visto, por assim dizer, suportado por colunas de mármore e entalhado em capitéis coríntios[4].

Observe que a imagem da tranquila margem do rio sugere o mesmo local da primeira cabana de Laugier. Contudo, a cabana de Rousseau não representa um princípio arquitetônico, mas um princípio moral, o que era claro para todos, como se evidencia pelas referências de Kant a esses conceitos, em sua obra *Crítica do Juízo* (1790), na passagem em que distingue por um lado os critérios mo-

3. Jean-Jacques Rousseau, *Discours sur l'orìgine et les fondements de l'inégalité parmi les hommes*, em *Ouvres completes*, vol. 4, pp. 134-135.

4. Jean-Jacques Rousseau, *Si le rétablissement des sciences et des arts a contribué à épurer les Moeurs*, em *Oeuvres completes*, vol. 4, p. 22.

rais e práticos de julgamento e por outro, aqueles relativos ao gosto[5]. Rousseau recorre à metáfora para estabelecer uma outra diferenciação: entre o selvagem e o homem natural, a origem e a importância da atividade humana, a natureza da propriedade humana e os problemas contingentes da organização social e dos antagonismos entre os homens. Em outro texto, *Ensaio sobre a Origem da Língua* (1781), Rousseau volta ao tema da habitação do homem primitivo:

> Suas cabanas acomodam todos os seus semelhantes: o forasteiro, a besta e o monstro são para ele todos iguais [...] Esses tempos de barbárie foram a idade de ouro, não porque os homens eram unidos, mas porque estavam separados. Cada qual, como é dito, considerava a si próprio como o mestre de tudo, pois nenhum homem conhecia ou desejava nada que não estivesse à mão... Os homens investiam uns contra os outros ao se encontrarem, contudo, raramente se encontravam. O estado de guerra era universal, mas a terra toda estava em paz.

E Rousseau continua mais adiante: "Antes de a terra ter sido repartida entre seus proprietários, ninguém cogitava em cultivá-la [...] O primeiro bolo a ser provado foi a comunhão entre os homens. Quando estes começaram a se fixar, eles roçaram um pequeno pedaço de chão ao redor de suas cabanas: era mais um jardim que um campo [...]"[6] e assim por diante. Mas é sempre a partir da família, acomodada em sua cabana primitiva que Rousseau concebe o desenvolvimento da sociedade humana.

Três ou quatro gerações antes, o Bispo Benigne Bossuet, tutor e guardião do delfim Luís XIV, discursando sobre a história universal para seu protegido, assumiu que a construção assim como a agricultura, a criação de animais e a metalurgia, havia sido transmitida aos homens primitivos por seu criador. Para Bossuet, bem como, para muitos dos historiadores das origens que o seguiram, o homem nunca existiu em um estado de natureza puro. Quando o "homem natural" se tornou um elemento essencial do aparato filosófico, um pensador aparentemente *croyant* como Condillac foi forçado a postular, uma segunda queda pós-diluviana, quando a memória da revelação original e didática (e portanto contrária a qualquer estado de natureza) teria sido esquecida por certas famílias apartadas do tronco principal da humanidade, para desse modo justificar seu comportamento "natural" no mundo livre. O próprio Diderot recorreu a subterfúgios múltiplos para diferenciar o "homem da criação" do homem natural e inocente.

A razão pela qual o retorno às origens se converteu durante o século XVII na precondição de todo pensamento sistemático, foi frequentemente objeto de discussão. Aqui, devo talvez assinalar que

5. Immanuel Kant, *On the Critique of Judgement*, em *Works*, vol. 5, pp. 280-281.
6. Jean-Jacques Rousseau, *Essai sur l'origine des langues*, pp. 578-579.

as origens às quais Rousseau retorna para encontrar os tipos fundamentais do pensamento formal assumem uma condição "natural" frente à história, considerada "primitiva" e "original", mais propriamente no sentido conceitual que no sentido paleontológico. O método que Rousseau empregou, e recomendou a outros, na reconstrução do estado primai das coisas não era arqueológico, mas uma especulação apriorística. Mesmo aquilo que hoje chamaríamos de campo de trabalho da antropologia somente o interessava casualmente em sua busca pelo nobre selvagem.

Apesar do homem primitivo de Laugier também ser alcançado por meio da especulação e não pela coleta de dados, ele não era absolutamente o mesmo de Rousseau. Este último, não estava preocupado com os detalhes construtivos dos edifícios, enquanto que para Laugier não interessava o contexto social do primeiro construtor que ele apresenta, à maneira de Locke, como sendo totalmente destituído de ideias inatas. Nesse estado de coisas, a reprodução das "construções" que a natureza oferecia como modelos, eram as respostas diretas do instinto e da reflexão às pressões dos elementos hostis da natureza. Portanto, a cabana primitiva, como Laugier a concebe, é a genuína destilação da natureza, induzida apenas pela necessidade, e desenvolvida por uma razão não adulterada. Logo, temos aqui uma garantia contra os costumes antiquados e caprichosos, bem como as extravagâncias de gosto pessoal. A cabana de Laugier estruturou uma teoria da arquitetura ancorada solidamente na natureza, satisfazendo ao mesmo tempo todas as exigências da razão; um guia para os futuros arquitetos, e como consequência também para os teóricos e *philosophes*; ou seja, uma teoria da arquitetura a partir de Newton (e Locke), intermediada por Condillac.

Contudo, os conceitos de natureza e de razão considerados não eram de todo universais; mesmo no círculo dos *philosophes* não havia um pensamento uniforme sobre a origem do homem e seu destino. A concepção moral das origens, desenvolvida por Rousseau, volta-se para o homem cujos modos eram virtuosos, pois havia nascido livre e estava feliz com os elementos essenciais que a natureza lhe havia oferecido; condições que poderiam ser recriadas pela emulação das características exteriores dessa existência, ou, em todo caso, aproximando-se delas assim como imaginaram os visionários milenaristas alguns séculos antes. Mas essa não é, de modo algum, a visão de Laugier. Ele não exorta seus contemporâneos a morar no tipo de cabana que descreve, e jamais atribui qualquer virtude moral particular ao retomo à condição "natural". Para mim, quaisquer desses radicalismos ser-lhe-iam particularmente estranhos. A cabana primitiva é primitiva como conceito. Ela é a demonstração de um raciocínio apriorístico, formulado como uma crítica e um preceito, sem jamais se desviar na defesa de uma "vida primitiva". As ideias de Laugier talvez possam ser aproximadas à doutrina sensacionista, assim como foi formulada por Condillac – que assim como Laugier pretendia o retorno à vida das primeiras sensações – ou ainda, ao materialismo primitivo de La Mettrie.

Mas, não pretendo atribuir a Laugier uma formulação filosófica tão sofisticada ou definida. Sua concepção das origens e da natureza da construção poderia ser encontrada em quase todo o espectro dos enciclopedistas. Se Durand a via como um absurdo, não é tanto porque seu desenvolvimento lógico estava incorreto, mas porque seus postulados haviam se tornado incompreensíveis setenta anos mais tarde. Contudo, durante esse período os ensinamentos de Laugier transmitiram à geração de arquitetos, que os assimilaram, o significado do seu papel no fermento intelectual de seu tempo e a percepção de sua missão social, afetando profissionais moderados como Jacques-Ange Gabriel, até os visionários e utópicos, sensibilizando-os de modo tal que a refinada correção de Jacques-François Blondel jamais poderia fazê-lo: a pequena cabana de Laugier foi construída à beira do riacho de Rousseau.

Já na metade do século XVIII, as ideias de Laugier eram dominantes na França. Alhures, e uma geração antes na própria França, uma concepção, um tanto diversa da sociedade humana e do destino do homem prevalecia, tendo Leibniz como seu representante mais brilhante. Também defendida de modo idiossincrásico por Vico, mesmo Montesquieu arriscou-se a explorá-la, ela apresentava como pano de fundo a majestosa construção da história humana de Bossuet. Trata-se de uma concepção que faz do homem – em um processo que envolve o indivíduo e a sociedade, uma sociedade contínua a partir de Adão – um parceiro ativo que colabora com a providência para alcançar um propósito elevado, intemporal, mas ainda assim desconhecido.

Com maior liberdade essa concepção é representada de modo caricatural pelo Dr. Pangloss, de Voltaire. Esse personagem derrisório possui um quase contemporâneo, Cario Lodoli, carmelita veneziano que buscou formular uma teoria arquitetônica. Os nomes de Lodoli e Laugier são frequentemente associados como representantes do protofuncionalismo. Contudo, suas ideias são bastante diversas. Laugier e Lodoli eram ambos polímatas, porém, enquanto Laugier publicava sem cessar tratados, sermões ou textos históricos, Lodoli por não ter jamais publicado qualquer texto, tornou-se conhecido como o Sócrates moderno. Ele se correspondia com Vico (cuja famosa autobiografia encomendou) e Montesquieu. Com sua morte, seus próprios escritos, incluindo – como se acredita – seu tratado de arquitetura, foram confiscados pelos inquisidores da República com a suspeita de nutrirem ideias sediciosas. Guardados sob um telhado com vazamentos na Piombe, acabaram apodrecendo até

Desenho da Embaixada de Veneza, Istambul. Atribuído a Andrea Memmo, Fondazione Cini, Veneza.

a ilegibilidade[7]. Com isso, suas teses foram difundidas somente através dos escritos de seus discípulos, Andrea Memmo e Francesco Algarotti.

Enquanto Algarotti fornecia um relato um tanto quanto sofisticado dos ensinamentos de seu mentor, Memmo pretendia ser um literalista. Seu livro, loquaz e instigante, oferece ao leitor o conjunto da doutrina de Lodoli sobre *Como Construir com Solidez Científica e uma Elegância que não é Caprichosa*, conforme as palavras do título. A primeira edição aparece em Roma em 1786 e uma versão mais longa em Zara, em 1833. Mas Lodoli já havia falecido, com idade bastante avançada, em 1761, sendo assim, o ensaio de Algarotti, por adulterado que fosse, tem o mérito de ter sido composto antes de sua morte.

A postura de Laugier e Lodoli, em comum com alguns dos mais renomados pensadores do século XVIII, ignorou ou condenou as práticas correntes consideradas corruptas, propondo como solução o recurso aos princípios primeiros. Entretanto, a partir daí, suas concepções divergem imediatamente. Memmo registra essa diferença

7. Gianfranco Torcellan, *Una Figura della Venezia Settecentesca: Andrea Memmo*, p. 34.

quando discute a questão da origem das ordens. Tendo citado longamente a passagem de Vitrúvio sobre o tema, ele desmerece a importância do autor canônico:

> Padre Lodoli afirma que se Vitrúvio possuísse uma inteligência mais viva e ampla, ele teria reconhecido que para compor sua história arquitetônica teria sido essencial que houvesse deixado seu refúgio e tivesse visitado [...] a antiga Etrúria, os reinos de Nápoles e Sicília, tanto quanto o Egito e a Grécia [...] assim, talvez tivesse descoberto outros critérios que pudessem guiar alguns homens sábios por caminhos inexplorados, fazendo-os compreender que aqueles que começaram utilizando a pedra e o tijolo como materiais de construção, jamais se preocuparam em imitar as cabanas. Portanto, não seria possível, considerando-se a verdadeira história da arquitetura, afirmar com toda a segurança, e em relação a todas as suas manifestações, que esta fosse uma arte imitativa; ou então que o modelo que se impôs tivesse sido a primeira construção de madeira. Mesmo admitindo, que a primeira invenção arquitetônica fosse imitada, então, como produto da inteligência humana e não da natureza (pois nos países orientais a pedra foi o primeiro material utilizado em construção), a cabana não deveria ser aceita como um modelo por qualquer um que a entendesse como o primeiro artefato a substituir a natureza: no mais, de uma primeira invenção não é necessariamente o melhor [...][8]

Nesse estilo inato, tão apreciado pelos *literati* do século XVIII, Memmo relembra que havia lido com grande aprovação a carta que Antonio Paoli (que publicaria o primeiro levantamento dos templos de Paestum) teria enviado a outro antiquário, Carlo Fea, reconhecido em nossos dias, sobretudo, como o editor e tradutor italiano de Winckelmann. A carta de Paoli figura no apêndice ao terceiro volume da edição de Fea. Memmo resume:

> Ele [Paoli] prova, amparado pela autoridade dos textos sagrados, assim como dos autores profanos mais antigos e graças aos monumentos que ainda permanecem em pé, que entre os orientais a primeira arquitetura foi de pedra. Os egípcios foram os primeiros a construir em pedra, [técnica] que os egípcios transmitiram aos fenícios e aos tirenos ou etruscos, de tal modo que essa arte da construção atendeu ao seu objetivo primário, que é a solidez e a durabilidade dos edifícios[9].

Paoli acreditava, e evidentemente Memmo considerava que isso estava de acordo com as ideias de Lodoli, que a primitiva ordem dórica teria suas origens no Egito; que no palácio de Assuero teriam sido utilizadas colunas em combinação com arcos (um forte argumento contra Laugier); que a arquitetura etrusca teria surgido antes que as ordens tivessem sido concebidas; e que o cânone das três ordens não teria sido formulado completamente antes da época de Péricles. De fato, os poemas homéricos não fazem menção aos edifícios de pedra: louvando os carpinteiros e não os arquitetos. Paoli, por sua vez, cita outro escritor seu contemporâneo, David le Roy, que sustentava que

8. Andrea Memmo, *Elementi d'Architettura Lodoliana*, vol. 1, pp. 291-292.
9. *Idem*, pp. 295-297.

a mestria apresentada pelos carpinteiros gregos na construção das casas de madeira era absolutamente notável.

> Mas não posso compreender realmente – Paoli continua – como ele [le Roy] pode afirmar, glorificando tal nação, que ela nos fornecia um modelo ao traduzir diretamente em pedra, aquilo que até então foi trabalhado na madeira; não posso perceber como proporções convenientes para o trabalho em madeira poderiam, sequer, serem adaptadas à pedra[10].

Paoli escrevia essas palavras nos anos de 1780: Lodoli e Laugier estavam ambos mortos, mas a questão sobre a qual divergiam permanecia bastante viva, adquirindo uma nova importância devido ao incipiente nacionalismo do período. Frente aos recém-descobertos protótipos gregos – que até então tinham por referência a arquitetura romana –, certos italianos advogaram a originalidade etrusca e sua independência com respeito aos gregos. A essa originalidade poderia ser atribuída, ainda, uma ancestralidade imemorável que remontava à primeira arquitetura em pedra dos egípcios – inventada em 549, após o dilúvio conforme a popular cronologia estabelecida no século VIII por George o Syncellus – e assim, poder-se-ia considerá-la como derivando diretamente das mesmas fontes da arquitetura grega[11]. Os romanos, como herdeiros diretos dos etruscos convertiam-se portanto nos mediadores da principal corrente da arquitetura tradicional, da qual a arquitetura grega era um mero afluente. Essa era para os antiquários italianos mais que uma simples questão de orgulho nacional, comprometidos que estavam em registrar e exaltar os tesouros de sua nação, sofrida e politicamente fragmentada de longa data.

Essas especulações conflitavam com as diversas cronologias subscritas e estabelecidas no século XVII; mesmo o grande Newton publicou, ele próprio, uma, a qual por vezes foi tentado a considerar como sua maior realização. A maioria desses escritores parecia seguir o jesuíta espanhol Villalpanda, que assegurava que não poderia ter havido uma arquitetura verdadeira, ou seja, em pedra, anterior ao templo de Jerusalém (cujas especificações haviam sido, afinal, ditadas a Salomão pelo próprio Deus). Contudo, a arquitetura egípcia e tudo o que era egípcio em geral exerciam uma enorme fascinação, e mesmo as Escrituras corroboravam a pretensão dos egípcios de serem a primeira de todas as nações civilizadas. Os hieróglifos, conhecidos na Europa por cobrirem as superfícies dos obeliscos que pontuavam a topografia de Roma, exerciam uma atração particular. Várias tentativas foram realizadas para decifrá-los e reconstruir seu significado, acreditando-se que encerravam uma sabedoria antiga e secreta cuja chave havia sido perdida, ou de algum modo extraviada.

10. J A. Winckelmann, *Storia delle Arti e del Disegno Presso gli Antichi*, vol. 3, p. 178.

11. (P. Jacopo Belgrado), *Dell'Architettura Egiziana*, p. XXV.

Todos os autores herméticos a eles se referiram. Diversos artistas acreditaram terem encontrado essa chave e como um exemplo precoce, temos Bramante que compôs uma inscrição hieroglífica. As referências feitas à arquitetura egípcia pelas antigas autoridades, tais como Plínio, Tácito e os geógrafos, foram minuciosamente examinadas na busca por descrições que pudessem ser reconstituídas.

A paixão oitocentista pelas coisas do Egito não se limitou a Itália. O próprio Rousseau reproduz antigas ideias sobre os hieróglifos em seu *Ensaio sobre a Origem das Línguas*: "Desde que aprendemos a gesticular esquecemos as artes pantomímicas, pela mesma razão que, não obstante todos os nossos admiráveis gramáticos, já não compreendemos os símbolos egípcios [...] aquilo que os antigos diziam brilhantemente, não era expresso em palavras, mas colocado à mostra". E mais adiante, no mesmo ensaio:

> Parece mais provável que os primeiros gestos tinham sido ditados pela necessidade, as primeiras palavras arrancadas pela paixão [...] o gênio das línguas orientais, as mais antigas que conhecemos, mostra que a interpretação de seu desenvolvimento na forma de uma progressão didática não é verdadeira. A linguagem do homem primitivo é descrita como se fosse a linguagem de geômetras: mas vemos tratar-se de uma linguagem de poetas[12].

Apesar de Rousseau encontrar-se aqui empenhado na questão fundamental à filosofia do século XVIII – e que novamente se tornou atual –, eu gostaria somente de salientar que seus comentários são traçados a partir de um campo que exerceu um fascínio particular durante o século XVIII: as especulações dos primeiros franco-maçons e rosas-cruzes sobre Isis, que apresentavam como correlativos obras-primas como *A Flauta Mágica*. Para os historiadores da arquitetura, a arquitetura egípcia era fonte de duplo encantamento: se os egípcios haviam inventado os edifícios de pedra, então essa arquitetura de pedra encarnava sua sabedoria imemorial. Os etruscos, tendo aprendido com os egípcios a arte da construção em pedra e a sabedoria que esta preservou, haviam deixado no solo italiano exemplares mais nobres e dignos da emulação dos modernos que as recém-descobertas edificações gregas podiam oferecer, visto que derivavam de cabanas de madeira. Alguns, como o arquiteto e gravador G. B. Piranesi, levaram este argumento ainda mais além. Piranesi foi o mais ardente dos romanistas; ou melhor, ele e quem quer que tenha escrito os textos que ofuscou com as imensas águas-fortes que os acompanhavam: seja ele somente o jesuíta Contucci, ou um grupo de intratáveis estudiosos italianos defendendo seu patrimônio nacional[13] como sugere Focillon, ou ainda, o próprio Piranesi. Seja

12. Rousseau, *L'origine des langues*, p. 505.

13. Henri Focillon, *Giovanni-Battista Piranesi, 1720-1778*, pp. 80-81.

quem tenha sido, a virtude arquitetônica que essas gravuras pareciam exaltar, acima de qualquer outra, era a da *magnificenza*, que os gregos copiadores das obras de madeira, evidentemente, jamais poderiam alcançar. Piranesi conseguiu representar os vestígios da antiguidade de forma tão convicentemente magnífica, que os viajantes (como Goethe e Flaxman) que as conheciam através de suas gravuras muito lamentariam a insignificância como a miséria das próprias ruínas.

Piranesi reservou sua fúria particular (e ele bem podia ser bastante impertinente) para David le Roy com quem Memmo já se havia confrontado sutilmente, rejeitando e considerando absurda e enganosa a doutrina segundo a qual os edifícios de pedra descenderiam das construções de madeira. A sua contestação se faz recorrente na grande obra dedicada à magnificência da arquitetura romana, na qual expõe os ácidos comentários de Mariette, *connaisseur* e crítico francês, publicados em forma de artigo numa revista literária francesa; expondo-a ainda ao ridículo no "Diálogo sobre Arquitetura" que se inicia com um dos alvos preferidos de Piranesi, o comentário de Montesquieu de que "um edifício sobrecarregado de ornamentos é um enigma para os olhos, assim como um poema confuso é um enigma para o intelecto".

Na visão de Piranesi, o arquiteto era livre para "inventar" o ornamento: isto é, adaptar aos seus propósitos vasos, camafeus, candelabros e assim por diante. A fantasia poderia alcançar livremente quaisquer fragmentos da antiguidade, pois a variedade era o objetivo do ornamento. Com o ornamento o olhar usufruía um prazer distinto, que se somava àquele essencial que a arquitetura desnuda apresentava. Mas Piranesi também tinha um outro propósito em vista: estabelecer a superioridade da arte romana como derivada dos nativos etruscos e, mais remotamente, dos egípcios, que foram os primeiros a conceber uma arquitetura pétrea, em contraposição aos gregos cujos templos teriam origem – como acreditava Vitrúvio – nas primitivas cabanas de madeira. Por isso, Piranesi envolveu-se tanto, polemizando a posição que ele atribuía aos arquitetos "rigoristas", segundo a qual todos deveriam "viver em cabanas de madeira, nas quais, alguns acreditavam, os gregos haviam encontrado os modelos para adornar sua arquitetura"[14]. Uma vez mais, é le Roy que Piranesi assume como seu principal alvo. Porém, por trás do primeiro, surge neste momento o ubíquo Laugier.

Não existem evidências de que Piranesi tenha, efetivamente, lido o *Essai*, de Laugier, mesmo que provavelmente deva ter se deparado com bastante frequência com o livreto e as ideias que dele derivam, entre seus conhecidos na Academia Francesa. Com certeza,

14. Giovanni Battista Piranesi, *Osservazioni di G. B. P. sopra le Lettere di M. Mariette*, p. 10.

Piranesi: Gravura XIV, da série *Carceri.*

Francesco Milizia conhecia o livro, cujos argumentos são muitas vezes lidos como aqueles de Protopirio, o jovem protagonista do diálogo de Piranesi conhecido como *Parere sul'architettura.* Esse diálogo é o centro do *Remarks on Manette's Letter* [Considerações acerca da Carta de Manette], sobre o qual já me referi anteriormente. Protopirio é um dialético um tanto desastrado e inexperiente, facilmente conduzido pelo outro protagonista, o vigoroso mestre piranesiano, Didascalco. Este último se revela furioso e, tendo comprovado – da maneira criptolaugeriana – que as novas regras não permitiriam quaisquer das características usuais dos edifícios, questiona retoricamente,

> Bem, escolha Signor Protopirio, qual delas irás derrubar? As paredes ou as colunas? Não respondes? Eu derrubarei tudo. Iniciando com edifícios sem paredes, e a seguir edifícios sem colunas, ou pilares, sem frisas, sem cornijas, sem abóbodas, sem telhados: tudo raso, plano, um lote vazio.

A fluência, o humor malicioso e o afiado jogo de palavras relembram por vezes o loquaz Memmo; além disso, o conceito piranesiano de *magnificenza* provavelmente deve algo a Lodoli. Contudo, mais interessante é o contraste entre a frieza altiva do Protopirio miliziano e a arquitetura estruturalmente magnífica cujos prazeres são repercutidos e diversificados por um ornamento livre e caprichoso (ornamentação que pulula em toda parte), semeando a suspeita de que essa arquitetura representa a doutrina de Lodoli revirada de

Piranesi: Lareira egípcia, da série *Cammini*.

pernas para o ar. Eu não tenho dúvidas de que Piranesi, em sua juventude, tenha tido suficiente conhecimento das ideias de Lodoli, pois Matteo Lucchesi, seu tio e mentor, era amigo e até mesmo sócio de Temanza, o neopalladiano pedante e um dos mais cáusticos e persistentes oponentes de Lodoli.

O principal argumento de Piranesi pressupõe que os romanos teriam aprendido arquitetura com os etruscos e não com os gregos, para ele, a força irresistível da arquitetura romana residia tanto em sua nudez como em sua grandeza. Como não podia deixar de ser, ele descreveu pontes, aquedutos e estradas, assim como templos e tumbas; nutrindo uma admiração particular por construções em abóbadas, como a *Cloaca Maxima* e o "emissarium" do lago Albano, obra que no século anterior havia sido atribuída aos demônios pelo jesuíta e mitologo Athanasius Kircher[15]. O uso econômico e soberbo da pedra "conforme com a sua natureza" lhe parecia tão admirável quanto a magnitude e a nudez dos edifícios. Lodoli teria se posicionado do mesmo modo. Na realidade, a mesma questão se traduz em termos visuais na conhecida coleção de gravuras de Piranesi, os *Carceri*, cujas imensas estruturas a relegavam imediatamente ao reino da decoração teatral caso fossem julgadas conforme os fundos disponíveis, na época, para as construções, mas que, por outro lado,

15. Athanasius Kirschner, *Latium, id est Nova et Parallela Latii turn veteris turn Novi Descriptio*, p. 40.

eram provavelmente a aproximação mais exata a um estilo de arquitetura lodoliana.

Piranesi planejou uma extensa obra sobre a introdução e o desenvolvimento das belas artes na Europa, na qual pretendia vindicar os romanos, os etruscos, bem como os egípcios em relação às pretensões dos gregos. Ele nunca foi além da introdução, mas retomou o tema da arquitetura egípcia em seu prefácio a uma série de projetos de lareiras em estilo egípcio, a maioria delas gigantescas. Apesar de nesse texto ele jamais ter se comprometido claramente em avaliar o que os etruscos haviam aprendido com os egípcios (talvez porque le Roy, sua *béte noir*, havia escrito bastante sobre o tema), ele não se furta a elogiar o mistério e a majestade dos monumentos egípcios, e o impressivo caráter sagrado de seus hieróglifos. O prefácio inteiro é lido quase como um comentário sobre um aforismo de Vico: "Os homens primitivos inicialmente sentiam sem articular, depois articularam os encantos e as emoções de suas almas, e finalmente refletiram com a mente pura"[16]. Entretanto, o propósito que Piranesi tinha em vista era mais insidioso que o de Vico, pois, em um certo sentido, a obra completa da *Vedute*, *Magnificenze* e *Carceri é* um vasto *memento mori* por uma grandeza que foi outrora e que talvez jamais voltará a ser, não poderá ser novamente. Ele pretendia utilizar não somente o vasto e o sublime, no sentido burkeano, mas sustentou efetivamente (nos *Cammini*) que a dor do terror era um elemento essencial do prazer: "Do medo brota o prazer" ele afirma, justificando aquelas imensas máquinas ornamentais cobertas por hieróglifos indecifráveis e ladeadas por "apoios" inescrutáveis, figuras semi-humanas que teriam reduzido a nada o salão mais espaçoso e nobre[17], o que deve ser entendido claramente como o ecoar de sentimentos burkeanos. Burke acreditava que o sublime era "uma espécie de encanto repleto de horror, uma espécie de tranquilidade tingida pelo terror"[18]. Uma vez que a arte lida com duas categorias de paixões: aquelas relativas ao jogo social, nas quais a beleza é o ingrediente essencial, e aquelas estimuladas pelo instinto de autopreservação, nas quais predominam o terror e a dor, ele considera que a apreciação do sublime é estimulada quando se recorda, na tranquilidade, o terror pela autopreservação ameaçada. Enquanto Burke discutia a importância do sublime com base em considerações psicológicas apriorísticas, o historiador napolitano Giovanni Battista Vico "historicizou" o papel que o terror representou nas origens das

16. Giovanni Battista Vico, *La scienza mova*, in Opere, vol. 5, p. 97.

17. Giovanni Battista Piranesi, *Diverse maniere di adornar i cammini ed ogni altre parte degli edifizi desunte dall'architettura egiziana, etrusco e greca*, p. 7.

18. Edmund Burke, *On the Sublime and Beautiful*, em *Works*, vol. 1, p. 24.

artes, e particularmente da fala, como deverei descrever mais adiante.

Em relação ao débito dos romanos para com os gregos, Piranesi reconhecia que os gregos tiveram alguma influência sobre a arquitetura romana, uma influência que ele considerava como exclusivamente tardia, além de decadente e prejudicial, conduzindo à caótica ornamentação dos edifícios do fim do período imperial.

Para Lodoli essa atitude não seria estranha. Ele próprio (ou melhor, Memmo, seguindo a Paoli e reivindicando a autoridade do velho mestre) sustentava que os etruscos haviam herdado dos egípcios e dos fenícios sua habilidade de construir em pedra. Sob essa perspectiva, os gregos, permanecendo atados às formas da madeira, teriam produzido uma arquitetura irracional e bastante deficiente. O aforismo preferido de Lodoli afirmava que a verdade era mais antiga que os antigos e mais antiga do que os povos orientais ou gregos, ou seus pórticos e cabanas. Portando, ele dizia:

> Não somente os filósofos mais imparciais, mas também os antiquários deveriam amá-la [...] Agora, mesmo que eu duvide – ele continuava – que o raciocínio não deveria dar sempre preferência à verdade sobre a antiguidade, mesmo não sendo a verdade a mais antiga entre as duas, eu continuaria a ponderar se aqueles primeiros antigos, cujo exemplo desejamos seguir, aperfeiçoaram tudo aquilo que havia para ser aperfeiçoado: ou seja, se teriam harmonizado em pedra todas aquelas proporções, que em conjunto reúnem a máxima resistência possível com a suprema beleza[19].

Lodoli acreditava que a habilidade do arquiteto devia concentrar-se no funcionamento mecânico da estrutura: "A arquitetura é uma ciência abstrata e prática que pretende estabelecer, mediante o raciocínio, uma prática adequada e as justas proporções dos artefatos, descobrindo através da experiência a natureza dos materiais que a compõe"[20]. Contudo, como nos foi relatado por seus admiradores, Lodoli apresentava um interesse apenas superficial em relação ao modo pelo qual o edifício seria utilizado. Ele chegou a criar o que chamou de cadeira "orgânica", cujo assento e encosto eram duros e côncavos para amoldar-se à forma do corpo humano. Ao apresentá-la ao proprietário de um dos maiores palácios venezianos ele enumerou suas vantagens: "Os sanmichelistas e os palladianos imitavam os antigos do mesmo modo que aqueles artesãos que executaram vossas enormes poltronas, sem jamais questionarem as regras ditadas pelo simples bom senso, obrigando todos a sofrerem o desconforto. Esculpi, envernizai, e dourai, tanto quanto gostaríeis para satisfazer vosso luxo necessário *[sic]*, mas sem esquecer o conforto e a solidez.

19. Memmo, *op. cit.*, vol. 2, p. 117a.
20. *Idem*, vol. 1, p. 275.

Cabanas primitivas. Fig. I, cabanas colquidas; fig. II, cabanas frígias. Reconstruídas por Claude Perrault, a partir da descrição de Vitrúvio.

E porque as casas não poderiam ser construídas tão racionalmente como essas cadeiras? Sentai-vos nessa cadeira, a seguir sentai-vos na outra e vós decidireis imediatamente se é mais cômodo seguir a autoridade dos antigos ou abandoná-la pela razão"[21].

E ainda assim Lodoli não era um utilitarista. A necessidade não era imposta pela utilidade, ela era ditada pela razão, considerando as leis da estrutura em função dos materiais. O ornamento era uma questão de gosto e costume (*l'uso fa legge*, como havia afirmado Piranesi em seu *Dialogue*). Nesse aspecto ele foi de encontro aos preceitos de um teórico ao qual devia tanto, o abade de Cordemoy. Cordemoy se mostrava tolerante em relação ao ornamento e, ainda assim, acreditava que o bom gosto, que por si ditava as formas ornamentais, deveria basear-se justamente no exemplo dos antigos. A interpretação de Cordemoy sobre os antigos remontava à regra das ordens de Claude Perrault, formulada por este em seu tratado sobre o mesmo tema, assim como em sua edição do Vitrúvio, edição que definiu um modelo de esplendor e erudição durante todo o século – e que sem dúvida, também foi consultada por Lodoli, e exaltada

21. *Idem*, pp. 84-85; cf. Massimo Petrocchi, *Razionalismo Architettonico e Razionalismo Storiografico*, pp. 21-22.

pelo Marquês Giovanni Poleni sobre todas as outras, em sua primeira bibliografia vitruviana[22]. Porém, convém lembrar, que apesar do respeito de Perrault pelos antigos, ele mantinha sua independência, reconhecendo ter traduzido Vitrúvio livremente e aperfeiçoado a sua prosa. A sua postura frente a Vitrúvio era coerente com tudo o que apoiava: Charles, seu irmão e íntimo colaborador, foi o porta-voz dos "modernos" na "querela entre antigos e modernos" que se tornaria a *cause célèbre* da Paris literária do fim do século XVII, tendo Boileau como seu principal oponente.

Também deve ser assinalado que mesmo os "modernos" não rejeitavam a imitação dos modelos antigos, o que constituía, de todo modo, um lugar-comum na historiografia da época. A história era geralmente ensinada e aprendida a partir de exemplos; donde a fascinação exercida por Plutarco. A diferença entre os "modernos" e os "antigos" encontrava-se, sobretudo, no grau de liberdade que o êmulo podia se permitir ao tratar do passado. Para os "modernos" a razão emanava de um *cogito*, era independente da história, transcendendo--a. Para os "antigos", e eu resumo sua posição ao nível da caricatura, a razão era imanente à história, e mais particularmente à história antiga, que se deslocava sobre os trilhos de uma sequência mítica quase que atemporal.

Assim, como um "moderno", Claude Perrault se permitiu "racionalizar", simplificando as proporções das ordens em um único cânone[23]. Somente poucos anos antes Roland Fréart, Sieur de Chambray (cujo irmão Paulo, Sieur de Chantelou, escreveu o famoso relato da visita de Bernini a Paris), julgou necessário oferecer em seu manual sobre ordens quinze a vinte exemplos de cada uma delas, tal como eram encontradas nas antigas construções e especificadas nos manuais da época.

Perrault não possuía tantos escrúpulos. As ordens não pertenciam à essência da arquitetura, afinal a essência deveria produzir aquelas belezas que ele acreditava "positivas e convincentes"[24]. Estas últimas se opunham às belezas "arbitrárias", que dependiam de uma intenção (*volontà*) para atribuir uma certa proporção, forma e configuração aos elementos, que poderiam ainda adquirir outras atribuições sem parecerem deformadas. Esses elementos, não se mostrariam agradáveis por uma razão evidente para todos, mas somente pelo hábito e pela relação que o intelecto estabelece entre dois objetos de natureza diversa, "cujo princípio é o fundamento natural da fé, a qual não é mais que o efeito de um juízo prévio, pelo qual a boa opinião

22. Giovanni Poleni, *Exercitataiones Vitruvianae*, p. 120.

23. Claude Perrault. *Ordonnance des cinq espéces des colonnes selon la méthode des anciens*, 1683, p. vii.

24. *Idem*, p. vii.

Cânone simplificado das ordens, segundo Claude Perrault.

que temos sobre alguém que nos assegura de uma verdade, que nos é desconhecida, nos dispõe a não duvidar dele [...]"[25].

As belezas "positivas, convincentes e racionais" são, conforme Perrault, de uma natureza diversa:

> A riqueza de material, a grandeza e a magnificência do edifício, a execução adequada e cuidadosa e a *symmétrie* que significa [em francês] o tipo de proporção que produz uma beleza evidente e notável *[remarquable]*: pois existem duas classes de proporção, uma das quais é difícil de perceber consistindo em uma relação racional das partes proporcionais, tal qual a das dimensões das diferentes partes entre si ou com o todo [...] A outra classe de proporção, denominada *symmétrie*, e que consiste na relação que as partes mantêm em conjunto em função da igualdade e paridade de seu número, tamanho e sua posição, é uma questão evidente, cujas deficiências não se pode deixar de notar.[26]

Perrault deixa bastante claro aqui que as belezas "positivas e convincentes" requerem para a sua realização somente o bom senso, enquanto que as demais, arbitrárias, requerem a habilidade de um arquiteto treinado.

> O bom gosto baseia-se no conhecimento da primeira, e da segunda classe de beleza, mas é certo *[constant]* que a familiaridade com a beleza arbitrária é mais característica da formação daquilo que se conhece como gosto, e que por si só distingue os verdadeiros arquitetos daqueles que não o são.[27]

E contudo, o fundamento da beleza arbitrária é evanescente: "Nem imitação da natureza, nem a razão, nem o senso comum são [...] a causa (*le fondement*) destas belezas que são percebidas nas proporções, na disposição ou combinação das partes de uma coluna. E nenhuma outra explicação, além do costume pode ser encontrada sobre o prazer que encontramos nela"[28]. Como as ordens são – em um certo sentido – o produto resultante das modas que se transformam nos vários momentos históricos, Perrault não via razão alguma para a existência de todas as confusas variantes dos sistemas antigo e moderno: de modo que ele reduziu as cinco ordens em uma única regra simplificada.

Resulta bastante interessante que Charles Perrault, o irmão caçula de Claude, ofereça uma ilustração gráfica desse mesmo argumento em seu *Paralelo entre os Antigos e os Modernos*, que surgiu cinco anos depois das *Ordonnance*. O *Paralelo* adota o formato de uma longa conversação entre um *President* [presidente], um *Abbé* [abade] e um *Chevalier* [cavaleiro]. Eles discutem detalhadamente as artes e as ciências. Ao tratarem da arquitetura, o *President* sustenta

25. *Idem*, p. viii.
26. *Idem*, p. vi.
27. *Idem*, p. xii.
28. *Idem.*, p. x.

que os edifícios famosos que haviam visto assim o eram unicamente por serem cópia fiel do antigo, enquanto o *Abbé* afirma que a imitação nada tem a ver com o fato, e que os edifícios modernos eram muito superiores. O *President* considera essas palavras como uma mostra de ingratitude para com os inventores da arquitetura, pois sem todos os componentes das ordens esses edifícios não seriam tão belos. O *Abbé* concorda, mas afirma:

> Se em um discurso não existissem metáforas, nem apóstrofes, nem hipérboles, ou quaisquer outras figuras retóricas, este discurso não poderia ser visto como uma obra de eloquência: (e contudo, não se pode deduzir) que aqueles que formulam as regras que regem estas figuras retóricas tenham a preferência em relação aos grandes oradores que as utilizam [...] o caso das cinco ordens da arquitetura é o mesmo [...] o elogio ao bom arquiteto não é conferido pelo uso de colunas, pilares e cornijas, mas por tê-los utilizado com discernimento.

O *President* aceita a comparação entre retórica e arquitetura. "É natural no homem", ele afirma "criar figuras retóricas; os iroqueses o fazem e em maior abundância que os melhores oradores europeus. Mas esses mesmos iroqueses não empregam colunas [...] em suas construções."

O *Abbé* reconhece que os iroqueses não fazem uso das ordens clássicas, "mas eles empregam troncos de árvores que são as primeiras colunas que os homens utilizaram, e constroem seus telhados projetados para além das paredes, formando uma espécie de cornija [...]"[29]. Enquanto *o President* elabora esse argumento, surge uma disputa a respeito de uma analogia ulterior com o corpo humano. O *Abbé* nega que tal analogia possa ser reconhecida entre as ordens, cujas origens são arbitrárias e sua continuidade determinada pela convenção. A diferença entre as ordens é devido simplesmente ao fato de que, após descartarem todos aqueles troncos bastante atarracados e curtos e aqueles demasiado compridos e fracos, ainda restava aos antigos uma grande variedade de árvores que podiam ser aproveitadas, donde as variações de proporções entre as ordens. O que leva o *Abbé* a repetir a controvérsia da beleza "positiva" em oposição à "arbitrária", pela qual Charles Perrault – através do *Abbé* – segue fielmente seu irmão. Ele rejeita a tentativa do *President* de impingir aos antigos qualquer sistema complexo, e tampouco admite a analogia entre as ordens clássicas, cujas proporções podem variar enormemente, e as ordens da música clássica, tão precisas na especificação dos intervalos. Entretanto, afirma, "as cinco ordens da arquitetura, bem-medidas e bem-desenhadas, estavam ao alcance de todos, sendo

29. Charles Perrault, *Parallèle des anciens et des modernes en ce qui regarde les arts et les sciences*, vol. 1, p. 128.

mais fácil tomá-las dos livros em que estavam gravadas do que buscar uma palavra no dicionário"[30].

O *Abbé* prossegue então elogiando a moderna técnica de corte de pedras, que suscitava paixões na França (onde tratados versando sobre geometria descritiva aplicada ao corte de pedras eram publicados em grande número), como exemplificado pela fachada de Claude Perrault para o Louvre que, ele sustenta, pode ser facilmente comparada com as abóbadas em tijolo e estuque dos antigos. Essa espécie de comentário provocaria a ira de Piranesi, mesmo se em outras questões, como em sua atitude ante a responsabilidade do arquiteto para com o ornamento e as proporções das superfícies, seguisse Perrault passo a passo[31].

O leitor terá notado quão difundido tornou-se o modelo do argumento de Perrault que foi adotado não somente por Piranesi, mas por Cordemoy, Lodoli e muitos outros. Laugier também chegou a utilizá-lo – porém voltando-o contra seus autores.

Já me referi à participação de Vico na formação dessas ideias. Seus escritos não foram amplamente conhecidos até o século XIX, mas suas concepções sobre as origens da arquitetura apresentam aqui um certo interesse. Vico tampouco acreditava que os antigos eram dotados de alguma sabedoria especialmente revelada. Além disso, de acordo com ele, os gregos e os egípcios não deveriam serem considerados como "os" antigos. Teriam existido quatro grandes nações "gentis" antigas: os egípcios, os citas, os caldeus e os chineses, todas descendentes dos filhos de Noé, mesmo que não de sua progênie legítima, formada pelos hebreus, os quais (por sua vida ordenada e hábitos puros) continuaram a linha genealógica que Deus havia iniciado com Adão e Noé depois dele, e que também é a nossa. Os bastardos de seus filhos foram rejeitados por suas mães e nutridos pelos sais nitratos de suas próprias fezes, nas quais rolaram desamparados no princípio, para depois, endurecidos pela vida da floresta primitiva, converterem-se em gigantes que viviam de acordo com a natureza – uma prefiguração da segunda queda de Condillac. Sobre suas moradias, Vico não tem muito a dizer. Ele menciona, assim como os teóricos da arquitetura, cavernas e cabanas que se situavam geralmente nas proximidades de fontes permanentes, comentando também que os etruscos teriam sido ensinados pelos egípcios. Mas Vico ainda expõe uma outra ideia que lhe é própria.

Os homens naturais e pós-diluvianos se acreditavam sós no mundo. Algum tempo após o dilúvio, quando a umidade se havia dispersado, emanações secas ou ainda substâncias flamejantes elevaram-se da terra aos ares, produzindo trovões e relâmpagos. Vico

30. *Idem*, p. 159.
31. *Idem*, pp. 167-169.

acreditava que isso deveria ter sido catastrófico. Os poucos gigantes, levantando seus olhos descobriram o céu,

> e como a natureza humana esta construída de tal modo que atribui sua própria natureza aos efeitos [...] e como a sua natureza era a de homens plenos de vigorosas forças corporais, que expressavam suas paixões violentas gritando e gemendo *[brotolando]*, eles imaginaram que havia no céu um enorme corpo animado [...][32].

O medo é a origem da consciência do outro. Vico assim acreditava, e muitos outros historiadores mais recentes da religião sustentam essa mesma hipótese, embora de um modo mais sofisticado. Porém, no século XVIII, essa emoção particular foi envolvida pelo conceito de prazer, e em especial do prazer estético. Sem dúvida, foi esse sentimento complexo que inspirou as imensas autópsias, feitas por Piranesi, dos detritos da magnificência romana; a sua criação de espaços complexos e opressivos nos quais figuras ananicadas eram encarceradas, exauridas e até mesmo torturadas; e ainda as enormes chaminés em estilo egípcio, decoradas com falsas inscrições hieroglíficas (Champollion decifraria a pedra Roseta uns trinta anos depois). A sensação de mistério evocada pelas indecifráveis combinações de símbolos, claramente planejadas para serem reconhecidas, era por si mesma algo belo: a própria estranheza e a grandeza do Egito sugeria o já citado comentário de Piranesi: "Do medo, brota o prazer", que Vico poderia ter repetido.

Outra das ideias de Vico (mesmo que apresentando antecedentes mais remotos) é examinada por Quatremère de Quincy (a quem já havia me referido no capítulo anterior) em seu primeiro livro importante, um tratado sobre arquitetura egípcia[33]. Naquele tempo, ele afirmava que não poderia haver algo como uma arquitetura absolutamente original, uma hipótese que – como já assinalei anteriormente –ele modificaria. Ao contrário, para ele existiam três arquétipos construtivos: a tenda, a caverna e a cabana ou a obra de carpintaria.

A tenda é adotada pelos chineses e cintas, porém resulta em uma arquitetura demasiado leve e artificiosa para permitir sua imitação. A caverna é o arquétipo egípcio, desembocando em uma arquitetura demasiadamente pesada e bastante indiferenciada para merecer aprovação. A estrutura de madeira, que foi adotada e aperfeiçoada pelos gregos é a única digna de ser imitada. O conceito será desenvolvido mais adiante, pelos primeiros autores do século XIX. Soane, em suas preleções na Academia Real, em 1809, seguia de perto os passos do mais importante teórico da academia francesa, Jacques-François Blondel, quando se tratava de descrever a origem dos três tipos de arquitetura, relacionando, todavia o caráter das

32. Vico, *op. cit.*, vol. 5, p. 97.

33. Antoine Chrysostome Quatremère de Quincy, *De l'architecture égyptienne*, pp. 239-241.

moradias primitivas com as principais atividades humanas: caçadores em cavernas, pastores em tendas, agricultores em cabanas adequadas[34].

O leitor reconhecerá que aqui, *in nuce*, encontra-se a geografia histórica da arquitetura, tal como seria desenvolvida por Semper e sistematizada por Strzygowski. Contudo, voltando a Quatremère, ele percebeu que a madeira era o material perfeito para uma arquitetura que era ao mesmo tempo diferenciada e durável. Antes de a cabana poder ser imitada em pedra, ela deveria ser racionalizada e desenvolvida. Tanto engenho foi estimulado e consumido nesse refinamento, que "a própria escola de carpintaria poderia fazer da arquitetura uma arte racional". E ele continua: "a transposição da madeira para a pedra constitui portanto, a causa principal do prazer que a arquitetura grega nos proporciona, e este prazer é exatamente o mesmo que consideramos tão desejável nas outras artes da imitação"[35].

Naturalmente Quatremère rejeita, de imediato, os argumentos de Lodoli. Mas é contra o Lodoli de Memmo que ele se volta, enquanto o Conde Francesco Algarotti, o segundo discípulo de Lodoli, é mencionado com aprovação; e ainda assim, apesar de Quatremère concordar com Algarotti sobre a virtude particular das construções que apresentam uma estrutura de madeira, eles divergem quanto à questão da imitação. Para Algarotti a arquitetura parecia apresentar-se como uma manifestação completamente distinta da pintura, poesia ou da música.

> Em um certo sentido, essas necessitam somente abrir seus olhos, contemplar os objetos ao seu redor, e a partir destes estabelecer um sistema de imitação. A arquitetura, por outro lado, deve elevar-se através do intelecto e deduzir seu sistema de imitação a partir de ideias sobre elementos mais universais e afastados da vista humana. Também se pode afirmar, com razão, que entre as artes a arquitetura ocupa o mesmo lugar ocupado pela metafísica entre as ciências. Contudo, apesar das diferenças entre as artes, a perfeição da arquitetura coincide com a das demais artes, já que suas produções também devem apresentar variedade e unidade[36].

Um lugar comum pretensioso conclui o pomposo preâmbulo. E, de fato, a conclusão de todo o ensaio é igualmente presunçosa: "Mesmo que os arquitetos tenham mentido, e o filósofo tenha pregado [Lodoli é o filósofo ora referenciado] ainda assim será o caso de afirmar que a mentira é mais bela que a verdade"[37].

34. Sir John Soane, *Lectures on Architecture, as Delivered to lhe Students of the Royal Academy from 1809 to 1836*, pp. 17-20.

35. Quatremère de Quincy, *op. cit.*, p. 241.

36. Francesco Algarotti, *Saggio sopra l'Architettura*, em *Opere Scelte*, vol. 1, p. 20.

37. *Idem*, p. 37.

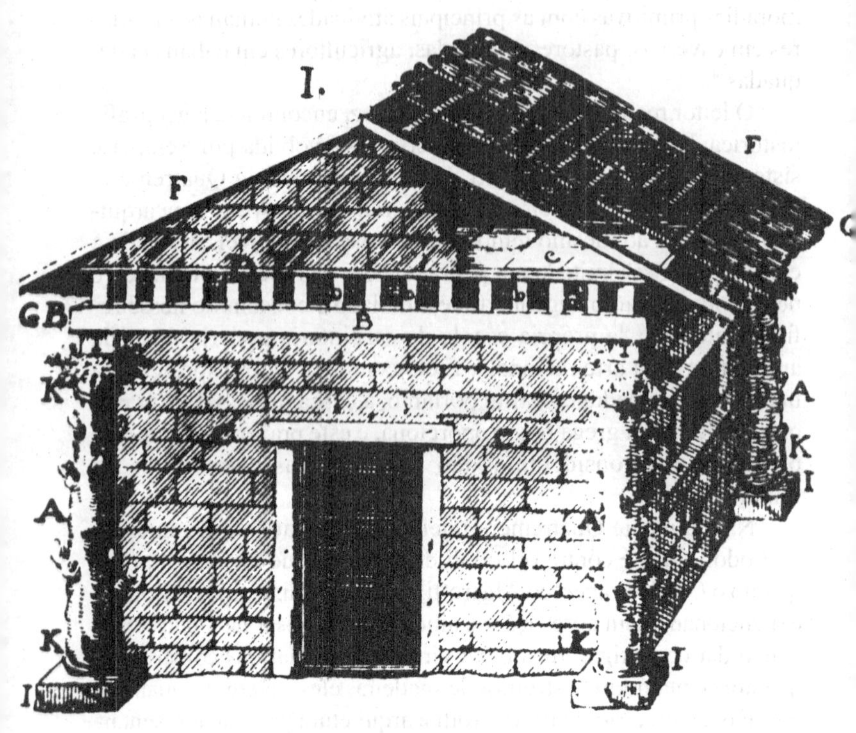

A cabana primitiva, segundo J. – F. Blondel.

Algarotti trata como um todo a arquitetura egípcia, chinesa e grega. Na arquitetura chinesa ocorrem colunas sem capitéis, do mesmo modo que na grega existem colunas sem bases, ambas demonstrando o estado primitivo da carpintaria na construção, assim como o costume egípcio (e, estranhamente, Algarotti cita Scamozzi como autoridade no tema) de apresentar colunas sem base ou capitel.

Algarotti argumenta que de modo geral a construção em madeira é o único modo de construção *racional*. Se a natureza da pedra fosse respeitada, aberturas de tamanho apropriado seriam impossíveis, pois os lintéis de pedra devem, necessariamente, ser curtos. Com certeza, eles poderiam ser substituídos por arcos, mas apesar da natureza apresentar estes modelos nas cavernas, os arcos teriam reduzido a construção a uma uniformidade enfadonha.

Algarotti faz uma breve referência a Laugier, sendo evidente que apesar da deferência ao "filósofo", ou simplesmente à "filosofia" com a qual introduz as opiniões de Lodoli, ele é muito influenciado por Laugier. Bastante curioso é o fato de que em relação à questão das estrias ele concorde com Frézier, adversário de Laugier, e com o teórico Jacques-François Blondel, para quem todo o tema das ori-

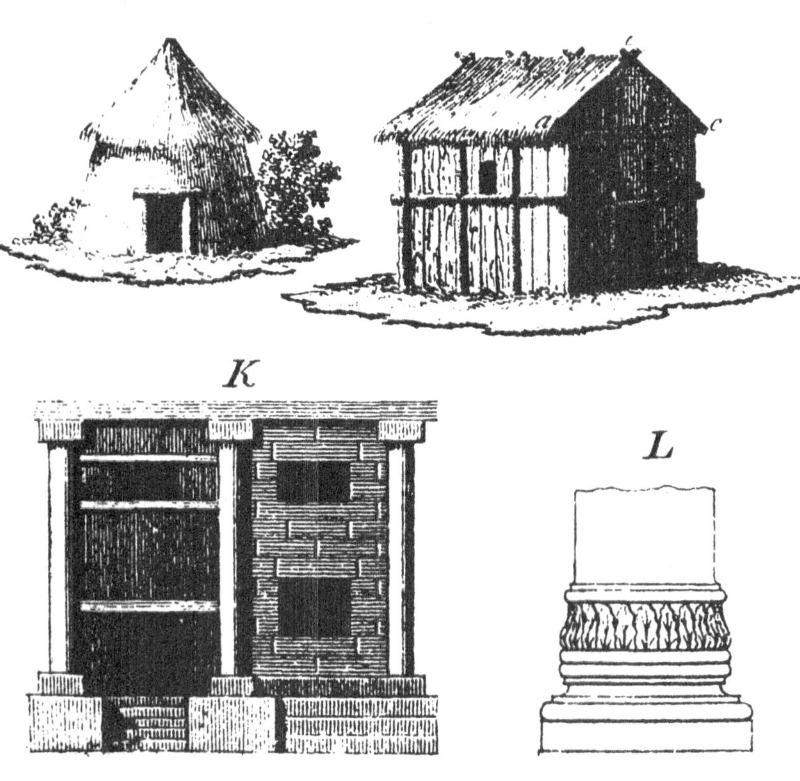

Cabanas primitivas e a origem das ordens, segundo Milizia.

gens é redutível a uma breve referência no início de seu extenso e vigoroso tratado:

Indubitavelmente, no princípio os homens fizeram para si abrigos contra os rigores das estações e os ataques dos animais ferozes. Com esse objetivo, eles construíram para si cabanas e choupanas: juncos, canas, galhos de árvores, folhas e cascas, assim como argila, eram quase que os únicos materiais que empregavam para construir suas moradias.

Conforme as famílias cresciam, suas amorfas moradias tomaram-se maiores. Tão logo os homens sentiram as necessidades oriundas da sociedade, aprenderam a providenciar moradias de maior conforto e durabilidade. Nesse momento, também suas moradias, que até então se espalhavam pelos imensos desertos, foram agrupadas em aldeias, que logo se converterem em burgos e finalmente se transformaram em cidades. Assim que os homens congregaram-se nas cidades, tiveram de se defender dos ataques de seus vizinhos, contra os quais levantaram sólidas fortificações, construíram muros, escavaram fossos e erigiram torres. Não satisfeitos com os produtos que encontravam em suas próprias regiões, os homens desejaram enriquecer-se com tudo aquilo que a natureza permitia aos territórios mais distantes produzirem [...] Tal é a origem dos três tipos de arquitetura, a civil, a militar e a naval[38].

38. Jacques-François Blondel, *Cours d'architecture*, vol. 1, pp. 3-4.

Esse resumo conciso foi de certa forma o precursor daquele de Durand, pois surge a partir de uma série de conferências; porém, enquanto Durand acredita ser necessário despender páginas e páginas negando a visão mimética da arquitetura e todas as especulações ventiladas ao longo do século XVIII em torno da cabana primitiva, Blondel ainda podia contentar-se com uma referência lacônica. Ele possuía ideias muito pouco precisas a respeito da evolução de sua arte, acreditando que os egípcios começaram construindo com juncos entrelaçados e os gregos com argila seca ao sol. Enquanto os gregos teriam evoluído para a madeira criando a verdadeira arquitetura "antiga", os egípcios por falta de madeira em seu território teriam "saltado" para a pedra e o mármore, sem passar pela etapa essencial da carpintaria. Tudo isso é considerado como irrefutável. Deve-se assinalar, no primeiro parágrafo, a análise rousseauniana, desprovida de quaisquer implicações morais, e portanto, quase que invertida. Porém, mais curiosa é a nota de rodapé desse parágrafo:

> No final do século XV, e no início do XVI, a cidade de Moscou não possuía uma única casa edificada em pedra, somente cabanas construídas a partir de toras de madeira e cobertas por limo. As casas no Peru são construídas da mesma forma em nossos dias. Aquelas dos islandeses são construídas com pequenos pedaços de pedra ou rocha constritos com limo e massa. Os abissínios constroem suas cabanas unicamente com barro composto por terra e palha. Na Monomotapa as moradias são todas de madeira. Finalmente existem povos que, seja por não disporem de outros materiais, seja por carecerem de um certo tipo de conhecimento, constroem suas cabanas a partir de ossos e peles de quadrúpedes e monstros marinhos[39].

No livro de Blondel, essa espécie de informações permanece marginal. O estilo grandioso não necessitava considerar o irrelevante: fosse o passado primitivo ou, de modo geral, tudo aquilo que não era clássico. Escrevendo duas gerações mais tarde, Quatremère de Quincy, apesar de toda a sua devoção para com os gregos, acreditava ser necessário sistematizar o material de Blondel, integrando-o à sua argumentação principal em termos geográficos como já demonstrei.

Na geração intermediária essa classificação seria relacionada à atividade predominante de cada sociedade primitiva. Entrementes, um autor influente tentou conciliar as diferentes posturas. Este era Francesco Milizia, o "Dom Quixote da beleza absoluta", discípulo de Mengs e Winckelmann, e o inimigo do barroco sob todas formas. No prefácio de seu *Vida dos mais Célebres Arquitetos* (Vite dei più Celebri Architetti – publicado pela primeira vez em Roma, em 1768), ele já admitia que a construção era um produto inevitável do instinto humano:

39. *Idem*, p. 5.

O homem é impelido a construir sem muita reflexão, assim como é impelido a beber, a se preservar e perpetuar-se, do mesmo modo que os animais são impelidos a cantar, voar ou nadar. E que distância existe entre o instinto e a arte e entre a arte e a ciência!

Muitos séculos passaram em cabanas, umas cônicas, outras cúbicas com diferentes variantes. Essa primeira forma de construir, que todavia não constitui um verdadeiro ofício e muito menos uma ciência da construção [isto é, arquitetura], renovou-se repetidas vezes, mesmo nas partes mais civilizadas da Europa [...] Construindo ora de um modo, ora de outro [...] atendendo primeiramente à comodidade, em seguida à solidez e finalmente à beleza [...] a arte da construção foi finalmente desenvolvida [...] Os rudimentos dessa arte foram estabelecidos na Ásia e no Egito [...] [nos monumentos gregos, porém] parece surgir algo mais que apenas arte; pois a passagem da arte para a ciência parece estar aqui subentendida[40].

Milizia define a arte como "um sistema de conhecimento reduzido a regras positivas e invariáveis, independentes dos juízos caprichosos", enquanto a ciência é "o conhecimento das relações que um certo número de fatos pode manter entre si". Esses fatos são revelados exclusivamente pelos sentidos, entretanto, Milizia declara que o caráter primitivo das primeiras descobertas não deveria levar-nos a depreciar os esforços de nossos antepassados remotos.

Embora fossem trabalhadores simples e rudes, devemos considerá-los como as mais importantes mentes de seu tempo. Talvez, se Palladio tivesse vivido antes do Dilúvio, todo o esforço de seu gênio teria se direcionado para montar alguma cabana miserável [...] assim como o notável Newton, que descobriu como medir o universo e calcular o infinito, poderia ter exaurido todos os recursos de seu conhecimento contando até dez [...] Toda arte e ciência nascem da necessidade, cabendo ao desejo pelo progresso, seu lento e obscuro crescimento. É matéria da filosofia aperfeiçoá-las[41].

Tudo isso serve como uma introdução à conhecida hipótese, formulada concisamente por Milizia, de que se os gregos foram os primeiros mestres da ciência e da arte da construção, eles devem ter iniciado com a cabana, presente em suas mentes e sob suas vistas, de modo que após aperfeiçoá-la, eles a traduziram para a pedra.

As ordens, na visão de Milizia, assim como na de Perrault, eram diferenciadas, em razão da variação do tamanho das árvores. Ele acrescenta um comentário pessoal, sugerindo que os arcos e abóbadas derivariam dos consoles acrescentados nos cantos dos troncos das árvores, com o objetivo de suportar maiores cargas. Milizia prossegue deduzindo a origem de cada detalhe da construção em pedra, inclusive as escadas e suas balaustradas, a partir da construção da cabana de madeira. Com respeito às paredes, ele não se mostra tão radical como Laugier, acreditando que, no princípio, estas tivessem sido executadas com tábuas, toras ou pedra não lavrada, dando origem aos diversos tipos de superfícies murárias. A combinação de uma parede com uma

40. Francesco Milizia, *Memorie degli Architetti Antichi e Moderni*, vol. 1, p. i.
41. *Idem*, p. v.

coluna teria dado origem à arquitetura de *bas-relief* (baixo-relevo), na qual a coluna não se destaca da parede, mas nela se encontra quase que enterrada.

> Portanto, a arquitetura – ele continua – é uma arte de imitação, assim como todas as outras artes. A única diferença está no fato de que algumas entre elas possuem um modelo natural no qual seu sistema de imitação se fundamenta. A arquitetura carece de tal modelo, porém a indústria dos homens lhe ofereceu um alternativo quando estes ergueram suas primeiras moradias.

O método consistiria em

> imitar para nosso uso e prazer uma seleção de partes naturais perfeitas, que constituem um conjunto perfeito tal como não se pode encontrar na natureza. Esta última não forma jamais um conjunto perfeito, pelo menos não conforme nosso modo de pensar, contudo, espalhou aqui e acolá fragmentos perfeitos, que o homem de gosto e gênio escolhe e combina da maneira mais adequada conforme seu objeto, moldando-o em um todo uniforme *[tutto compito]* conhecido como "natureza bela" *[Bella Natura]*[42].

A distância e a dificuldade em reconstruir o modelo original, quase natural, levam aos frequentes períodos de decadência da arquitetura. Milizia propõe nove princípios, os quais, afirma, são "positivos, constantes e gerais, porque pertencem à própria natureza das coisas e do bom senso, e considerados em conjunto formam a verdadeira beleza essencial da arquitetura. Porém, se perdidos de vista, adeus arquitetura. Não é ciência ou arte, mas se transforma em moda, capricho e loucura"[43]. O primeiro princípio é a simetria, mais ou menos como Perrault a definiu; a seguir temos a unidade e a variedade, governadas pelo termo vitruviano "euritmia". O terceiro, é o princípio familiar do decoro. O quarto, formulado quase em termos lodolianos, implica que na arquitetura, filha da necessidade, tudo deve parecer como necessário e "tudo o que é feito tendo o ornamento como único objetivo é corrupto". No quinto princípio, as ordens são justificadas não como ornamento, mas como o esqueleto da construção; portanto podem ser definidas (e aqui Milizia utiliza itálicas para maior ênfase) como "ornamentos necessários produzidos pela própria natureza da construção" aos quais devem subordinar-se todos os demais ornamentos. Novamente, como o ornamento deve ser resultado da necessidade, nada que não tenha uma função exata no edifício ou que não esteja integrado à sua estrutura pode ser visto; "portanto, tudo aquilo que for representado também deve ser funcional". Como consequência, o sétimo postula que "nada deve ser feito sem que existam bons motivos para tanto". No oitavo princípio, explicita-se o significado desses motivos: eles devem derivar da origem e análise da cabana, exemplo da

42. *Idem*, pp. xi-xii.
43. *Idem*, p. xii.

arquitetura primitiva natural, a cabana que deu lugar à bela arte da imitação, ou seja a arquitetura civil. Tudo – e esse trecho é novamente italicizado – deve ser fundamentado na verdade ou no plausível *[verisimile]*. Aquilo que não pode existir na verdade e na realidade não deve ser aprovado, mesmo tendo sido introduzido pelo bem das aparências"[44].

O último princípio ecoa novamente as teorias de Lodoli, a autoridade do passado não deve jamais ser empregada para impedir alguém que seguir exclusivamente a razão.

O preâmbulo do *Vida dos mais Célebres Arquitetos* se amplia no prefácio ao tratado de arquitetura civil, que também está dominado pelo conceito da beleza ideal, cuja formulação Milizia deriva dos autores franceses – talvez do tratado do abade Batteux, *Les Beaux-Arts réduits à un même príncipe* (As Belas Artes Reduzidas a um Único Princípio). Esse esforço "newtoniano" intenta incorporar conceitos tomados sincreticamente de Lodoli, Laugier, Blondel e outros notáveis teóricos. A erudição de Milizia é vasta e ele faz citações de maneira abundante, porém sem afastar-se de modo algum da doutrina que já transcrevi, fornece novas definições dos conceitos essenciais. Tendo reafirmado que a perfeição da arquitetura, assim como de todas as belas artes, está na imitação da *Bella Natura*, ele continua declarando que a imitação é

a representação artificial de um objeto; a natureza cega não imita, é a arte que imita [...] a imitação pode ser rigorosa ou livre. Aquele que imita a natureza, rigorosa e fielmente, tal como ela é, é – como sempre foi – apenas seu historiador, mas aquele que a compõe, exagera, altera e a embeleza é seu poeta[45].

Mais adiante, ele amplia esse conceito: imitar a "natureza bela" é o mesmo que imitar a seleção das partes naturais, cada qual perfeita em si mesma e integrada em um todo perfeito, algo que não pode ser encontrado na natureza. O homem de gosto e gênio, tendo bem observado a natureza, escolherá aquelas partes dispersas aqui e acolá, entre os fenômenos naturais, que lhe pareçam melhor e mais adequadas ao seu objeto; ele as transformará em um todo perfeito. Esse todo perfeito é aquilo que é conhecido como natureza bela. Todo o conjunto é imaginado, porém seu fundamento é totalmente natural. "Tudo é natureza", afirma Pope, "mas natureza reduzida à perfeição e ao método. Isso é imitação livre ou imitação poética".

A arte, afirma Milizia, apropria-se daqueles objetos que apesar de serem mais vividos em seu estado natural, evocam maior prazer quando imitados,

44. *Idem*, pp. xiii-xv.
45. Francesco Milizia, *Principii di Architettura Civile*, vol. 1, p. 34.

porque a imitação determina a distância adequada entre eles e nós, de modo que experimentamos a emoção sem que ela nos perturbe [...] Portanto, aquelas artes que são chamadas de belas artes *[belle arti]* e que têm por objeto a natureza bela *[Bella Natura]*. Ora, o primeiro artefato primitivo, a cabana, é um protótipo da arquitetura, pois a partir desse modelo rústico a arquitetura deverá eleger as partes mais belas, bem imitá-las, enobrecendo-as, dispondo-as segundo uma ordem natural, que também seja apropriada ao uso do edifício, de modo que da variedade dos membros, combinados com o devido respeito ao propósito, deve resultar um todo agradável[46].

Tendo repetido todas essas ideias já conhecidas sobre os princípios que deveriam governar a arquitetura, Milizia finaliza invocando os arquitetos a não esquecerem as origens humildes de sua arte, para que não se transformem nos pavorosos *nouveaux riches*, que se expõem ao ridículo simulando nobres ascendências.

Todas as minhas citações procedem do primeiro volume do tratado de Milizia, o qual se ocupa da beleza na arquitetura. O segundo volume trata da comodidade e o terceiro, da construção dos edifícios. Milizia inverte deliberadamente a ordem dos conceitos da citação vitruviana: comodidade, solidez e prazer. O fato de relegar a construção dos edifícios ao último volume, não significava que o livro carecia de informação técnica; o pequeno tratado alcançou grande popularidade e foi utilizado por muitos arquitetos, tanto pela erudição do primeiro volume como pelas informações técnicas contidas no último. Mas o leitor que se recorda dos ataques de Durand à concepção da arquitetura como uma arte de imitação poderá ver em Milizia, cujo tratado foi reeditado pela quarta e última vez muito tempo depois da conferência de Durand, uma testemunha sobrevivente da vitalidade desse conceito.

Entretanto, o visionário e professor Etienne-Louis Boullée, mestre de Durand, já reconhecia as demais dificuldades inerentes à versão das origens arquitetônicas oferecida por Milizia. Ele dirigiu seu ataque contra aquele que, apesar de falecido, era um notório e formidável oponente: Claude Perrault. Boullée desenterra uma famosa disputa acadêmica na qual o mais velho dos Blondel, François (sem qualquer relação com Jacques-François, o "jovem" Blondel), havia fracassado em apresentar uma argumentação adequada a favor da origem natural da beleza da arquitetura, e o argumento de Perrault teve de ser ponto por ponto, novamente contestado[47]. Boullée acreditava que a arte mediava a natureza bruta através do gosto. "O gosto é um discernimento fino e delicado dos objetos relacionados com nossos prazeres. Não basta mostrar os objetos de nossos prazeres; é

46. *Idem*, p. 36.
47. Etienne-Louis Bouliée, *The Treatise on Architecture*, pp. 27, 33-34.

mediante a escolha que eles são estimulados dentro de nós, arrebatando nossos corações"[48].

O gosto se manifesta através da graça. Boullée exclui de seus critérios os materiais nobres, tão caros a Perrault. Em geral, como era de se esperar de um fervoroso adepto de Newton – "Espírito sublime! Erudito, pródigo, Gênio! Newton, divino ser!"[49] –, problemas metodológicos envolvem a maneira pela qual a percepção leva ao conceito de regularidade. O próprio Boullée testemunha que após estudar os corpos irregulares teve de reconhecer que "somente a regularidade poderia, ela própria, fornecer aos homens uma ideia clara das formas dos sólidos e determinar sua autoridade, que [...] é o resultado não apenas da regularidade e da simetria, como também da variedade"[50], enumerando assim os três ingredientes essenciais da beleza, embora esta beleza seja reconhecida por um critério familiar. "Nós qualificamos como *belos* aqueles objetos que oferecem a máxima analogia com nossa organização, e rejeitamos aqueles que carecendo dessa analogia não correspondem à nossa maneira de existir"[51]. Uma observação que Boullée apoia com um comentário tomado provavelmente de Condillac, apesar de sua origem primeira, desconhecida para Boullée, ser Locke.

Esse não é o lugar para verificar como a aplicação desses critérios leva a considerar a esfera como o objeto perfeito e, consequentemente, uma forma evidente para o Cenotáfio de Newton. Mais interessante é a ideia segundo a qual o conceito de recorrência é mais antigo que a própria arquitetura. Boullée não imagina os homens tateando pela forma da primeira cabana, em função de anseios instintivos: "A concepção é essencial à execução. Nossos antepassados não construíram suas cabanas até terem concebido a sua imagem. E esse produto da mente, é essa criação, que forma a arquitetura"[52]. Lembrando vagamente a distinção de Alberti entre concepção e execução, Boullée defendia a arte da arquitetura contra aqueles que a consideravam coincidente com a construção de edifícios. O verdadeiro modelo proposto ao arquiteto foi o esquema abstrato que presidiu a primeira cabana, ao contrário de sua periclitante construção. Boullée insiste na ideia de que devemos, em nossos edifícios, imitar a forma fundamental que nos foi revelada pela natureza através da percepção da regularidade. Boullée recorre novamente à ideia da cabana primitiva quando trata da transmissão da essência da arquitetura. Num breve relato sobre como a arquitetura deveria ser ensinada, ele sugere que para

48. Etienne-Louis Boullée, *L'Architecture, essai sur l'art*, p. 43.
49. Boullée, *Treatise*, p. 83.
50. *Idem*, p. 35.
51. Boullée, L*'Architecture*, p. 60.
52. *Idem*, p. 27.

prosseguir com método [...] devem ser oferecidos aos olhos dos iniciantes aqueles entre os mais simples dos edifícios, tal como a cabana rústica mencionada por Vitrúvio. Os estudantes devem desenhar essa cabana de diferentes maneiras, a fim de se familiarizarem com os conceitos fundamentais das formas da arquitetura, e somente então lhes seria permitido passar a edifícios mais complexos[53].

Que forma adotaria essa cabana rústica "conforme Vitrúvio"? Naturalmente, eu teria mais a comentar sobre o texto vitruviano, mas prefiro me referir aqui ao modo como a cabana primitiva foi descrita por Sir William Chambers, um contemporâneo de Boullée que ele provavelmente conhecia.

Chambers, escrevendo na metade do século XVIII, era no início consideravelmente mais convencional que Boullée.

No princípio – ele afirma, referindo-se aos primeiros homens – o mais provável é que se retiraram em cavernas formadas pela natureza na rocha, em troncos de árvores ocos, ou covas que eles mesmos cavaram na terra. Porém, logo, descontentes com a umidade e a escuridão dessas habitações [sombras de Laugier!], eles começaram a buscar moradias mais salubres e confortáveis. A criação de animais indicou tanto os materiais como os métodos construtivos: andorinhas, gralhas, abelhas e cegonhas foram os primeiros construtores. O homem observou suas operações instintivas, admirando e imitando-as, e por ser dotado das faculdades do raciocínio, e de uma estrutura apropriada aos propósitos mecânicos, ele logo superou seus mestres na arte da construção.

Toscas e inconvenientes, sem dúvida, foram suas primeiras tentativas; sem experiência ou ferramentas, o construtor recolhia uns poucos galhos de árvores, estendendo-os de forma cônica, e cobrindo-os com juncos, ou uma mistura de folhas e argila, formando assim sua cabana: suficiente para abrigar o audacioso morador durante as noites ou nas estações de mau tempo. Contudo, com o decorrer do tempo, os homens tomaram-se mais hábeis, inventaram instrumentos para diminuir e aperfeiçoar suas tarefas; adotaram modos de construção mais engenhosos e duradouros e formas mais adaptadas que o cone para os propósitos, aos quais eram destinadas suas cabanas [...] A hipótese de que a cabana primitiva apresentasse uma forma cônica é razoável, pois das formas sólidas, esta é a mais simples e fácil de ser construída. Onde quer que fosse encontrada madeira, é provável que os homens construíssem da maneira acima descrita; porém, tão logo os habitantes descobriram a inconveniência das laterais inclinadas e a necessidade de um espaço vertical no interior do cone, eles o substituíram pelo cubo, e se supõe que procederam do seguinte modo[54].

O que segue então, é uma descrição de ressonâncias vitruvianas, da construção da cabana primitiva, retomando de certo modo detalhes de Laugier. Para Chambers parecia evidente – daí a sua menção só de passagem – que esse modo construtivo fosse imitado posteriormente em pedra, convertendo-se em fonte para a arquitetura do Ocidente. Contudo, é notável a ênfase sobre a forma geométrica da

53. Boullée, *Treatise*, p. 103.

54. Sir William Chambers, A *Treatise on the Decorative Part of Civil Architecture*, p. 103.

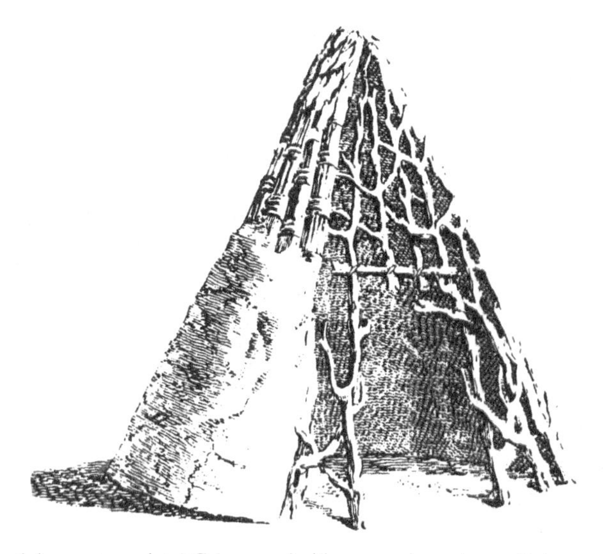

(nesta página e na seguinte) Cabanas primitivas e a origem da arquitetura, segundo Chambers.

cabana, cujas origens Chambers concebe de modo extremamente esquemático. A passagem não se faz de uma cabana cônica, tipo tenda, para uma cabana quadrada com telhado em águas, mas para um cubo de cobertura plana; apenas mais tarde, em uma terceira etapa evolutiva, "a forma do telhado também foi alterada, pois seu nivelamento não era apropriado para o escoamento das águas [...] ele foi erguido pelo centro [...] seguindo a forma do telhado em espigão"[55].

Chambers encontra-se tão preocupado com o ornamento – e sobretudo com as ordens – que muito pouco tem a dizer sobre as proporções em geral, de modo que também não toma partido entre os "antigos" (aos quais caberia esperar por sua simpatia) e os "modernos", citando imparcialmente Blondel e Perrault como autoridades máximas. E bastante possível que a ideia da cabana cônica e cúbica fosse um comentário sobre uma ilustração de Perrault a respeito dos frígios e colquidas[56] na sua notável edição de Vitrúvio. Convém assinalar que um contemporâneo de Chambers, Robert Morris, advogava por uma postura extremamente rígida com relação aos elementos geométricos da composição. Ele sugeria transformar o cubo no instrumento essencial de composição, mediante permutações das suas diversas combinações numéricas e de tamanho.

55. *Idem*, p. 106.

56. Vitrúvio, *Les Dix livres d'architecture de Vitruve corriges et traduits nouvellement... par M. Claude Perrault*, fig. 5.

Na visão de Boullée, assim como na de Chambers, existe uma certa ambiguidade com relação à prioridade da realidade da cabana primitiva sobre sua ideia – prioridade que é ao mesmo tempo lógica e histórica. Por exemplo, se interpretássemos historicamente a ideia de Boullée sobre a prioridade do conceito sobre a execução, resultaria uma situação impossível, como a do ovo e da galinha. E ainda assim, para esses dois autores, era essencial fazer uma discriminação daquilo que teóricos posteriores e inclusive os contemporâneos tomariam em seu sentido estrito. Esses problemas epistemológicos não preocuparam Milizia, Laugier ou Lodoli; nem mesmo Algarotti que com todo o seu newtonismo privilegiou o conceito geométrico da cabana em favor da própria cabana. São o revolucionário radical e o acadêmico voltado ao passado que percebem a natureza como portadora do modelo conceitual da cabana antes mesmo que a necessidade de abrigo forçasse os homens a construírem suas próprias cabanas.

J. M. *Gandy. Arquitetura*: *Seu Modelo Natural.* Aquarela. Sir John's Soane's Museum, Londres. *Esta deveria ser a primeira ilustração de uma história da arquitetura; as demais nunca foram feitas, nem tampouco o texto escrito.*

4. Natureza e Razão

As especulações a respeito das origens do homem não se limitaram aos diferentes escritos teóricos e filosóficos que examinei até o presente. O tom e os estilos adotados foram por vezes bastante diversos. Dois juízes escoceses, cujas vidas abarcaram o século XVIII, tinham ideias muito curiosas sobre o assunto. Lorde Kames, o mais sóbrio e mais velho entre os dois, acreditava que o homem havia nascido, por assim dizer, já equipado com suas habilidades, e que a segunda queda da civilização não se teria dado após o Dilúvio, mas como resultado da confusão de línguas na torre de Babel[1]. Após essa queda, o senso moral teve de ser novamente cultivado, levando os homens à perfeição alcançada na Inglaterra do século XVIII. Lorde Monboddo apresentava uma visão um tanto mais complexa das coisas, acreditando que o homem primitivo havia vivido em perfeita harmonia de mente e corpo; a interação social e a civilização progressiva (porque o homem é a única criatura capaz de progresso) haviam debilitado o corpo e aguçado a mente, o que levaria nos últimos dias, que não estariam distantes, a degeneração definitiva do corpo e o triunfo da mente, aos quais seguiria um apocalipse modificado.

Monboddo possuía visões muito definitivas a respeito da natureza dos primeiros homens. Segundo ele, o orangotango era um exemplo remanescente do que haviam sido nossos ancestrais:

1. Henry Home, Lord Kames, *Sketches of the History of Man*, vol. 1, pp. 77-79.

E eu ainda acrescentaria com relação ao tema do orangotango que, se um animal anda ereto, possui uma forma humana tanto externamente quanto interiormente, utiliza uma arma para defesa ou ataque, associa-se com seus pares, constrói cabanas para proteger-se do clima, que creio serem de melhor qualidade que aquelas dos habitantes da Nova Holanda [Austrália], é dócil e afável [...] possui um atributo que acredito ser essencial para a espécie humana, o senso de humor, e quando trazido à companhia dos homens civilizados comporta-se com dignidade e compostura diferentemente de um macaco [...] e por fim, possui além de todas essas qualidades os órgãos de pronúncia e consequentemente a capacidade da fala, ainda que dela não faça uso efetivo, e se tal Animal não é um Homem, eu desejaria saber no que consiste a essência de um homem e o que distingue um Homem Natural do Homem de Arte?[2].

Para Monboddo, assim como para Francesco Milizia, a capacidade de construir era parte do equipamento natural do homem, mais essencial que a própria fala. Entretanto, ele não se estende sobre o argumento; na verdade, apesar dessa atraente hipótese ele não se compromete com ideias precisas sobre a cabana primitiva. A sua teoria a respeito do primitivo atraiu, inevitavelmente, muito escárnio, como por exemplo, o personagem Sir Oran Hautton, de Thomas Love Peacock em *Melincourt*, um candidato ao parlamento, sem fala e de altos princípios, que constitui uma paródia do homem primitivo de Monboddo. O personagem do Dr. Samuel Johnson mostra-se mais breve e direto, como seu estilo.

Eu tentei – afirma Boswel – argumentar em favor da felicidade superior da vida selvagem [...] J: Senhor, não pode haver nada tão falso. Os selvagens não possuem vantagens corporais sobre os seres humanos [...] Senhor, não deves sustentar tal paradoxo: não escutarei mais. Não pode ser certo, muito menos instrutivo. Lorde Monboddo, um de seus juízes escoceses, falava muito de tal absurdo. Eu tolerei a *ele*, mas não *vos* tolerarei. Boswell: Mas, Senhor, acaso Rousseau não afirma tal disparate? J: É verdade. Senhor, mas Rousseau *sabe* que está dizendo absurdos, e se ri do mundo que o observa. B: Como assim. Senhor? J: Porque, Senhor, um homem que afirma disparates com tanta maestria deve saber que está dizendo absurdos [...][3]

e assim por diante. Mas o Dr. Johnson estava convencido de que "é bastante leviano conjecturar acerca de algo cujo saber seria inútil, como, por exemplo, se o homem andou sobre quatro patas"[4].

Entretanto, alguns autores entenderam essas especulações de outro modo, mais empírico. O Robinson Crusoé, de Daniel Defoe, por exemplo, era um homem civilizado reduzido ao estado da natureza pelas vicissitudes da sorte. Quando naufragou pela primeira vez, ele seguiu o modelo definido no século XVIII para o homem primitivo e trepou numa árvore para passar a noite.

2. James Burnett, Lord Monboddo, *Ancient Metaphysics*, vol. 3, pp. 41-42; cf. Lois Whitney, *Primitivism and the Idea of Progress in English Popular Literature*, p. 282.

3. James Boswell, *Life of Johnson*, vol. 2, p. 224.

4. *Idem*, *vol.* 3, p. 115.

> O único remédio que se ofereceu aos meus pensamentos [...] foi subir em uma árvore larga e frondosa [...] que crescia ao meu lado e na qual resolvi passar toda noite [...] e subindo [na árvore] tentei me colocar de forma que pudesse dormir sem que caísse; e tendo cortado uma vara curta para defender-me, acomodei-me em meu alojamento[5].

Quando ele finalmente constrói uma casa adequada, procede novamente de acordo com os livros. Primeiramente ele encontra um local conveniente, então, temendo a natureza hostil, emprega suas ideias "principalmente em favor de minha segurança, contra os selvagens [...] ou as bestas ferozes [...] e tive muitos pensamentos sobre como fazê-lo, e que tipo de habitação construir, se deveria fazer uma cova no chão ou uma tenda sobre a terra: e em resumo, me decidi por ambas"[6].

Crusoé não estava inteiramente reduzido ao estado da natureza. Ele possuía pregos, serras, pólvora, oleados, e madeira trabalhada, bem como um cabedal de lugares-comuns morais e preconceitos; porém foi a visão do milho que crescia, o fenômeno agrícola fundamental, que pela primeira vez lhe sugeriu sentimentos religiosos que transcendiam a sua moral, sentimentos que foram reforçados frente à experiência de um terremoto. Infelizmente quando ergue seu "abrigo de folhagem" no campo, Crusoé fornece pouca informação a respeito da sua construção, mostrando-se sempre muito mais explícito com relação às cercas e paliçadas que com respeito aos aspectos físicos da moradia. Contudo, é óbvio, que se um simples marinheiro como Crusoé, quando abandonado em uma ilha deserta, repete o desenvolvimento teórico do homem primitivo – a habitação na árvore, o modelo caverna/tenda da casa, o terror religioso pelos terremotos e trovões, o agradecimento pelos grãos, a domesticação dos animais e daí por diante – também poderia ser possível reconstruir alguns dos procedimentos mencionados pelos filósofos e observar a sua correspondência com a prática, hipótese que os filósofos encorajavam mediante seus próprios experimentos. Até mesmo Rousseau passou algum tempo em um idílico retiro rural na ilha de St. Pierre, perto de Berna, e mais tarde em Ermenonville, ainda que ambas as estadias acabassem por revelar obstáculos bastante "civilizados". Levando essa volta ao empirismo até o absurdo, o próprio Lorde Monboddo tomava seu *air-bath* [banho de ar], que pode ser entendido como um retorno ao vigor primitivo de Adão (ele se levantava às quatro da manhã pondo-se a passear nu pelo quarto em frente a uma janela aberta antes de retornar ao leito)[7]. A fascinação pelos banhos russos, no final do século XVIII, faz parte

5. Daniel Defoe, *The Life and Surprising Adventures of Robinson Crusoe of York, Mariner*, p. 37.

6. *Idem*, p. 45.

7. Boswell, vol. 2, p. 169.

desse universo de ideias[8], da mesma forma que o interesse pelo uso da água como terapia e os conceitos educacionais de Basedow e, mais tarde, de Pestalozzi, dos quais derivam formulações tanto da moderna teoria educacional como da ideologia que envolve a prática de esportes de nossos dias; associadas todas diretamente com o adamismo enciclopédico.

No que se refere à arquitetura, ainda também um tema que se prestava evidentemente à experimentação sobre as origens: o "desenvolvimento" das ordens. Nos séculos XV e XVI, antes que essas fossem implacavelmente "canonizadas" por Serlio, não havia problema em se criar uma nova ordem. Porém, no século XVII, uma nova ordem significava – quase que – um sacrilégio à revelação; especialmente porque no início do século um jesuíta espanhol, Juan Bautista Villalpanda, havia publicado, em um extenso comentário sobre Ezequiel, sua reconstrução da ordem empregada no Templo de Jerusalém, que ele defendia como fundamentado diretamente sobre o preceito divino. Ainda que Fréart de Chambray acreditasse que essa ordem particular fosse adequada somente às igrejas consagradas às mártires virgens (uma vez que combinavam a graça virginal da ordem coríntia com a robustez da ordem dórica), muitos arquitetos a ela recorreram com grande afã. Ao longo dos séculos XVII e XVIII, várias tentativas foram feitas no sentido de recriar a Ordem do Templo (onze colunas caramelo, pertencentes supostamente ao "Portão Dourado" do templo, ainda podem ser encontradas em São Pedro – uma delas conhecida como *Colonna Santa*, porque segundo a tradição, Nosso Senhor nela teria se apoiado, se encontra na Capela da Pietà), com toda sorte de curiosos resultados. Posteriormente terei mais a comentar a respeito da influência das ideias de Villalpanda e as numerosas especulações acerca do Templo de Jerusalém.

Entretanto, no final do século XVI, e durante o XVII, o clima político era bastante favorável às diversas tentativas de criação de uma nova ordem "nacional" baseada no modelo "antigo", com o particular surgimento das ordens espanholas e francesas. Em 1672, convocou-se um concurso a partir do qual deveria nascer uma ordem francesa que seria utilizada no ático do pátio do Louvre. O prêmio era de três mil *livres* e foi ganho por ninguém menos que o próprio Colbert. Todavia, a criação das ordens nacionais foi ensaiada por diversos outros desenhistas. No século XVIII, porém, toda a ideologia da composição das ordens foi inevitavelmente transferida para a arquitetura não-clássica, e as ordens gótica e chinesa foram produzidas às dezenas.

Naturalmente, os puristas tiveram que voltar seu olhar para a natureza, não apenas conceitualmente.

8. Siegfried Giedion, *Mechanization Takes Command*, p. 647.

Blondel, Perrault, Girardon, Desgodetz, assim como outros artistas trabalhavam [...] produzindo uma ordem ao mesmo tempo elegante e suntuosa, que caracterizasse a Nação [...] contudo, a maioria limitou seus esforços criando variantes do capitel coríntio [...] eles esqueceram que para competir com os gregos, não era necessário imitá-los de forma rigorosa, mas restabelecer de imediato a teoria primitiva, que é a própria Natureza

é nesses termos que Ribart de Chamoust, um cavalheiro francês, dedica seu trabalho sobre *A Ordem Francesa Encontrada na Natureza* para "a Nação". Alguns anos antes (1776), ele havia apresentado seu manuscrito a Luís XVI, insistindo bastante sobre o caráter acidental de sua "descoberta".

Assim, a ordem que Ribart propunha era "mais leve, mais esbelta e mais ornamentada que as outras". Ao contrário das demais, e por razões tão curiosas quanto os resultados do artifício, as colunas deveriam ser agrupadas em ternos, conforme uma disposição triangular. Mas o que me interessa principalmente é a sua descoberta. Ribart descreve detalhadamente, sua história e o desenvolvimento de seu argumento.

Estava em minhas propriedades, passeando por um bosque localizado em um vale que se abre para o Mame. Algumas árvores jovens que cresciam em temos, embora plantadas ao acaso [...] formavam uma espécie de câmara natural, hexagonal e insólita. Diante deste espetáculo, reacendeu minha concepção original relativa à mudança de volumes *[changement des masses]* e se fortaleceu, tanto mais, quando percebi que ela se "enquadrava" enure todas as minhas especulações sobre uma ordem francesa. Perrault, disse a mim mesmo, dispôs as colunas em pares e agradou a todos [...] por que despeitaria eu menor interesse se as dispusesse em termos, como se encontram estas árvores, uma vez que, como ele, apenas aumentaria a sua beleza, resultado daquela severidade e proximidade tão buscadas pelos antigos, enquanto que, por outro lado, facilitaria essa separação pela qual os modernos tudo sacrificaram? Andei por aquela câmara com um certo prazer, adotando-a como arquétipo. Algum tempo depois, retomando ao local, quase imitei o antigo povo de Acaia, em sua composição do dórico [ordem]. Cortei as árvores da câmara logo acima do início de sua ramificação [...] e todas à mesma altura. A distância entre elas foi coberta por frechais ou lintéis sobre os quais foram distribuídas vigas, que por sua vez foram cobertas com um forro e um telhado, e desse modo redescobri o tipo grego, mas sob um novo aspecto e com diferenças consideráveis. Na primavera seguinte, os tenros brotos que haviam surgido nas ramificações das árvores podadas formaram capiteis mais autênticos que os de Calímaco. Algumas raízes mais grossas, naturalmente retorcidas [...] definiam as bases; uma relva que meu moleiro havia deixado ao lado de seu regato esboçava a estilobata [...] a necessidade de um local agradável para a festa *[fête]* que a Amizade celebrava em minha casa *[chez moi]* todos os anos, levou-me a escolher essa sala em detrimento de qualquer outra. Ela foi decorada com guirlandas de flores, e o local tomou naturalmente a forma daqueles templos campestres que costumavam ser dedicados ao amor[9].

A paisagem e o método construtivo relembram claramente (considerando as transformações ocorridas na estrutura social que aparecem nas figuras do carpinteiro, do moleiro e do arquiteto-cavalheiro) a

9. M. Ribart de Chamoust, *L'Ordre François trouvé dans la nature*, p. 6.

A ordem do Templo de Jerusalém, segundo a descrição de Villalpanda, extraído de Fréart de Chambray.

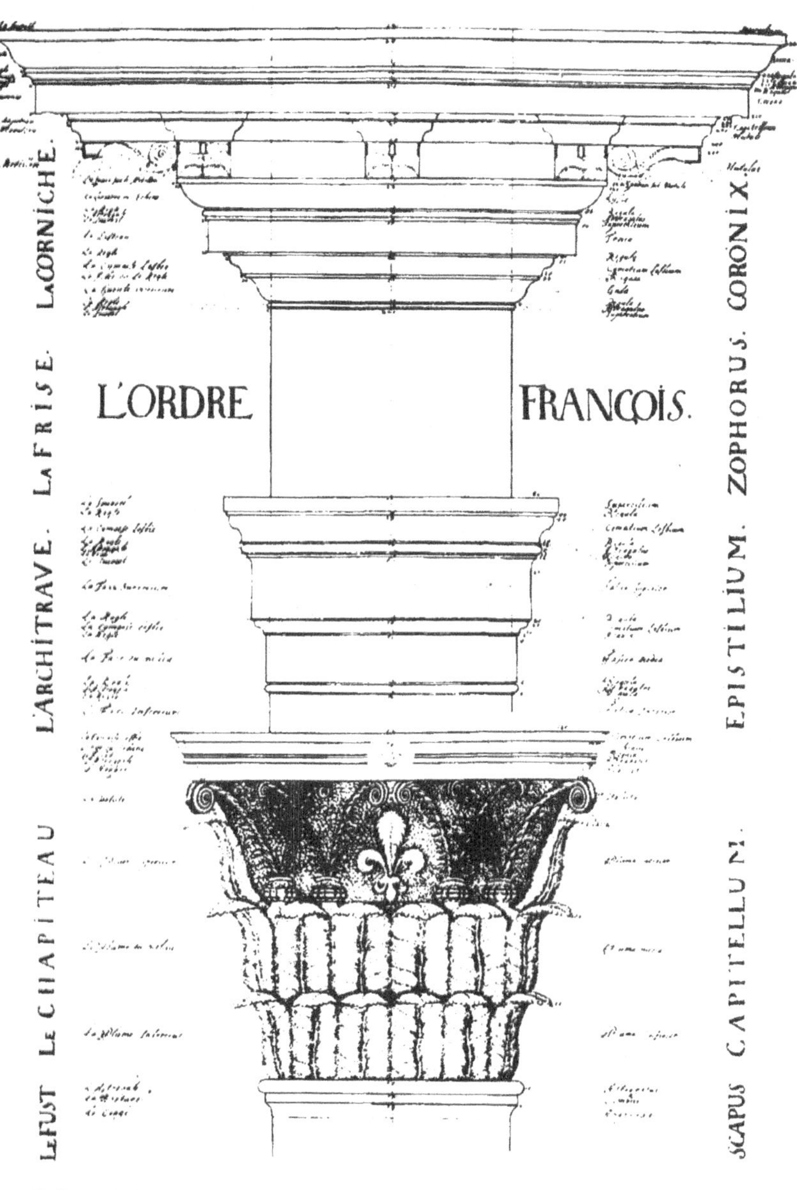

Colbert: A Ordem Francesa. Desenho vencedor de um concurso em 1672, segundo Wildenstein.

descrição da construção primitiva de Laugier e Rousseau, mas eu acredito que Ribart estava apenas parcialmente consciente dessa semelhança.

Infelizmente, não posso me alongar sobre as elaboradas imagens que acompanham a nova ordem: as colunas triplas representando as três Graças, as ramificações das árvores transformadas na tripla *fleur-de-lys*, a justificativa da substituição das guirlandas pelas caneluras e daí por diante; mas gostaria de enfatizar o caráter "sub-newtoniano" da "descoberta", e o jargão curioso e quase científico que Ribart prefere utilizar. A ordem *quase* não é sua invenção. Ele se deparou com uma organização implícita na natureza, e mais *verdadeira* (conforme sua expressão) que a antiga invenção coríntia do Calímaco.

Essa ordem também é *nacional*, uma expressão que é relativamente nova. O dicionário de Samuel Johnson – cuja fonte, neste contexto, é impura – lista dois significados para a palavra: público em oposição ao privado, e "*begoted to one's own country*" [fanático em relação ao próprio país][10]. Mas nem mesmo o Dicionário da Academia Francesa faz muito melhor, ainda que a palavra já fosse mais utilizada em francês do que em inglês. Nas circunstâncias cada vez mais ecléticas da segunda metade do século XVIII, o conceito de "nacional" passou gradualmente a significar "aquilo que não era clássico"; a Revolução Francesa criou um exército de cidadãos, um exército nacional. O termo já era utilizado em francês para designar um exército recrutado por um soberano entre seus súditos, em oposição a tropas estrangeiras ou mercenárias. A arquitetura "nacional" surgiu em torno da mesma época respeitando uma distinção semelhante: o nativo, o espontâneo, o natural, em oposição ao estrangeiro, o importado, o estranho. Nesse sentido, justificativas de ordens nacionais tais como a de Ribart não tinham muito futuro. Entretanto, o método histórico por ele adotado foi utilizado na Inglaterra, quase que da mesma forma, por Sir James Hall, geólogo escocês, para justificar e vitalizar a arquitetura gótica. Hall viveu aproximadamente uma geração após Ribart de Chamoust e pessoalmente duvido muito que tenha visto seu livro. Ele próprio fez a leitura de seu primeiro texto, sobre a origem da arquitetura gótica, para os membros da Royal Society of Scotland (a qual presidiria por muitos anos) em abril de 1797, ainda que o livro, do qual fazia parte esse extrato, tenha sido publicado somente em 1813.

À sua maneira antiquada, Hall acreditava que o princípio da imitação era essencial à arquitetura. A pedra, entretanto, não possuía formas ornamentais próprias à sua natureza, assim como o ato de construir não apresentava qualquer modelo evidente e imediato para

10. Samuel Johnson, *A Dictionary of the English Language*, s. v. "National".

O protótipo da ordem francesa e seu completo desenvolvimento, segundo Ribart de Chamoust.

imitar. Donde, a imitação da cabana de madeira, que impunha os limites dentro dos quais a liberdade do artista podia operar. Em 1785, na volta de seu Grand Tour, Hall ficou impressionado com a beleza e coerência estilística de vários edifícios góticos franceses, e conhecendo bem a teoria da origem das ordens, imaginou que "algumas construções rústicas, bastante afastadas do original grego, poderiam ter sugerido as formas góticas". Decidiu investigar o assunto quando também se deparou com um feliz acaso. Sua jornada através daquela parte da França ocorre logo após o tempo da vindima. Os camponeses estavam

> recolhendo e levando para casa as longas varas ou estacas que utilizavam para sustentar suas vinhas, ou guarnecer os tonéis; e que podiam ser vistas em todos os vilarejos, amarradas em feixes ou balançando, parcialmente soltas, sobre as carroças. Ocorreu-me que era possível construir graças a tais varas uma habitação rústica [...] ostentando uma semelhança com as obras da arquitetura gótica[11].

A descoberta envolveu Hall em um experimento que, como ele assinala, é uma verdadeira *histoire raisonnée*, uma vez que ele verifica uma hipótese sobre a história reproduzindo o passado e espera que suas pesquisas levem a descobertas literárias ou arqueológicas que possam tanto confirmá-la quanto refutá-la. O sistema é simples. Como sugerem as diversas descrições das origens das ordens, uma linha de postes equidistantes, com aproximadamente a mesma altura, é cravada no solo. Porém, em cada um desses postes "góticos", é colocada e fixada uma coroa de varas flexíveis de salgueiro. Quando as varas dos lados opostos são unidas e amarradas, a forma obtida aproxima-se a uma abóbada de arestas, forte o suficiente para sustentar uma cobertura de palha, por exemplo. As pequenas variações na junção das varas de salgueiro fornecem os diferentes modelos de arcos e abóbadas, que Hall acreditava fossem assumindo complexidades progressivas, e justificariam[12] as "três principais características da arquitetura gótica": o arco ogival, o pilar fasciculado e o teto nervurado.

As laterais do edifício são preenchidas por varas verticais entre as quais são trançadas varas horizontais, provavelmente recobertas por argila, nos locais em que este material é disponível. Onde são necessárias janelas, não ocorre o entrelaçamento, e essas se encontram inevitavelmente entre pinázios. Por outro lado, as varas verticais, que quando livres não são rígidas, podem ser amarradas de várias maneiras o que explica uma outra característica arquitetônica,

11. Sir James Hall, Bart., "On the Origin of Gothic Architecture", em *Transactions of the Royal Society of Arts and Sciences of Scotland*, Edinburgh, 1797, vol. 4, sec. 2, pp. 12-53.

12. *Idem*, p. 16.

(nesta página e na seguinte) As origens da arquitetura gótica, segundo Sir James Hall.

o trabalho escultórico que se apresenta na cabeça das envasaduras góticas com os pinázios divergindo em arcos e curvas.

Faltava realizar a verificação experimental.

Acreditando que todas as partes essenciais da arquitetura gótica poderiam então ser justificadas [...] estava desejoso de submeter a teoria a uma espécie de prova experimental [...] Com a ajuda de um trabalhador local muito engenhoso [John White, toneleiro do vilarejo de Cockburnspath em Berwickshire], comecei a experiência na primavera de 1792, completando-a durante o inverno seguinte.

Hall estava convencido de que o método era tão simples que poderia ser executado em qualquer lugar, com o emprego de praticamente qualquer instrumento afiado:

Dispusemos em duas fileiras, a quatro pés de distância, uma série de postes de freixo de umas três polegadas de diâmetro [...] então foi justaposto aos postes um número de longas e afiladas varas de salgueiro de dez pés de comprimento [...] e formaram uma estrutura que, coberta com palha, produziu um telhado bastante firme, sobre o qual uma pessoa poderia andar com facilidade.

Porém, esse edifício, assim como o de Ribart de Chamoust, não era uma construção estática ou rígida.

Durante a primavera e o verão de 1793, muitas das varas criaram raízes e se desenvolveram. Em particular, aquelas da porta, produziram tufos de folhas ao longo da parte arqueada, exatamente onde se mostram nos trabalhos em pedra [...] No curso do outono passado [1796], tive a mesma satisfação de encontrar um vértice completo formado por cascas de árvores em decomposição, no mesmo local correspondente àqueles que vemos nas obras góticas[13].

Embora a frondescência não fosse tão abundante quanto Hall havia esperado, ele justificou com grande satisfação para si próprio e para seus amigos, a partir dessa constatação, que a maioria das formas góticas teriam sido realizadas inicialmente em madeira. Na verdade, ele também havia copiado, empregando o método inverso, algumas das características das pedras (tais como o pórtico de Beverley Minster, em Yorkshire), considerando seu procedimento como plenamente justificado. Curiosamente, embora Hall seja explícito a respeito do método construtivo, da identidade de cada forma e do exame dos monumentos existentes, ele não sugere onde ou como teria ocorrido a mudança da madeira para a pedra, onde teriam sido concebidas as cabanas originais, ou as nacionalidades de seus construtores, embora seja bastante claro em sua descrição que esse processo poderia ter ocorrido tanto na Inglaterra, como em qualquer outro lugar do centro ou norte da Europa.

13. *Idem*, p. 25.

A Cabana Gótica, construída por Sir James Hall.

A motivação de Hall ao passar por esse elaborado exercício vem de sua convicção de que, anteriormente à aparição da arquitetura gótica propriamente dita, suas características principais já existiam em um "estilo mais antigo", sendo seu desejo "devolver à arquitetura gótica a devida parcela de apreço do público", demonstrando como ela derivava de um simples original de madeira e, portanto era sistemática "pois seus autores foram guiados por um princípio e não, como muitos alegaram, por meras ilusões ou caprichos"[14].

Em sua essência, a verificação da hipótese referente às origens da arquitetura gótica, a fim de demonstrar que um estilo "nacional" era justo, sistemático e natural, era quase idêntica ao esforço feito vinte anos antes por Ribart de Chamoust para ampliar o repertório clássico através da "descoberta", em um contexto natural da verdadeira extrapolação "nacional" das ordens antigas.

Portanto não é de surpreender que em poucos anos a teoria de Hall fosse descartada com desdém por Friedrich von Schlegel. Admitiu-se, ao meu ver corretamente, que foi a comunicação de Hall que Schlegel encontrou no retorno de sua excursão "gótica" a Paris, em 1805, e à qual faz referência (o livro ainda não havia sido publicado) da seguinte maneira:

> Entre os numerosos estudos eruditos e os tratados científicos [encontrei na biblioteca] um volume sobre arquitetura gótica, escrito por um inglês *[sic]*. De que estranho modo devem estar organizados os cérebros de certos indivíduos! Este autor acredita ter feito uma descoberta inteiramente nova estabelecendo uma filiação entre os produtos vegetais da natureza e as formas folheadas da arquitetura gótica, semelhantes às árvores, com suas naves imponentes que se dispõem como avenidas, abóbadas frondosas e a semelhança universal de cada detalhe. Além do mais, em vez de reconhecer nisso o amor pelas belezas naturais [...] ele reduz tudo a considerações físicas centradas na imitação de não sei quais objetos existentes, nos rudes esforços da produção selvagem, em casebres rústicos de ramos de salgueiro entrelaçados, cestarias de vários tipos e outras suposições igualmente arbitrárias[15].

Schlegel condena as tentativas de descobrir as formas originais da arquitetura grega nessas "invenções grosseiras, impostas pelas necessidades da vida primitiva", considerando gratuita a analogia entre a teoria de Hall sobre as origens do gótico e uma igualmente não demonstrada teoria sobre a arquitetura grega. A arquitetura românica, ele aponta ainda, não apresentaria traços dessas origens na cestaria ou similares. A arquitetura gótica ter-se-ia desenvolvido a partir da arquitetura paleocristã e românica, pela intervenção do espírito gótico.

14. *Idem*, p. 4.
15. Friedrich Schlegel, *Works*, vol. 5, p. 194.

Em suas conferências filosóficas – fortemente influenciadas pelos dois Schlegel –, Coleridge condensa este argumento, resumindo-o a seu modo:

> Não posso conceber um símbolo mais expressivo e uma melhor analogia [do início dos tempos modernos em oposição à antiguidade] que a justaposição diante de meus olhos do palácio Imperial de Teodorico, o godo, sombrio frente ao templo cristão que, sozinho, o domina assim como domina a magnificência da arte grega e romana [...] faço desaparecer nesse templo todas as suas associações gregas e romanas, nada restando a não ser Cristo e a cruz, e em seu lugar imagino uma catedral semelhante à de York, Milão ou Estrasburgo, com seu cortejo de capelas, sua floresta de pilares e a folhagem de seu teto como se um dos bosques sagrados de Herta, a misteriosa divindade de seus antepassados pagãos, houvesse se petrificado de terror diante da proximidade da verdadeira divindade, restando assim dignificado pela permanência como um símbolo do eterno evangelho. Ouço o coral de ação de graças ressoando em repiques sobre as solenes naves, ou o canto sagrado de penitência e piedade, das virgens veladas e consagradas, soluçando e agonizando nos recessos escuros entre estranhos grotescos[16].

Imagino que Schlegel teria considerado simpática essa rapsódia que representa uma atitude mais próxima de seu próprio pensamento que as prosaicas bricolagens de Hall com varas e vime. Era consciente de que sua ideia poderia não ser original, mesmo sustentando que sua demonstração sim o era. Na época de seu Grand Tour – quando pela primeira vez concebeu essa hipótese – ele ainda não havia lido, conforme afirmava, a obra de Francis Grose, *Antiquities of England and Wales* [Antiguidades da Inglaterra e de Gales] (1773-89), na qual se esboçavam conceitos semelhantes aos seus, embora Grose tivesse, de fato, ideias essencialmente diferentes com relação às origens do gótico. Entretanto, Hall estava familiarizado com a genérica teoria das origens vegetais e florestais do gótico, cuja origem atribuía "ao Doutor Warburton"[17]. A referência é relativa ao comentário de Warburton a respeito da epístola papal endereçada a Lorde Burlington (sobre a qual falarei mais adiante), um comentário que se aproxima mais de Coleridge que de Hall. Porém, essa associação não deveria ocultar as diferenças essenciais entre ambos. Entre Coleridge e Warburton havia um abismo. A imitação "positiva" dos métodos de trabalho primitivos bem como dos materiais efêmeros com a ajuda de materiais mais nobres não atraiu os teóricos do século XIX. Dez anos antes que Hall visitasse as catedrais francesas, Goethe havia estado em Estrasburgo. Ele era jovem, e descreve a si mesmo como tendo a cabeça repleta de um conhecimento livresco acerca da crítica arquitetônica e dos cânones do bom gosto. Tudo isto teria se dissipado com o primeiro vislumbre da Catedral de Estrasburgo. "Como descrever as sensações inespe-

16. Samuel Taylor Coleridge, *The Philosophical Lectures*, pp. 256-257.
17. Hall, *op. cit.*, p. 12n.

radas que surpreenderam minha visão quando a vi! Um sentimento total e desmedido ocupou minha alma – pois o conjunto era composto por milhares de detalhes harmoniosos, que eu saboreava e admirava sem poder identificar ou explicar. Tal é a alegria do paraíso – assim dizem"[18].

O ensaio de Goethe apareceu em 1772, sendo reeditado no ano seguinte em uma antologia de Herder. Para o jovem entusiasta, o conflito entre o discernimento e as impressões pessoais era tão violento que Goethe teve que atacar aqueles que o haviam iludido, e o fez na figura do mentor de todos eles, o próprio Laugier, cujo livro havia sido publicado em alemão alguns anos antes. Para Goethe, a cabana primitiva não era modelo para os arquitetos. E de toda forma, "caro Abade" – assim se dirige a Laugier –, "a coluna não é em absoluto uma parte essencial de nossa habitação. Nossas casas não são feitas de quatro paredes junto a quatro ângulos. Elas se erguem sobre quatro paredes dispostas em quatro lados que ali estão no lugar das colunas que elas excluem totalmente, todos os pilares que são acrescentados são pesados e supérfluos". Goethe apostrofa os arquitetos em geral: "Multipliquem, perfurem as imponentes paredes que vocês lançarem contra o céu para que ascendam quais árvores de Deus, sublimes e frondosas, cujos milhares de galhos, milhões de ramos e folhas [...] anunciam a beleza do Senhor, seu mestre [...]"[19]

Em *Dichtung und Wahrheit* [Poesia e Verdade, sua autobiografia] Goethe retoma a esmagadora impressão provocada pela catedral de Estrasburgo, erguendo-se por entre o amontoado de casas baixas. Ele havia partido de Leipzig, onde presumivelmente teria tido contato com a doutrina de Laugier, ou mesmo sua obra, sob a influência do pintor Adam Oeser, amigo [e professor] de Winckelman. Para dissociar-se das ideias de Laugier, Goethe invoca a analogia entre os bosques e as florestas do Norte e as elevadas abóbadas góticas que Warburton havia popularizado nos círculos literários. Nesse poema-prosa publicado anonimamente, ele atacava não somente Laugier, mas também o "fisiológico" historiador da arte Johann Georg Sulzer, de Zurique, que havia tentado formular cânones "objetivos" de gosto. Embora nenhum dos dois seja mencionado pelo nome, os críticos de Goethe sabiam exatamente a quem ele estava se referindo[20]. O tema aparece novamente na correspondência entre Goethe, Schiller e Humboldt em 1795, quando debatem entre si a questão dos critérios pelos quais os trabalhos de arquitetura devem ser julgados[21]. Embora a posição de Schiller seja quase pré-hege-

18. Johann Wolfgang von Goethe, *Gedenkausgabe der Werke*, vol. 13, p. 20.
19. *Idem*, pp. 19-20.
20. *Idem*, vol. 10, pp. 392-393, 411, 455; cf. p. 896.
21. Alste hom-Onken, *Uber das Schickliche*, pp. 9-28.

liana, Goethe assume urna postura mais complexa, procurando formular os critérios inerentes à arquitetura a serem buscados em um edifício; mais tarde, reelaborando suas notas italianas, Goethe ainda irá se defrontar com a tese da originalidade da arquitetura de madeira, que segundo registra, estava sendo advogada em Roma pelo correspondente de Schinkel, o arqueólogo Aloys Hirth[22]. O seu registro apresenta um tom neutro, desprovido das animosidades iniciais. Ele lembra que Hirth manipulara bem seus exemplos de modo a sustentar sua curiosa teoria, ainda que outros tenham considerado desnecessária sua excessiva devoção às regras, e que "em arquitetura, como em qualquer outra coisa, havia um lugar para a ficção refinada da qual o artista nunca deveria prescindir."

É tentador reconhecer nessa passagem uma lembrança dos ensinamentos de Algarotti, mesmo que se trate talvez apenas de um eco da *Sic veris falsa reminiscet* de Horácio. Mas Goethe se encontrava no ponto alto de sua verve e prossegue sem fornecer maiores detalhes. Quando, mais tarde, teve a oportunidade de retomar as ideias de Hirth (*Der Sammler und die Seinigen*), ele quis descartar o seu conceito de "característico" – e – contingente, como ingrediente essencial da beleza.

Contudo, Hegel aproveitaria as antigas ideias de Hirth sobre a reprodução da cabana de madeira em pedra. Para Hegel, a arquitetura era a primeira, e nesse sentido a menos "espiritual das artes. Donde não nos surpreende que Vitrúvio seja o único arquiteto cujo nome é verdadeiramente mencionado em sua *Aesthetik* (com exceção do Imperador Adriano), uma obra na qual os escultores e pintores, sem citar os músicos e poetas, mereceram grande atenção individual.

De todo modo, também para Hegel a analogia entre a igreja gótica abobadada e a floresta parecia surpreendente e aceitável:

> Quando se penetra no interior de uma catedral medieval, ela não aparenta a força e a eficiência mecânica dos pilares de sustentação ou da abóbada que sobre eles repousa, mas sim uma abóbada em meio a floresta, na qual, uma série de árvores inclinam seus galhos uns contra os outros entrelaçando-se. Uma viga requer um ponto de suporte firme e uma colocação em nível; na arquitetura gótica, entretanto, as paredes erguem-se livres e independentes, assim como os pilares, que ao ascenderem se estendem em várias direções para em seguida se encontrarem como por acaso. Ou seja, embora a abóbada repouse realmente sobre os pilares, a finalidade de suportá-la não está visível ou assumida explicitamente para seu próprio bem *[für sich hingestellt]*. E como se eles [os pilares] não sustentassem peso algum: assim como em uma árvore os galhos não são sustentados pelo tronco, mas mantêm, com sua leve inclinação, uma aparente continuidade com o tronco, criando a partir de seus ramos uma frondosa cobertura [...] e, entretanto, tudo isso não significa que a arquitetura gótica aceitou como seu verdadeiro modelo as árvores e os bosques.

22. Goethe, *op. cit.*, vol. 11, pp. 486-488.

Está claro que Hegel considerou esta imagem secundária frente ao efeito "estético" planejado pelos construtores. Todo o contraste entre interior e exterior, as paredes fragmentadas, as colunas esbeltas, e as imensas superfícies de vidro sustentando grandes abóbadas, tudo isso apresentava um propósito sobrenatural:

> As colunas erguem-se esbeltas, eternamente delgadas, e se elevam tão altas que a vista não pode apreender sua forma de um único golpe e se vê obrigada a vagar e voar em direção ao alto até alcançar a abóbada que, suavemente curvada, descansa na intersecção dos arcos. Assim como a alma, inquieta no princípio, atormentada, gradualmente se eleva desde o terreno do finito até o céu, e encontra repouso somente em Deus[23].

Essa mesma passagem manifesta claramente que, para Hegel, o "significado" de um edifício era absolutamente independente da maneira com que este havia sido executado – aspecto ao qual devo retornar – da maneira como era utilizado e até mesmo das associações imediatas que sugeria. O significado deveria ser encontrado no conceito transcendente que a arquitetura "encarnava"; um conceito cujo valor seria predominante na apreciação e apreensão das formas arquitetônicas particulares por parte do observador.

Talvez essa formulação não seja inteiramente justa para com Hegel, que ao se defrontar com a questão, quando trata da arquitetura no seu *Aesthetik*, mostra-se pouco cativado e menos familiarizado com o tema. Fato estranho, pois ele acreditava, como foi dito acima, que a arquitetura fosse a arte "original", ao menos numa escala cronológica: "O primeiro objetivo, o pré-requisito, da arte é que a mente produza uma concepção ou uma ideia, que seja apresentada pelo homem como um artefato *[ein Werk]*; assim como os conceitos do discurso que existem por direito próprio, que o homem apresenta e torna compreensível para os outros"[24]. À frente, Hegel afirma, ainda mais explicitamente, que um edifício público, "monumental", não tem outra razão de ser senão exprimir o mais elevado através de si mesmo, constituindo, portanto, um símbolo autônomo e auto-justificado de uma ideia que se refere diretamente à natureza essencial, um pensamento universalmente válido, uma evocação eloquente ainda que silenciosa endereçada ao espírito.

A hipótese de uma cabana primitiva essencialmente fiel à natureza (ou qualquer justificativa possível de seu papel arquetípico) não poderia ter qualquer importância real para Hegel, que é explícito sobre o ponto. O argumento de Aloys Hirth sobre a origem da cabana a partir da madeira, de sua natureza material enquanto determinante de formas (transformando-se em vigas e colunas), é reproduzido integralmente por Hegel quando este inicia uma análise sobre a ar-

23. Georg Wilhelm Friedrich Hegel, *Aesthetik*, vol. 2, p. 75.
24. *Idem*, p. 28.

quitetura clássica. A pedra, ele afirma, ao contrário da madeira, não sugere seu próprio uso; quando muito, a pedra em grandes quantidades suscita imagens de escavações. Por outro lado, como a pedra não possui formas próprias, ela pode adotar qualquer uma, o que a torna um material adaptável tanto à arquitetura simbólica dos primeiros tempos como à arquitetura romântica tardia. A madeira,

> dada a natureza direcional do tronco da árvore, apresenta-se mais imediatamente apropriada ao uso, por essa exata aderência ao propósito e essa regularidade que constitui o princípio da arquitetura clássica [...] porém [...] a arquitetura clássica não se limita à construção em madeira; ao contrário, aperfeiçoada a ponto de produzir beleza, ela constrói seus edifícios em pedra[25].

Hegel reconhece que as características específicas dos dois materiais fazem com que um material modifique o outro, porém em essência as informações que apresenta são coletadas entre os tratados mais conhecidos do século XVIII, informações estas que ele bem poderia ter encontrado já digeridas em Hirth.

E, contudo, Hegel me afasta de meu tema. Para ele, a primitiva cabana de madeira, imitada em pedra, não é um *Urbau*, nem é paradisíaca ou mesmo uma construção original (no sentido em que tenho empregado essa expressão até o momento). No que diz respeito a Hegel, ela dificilmente pertence à arquitetura propriamente dita. Não obstante, Hegel acreditava não somente que as origens da arquitetura poderiam ser traçadas como também que esta teria sido historicamente a primeira das artes. Embora atraído pelo fascínio da ideia das origens, ele pudicamente se nega a comprometer-se com um tema cujo conhecimento empírico é deficiente e as conjecturas inevitáveis. Além disso, "por seu conteúdo, um início tão simples é algo de tão pouca importância que deve aparecer de forma completamente acidental no discurso filosófico"[26]. A ideia da cabana ou da caverna enquanto arquitetura original pertence ao domínio da especulação popular, que pode apresentar seus encantos mas não dispensa os filósofos de buscar explicações dentro dos limites da história.

Portanto, o primeiro objetivo da arte, tal como Hegel a vê, consiste em

> formular, dar forma (*gestalten*) ao essencialmente objetivo, ao mundo natural, ao ambiente externo do espírito, de modo a insuflar um significado e imprimir uma forma àquilo que não possui alma (*dem Innerlichkeitslosen*), que, entretanto, permanecerá exterior a ele, uma vez que esta forma e significado não são imanentes ao objeto[27].

25. *Idem*, pp. 53-54.
26. *Idem*, p. 23.
27. *Idem*, p. 24.

Forma e significado são, portanto, transcendentes; para o artista, o objeto em si é uma obra de arte dotada de presença física. Consequentemente, o uso do edifício, sua *fatura* ou mesmo os ecos metafóricos que o edifício possa provocar (p.ex., a catedral-floresta) não são aspectos diretos do significado e da forma, mas pertencem a *Innerlichkeitslose* [falta de interioridade], na qual forma e significado se encontram infundidos.

Não posso aqui resumir o processo que leva Hegel à divisão tríplice da história da arquitetura em uma época simbólica, na qual a arquitetura adquire sua independência; clássica, ao longo da qual deixa à escultura a criação de representações individualizadas, tornando-se independente, um cenário inorgânico; e, finalmente, a romântica (mourisca, gótica ou germânica), na qual as várias funções civis e religiosas estão relacionadas apenas indiretamente com a vida misteriosa dos próprios edifícios[28]. Hegel ainda enumera os primeiros edifícios conhecidos na história da arquitetura: as torres escalonadas da Mesopotâmia, os obeliscos, as pirâmides e as esfinges do Egito, obras que não necessitam ser levadas em alta conta. "As ideias que servem de conteúdos para estes edifícios permanecem – como ocorre no Simbolismo – como concepções informes, elementares [...] abstrações confusas da vida da natureza, misturadas com noções sobre a função espiritual, sem jamais serem enfocadas, em termos de ideias, como emanações de um único objeto"[29]. Portanto, está claro que, para Hegel, a casa nunca poderia representar a natureza da mesma forma que representava para Laugier e para os teóricos anteriores; além do mais, esse tipo de representação da natureza somente poderia constituir um elemento metafórico da construção; sua integração às técnicas construtivas era fatalmente muito acentuada para permitir o tipo de simbolização que Hegel exigia da arquitetura, tal como expôs em sua descrição da catedral gótica. Alhures, ele assumiria uma atitude mais explícita sobre esse lugar-comum, a questão da construção e da natureza. Na introdução à *Filosofia da História*, Hegel discute uma das ideias fundamentais que sustentam sua abordagem do processo histórico. A história é a narração de uma atividade que pode ser entendida como "o meio termo do silogismo, uma de suas extremidades é a essência universal, a *idea*, que repousa no mais profundo interior do espírito; e a outra o complexo das coisas externas – a matéria objetiva. Essa atividade é o meio pelo qual o princípio universal latente é traduzido para o domínio da objetividade.

28. *Idem*, pp. 26-27.
29. *Idem*, p. 29.

Tentarei – Hegel afirma mais adiante – tornar aquilo que já foi dito mais representativo e claro através de exemplos. A construção de uma casa é, em primeira instância, um fim e uma intenção subjetivos. Por outro lado, temos como meios, as diversas substâncias necessárias para a obra: o ferro, a madeira e a pedra. Os elementos são utilizados na preparação desses materiais: o fogo para derreter o ferro, o ar para soprar o fogo, a água para movimentar as rodas e possibilitar o corte da madeira etc. O resultado, é que o vento que ajudou a construir a casa é detido pela casa, assim como a violência das chuvas e enchentes e o poder destrutivo do fogo, na medida em que a casa é feita à prova do fogo. As pedras e vigas obedecem às leis da gravidade, tendendo para baixo, de modo que para sustentá--las são erguidos altos muros. Portanto, os elementos são empregados conforme a sua natureza contribuindo para um resultado que limitará sua própria atuação. Desse modo, são satisfeitas as paixões dos homens, que se desenvolvem ao mesmo tempo em que seus objetivos, seguindo suas tendências naturais, produzem o edifício da sociedade humana assim fortificando uma posição de direito e de ordem *contrária a elas próprias*[30].

Utilizei esse simples exemplo retirado de um longo discurso de Hegel sobre história, para demonstrar um aspecto do esquema hegeliano, em vez de procurar elucidar o conjunto de suas noções essenciais, questão que o leitor deve enfrentar referindo-se ao texto do qual foi extraída a passagem acima. Porém, gostaria de observar que até poucos anos antes de Hegel empregar esse exemplo, ele seria impensável, pois embora a casa tenha sido utilizada no sentido de afastar os elementos, bem como os diversos inimigos, ela nunca foi considerada como sendo *contra* a natureza, uma vez que os elementos, em sua manifestação hostil, eram considerados apenas aspectos da natureza contra os quais o homem encontrava, no seio da própria natureza, os remédios adaptados para a fragilidade humana. Uma mudança radical havia ocorrido. E curiosamente foram os *Précis* de Durand que deram a essa revolução uma expressão enfática em termos de teoria arquitetônica.

EXCURSUS GÓTICO

Uma série de autores citados – Goethe, Hegel, Coleridge – considerou a catedral gótica não como uma reminiscência de alguma cabana primitiva, mas como uma evocação da floresta ou do bosque. É fato que na literatura da época, bem como nos períodos seguintes, podem ser encontradas inúmeras referências a abóbadas semelhantes a clareiras na floresta, e vice-versa. William Empson, em seu livro mais recente, *Seven Types of Ambiguity* (Sete Tipos de Ambiguidades), comenta um verso do septuagésimo terceiro soneto de Shakespeare, “Bare ruin'd quiers, where late the sweet bird sang” (Desnudos coros em ruínas, onde tarde cantam os doces pássaros),

30. Georg Wilhelm Friedrich Hegel, *Sämtliche Werke*, vol. 11, pp. 56-57.

Desenhos para ornamentos, de um caderno de esboços de Villard d'Honnecourt.

sugerindo que estas palavras, assim como "Those boughs which shake against the could" (aqueles gados que tremiam com o frio) da linha precedente, apresentam um paralelo óbvio. "A comparação sustenta-se por várias razões: porque os coros dos monastérios em ruínas são locais onde se canta, porque os assentos são dispostos em fila, porque costumam ser rodeados por um edifício protetor cristalizado na aparência de uma floresta, e colorido por vitrais e pinturas à imagem de flores e folhas [...]"[31] Aqui como no restante do parágrafo, Empson descreve todo o aparato da metáfora, aparentemente tão verdadeira para Shakespeare como para ele. Entretanto, duvido muito que a metáfora do coro-bosque parecesse tão óbvia a Shakespeare quanto era para Empson.

Conhecemos muito do simbolismo das igrejas medievais graças a livros como o tratado de Durandus de Mende sobre as regras do ofício divino e as várias notas deixadas por mecenas como Suger, ou mestres-construtores como Villard d'Honnecourt, que se referem a alguns outros simbolismos (à igreja como cidade de Deus, como terra e paraíso, como *summa* e como um corpo humano etc.), porém, dificilmente se encontra uma referência à igreja como floresta. Sem dúvida, Villard mostra em seu caderno de notas, ornamentos vegetais bastante atraentes, particularmente para entalhes, contudo, quando invoca uma analogia para as formas das plantas, ele utiliza a consagrada e secular comparação com o corpo humano.

31. William Empson, *Seven Types of Ambiguity*, p. 2.

Suspeito que os homens da Idade Média ficariam perplexos frente a algumas das descrições feitas por Hegel de seu pensamento, assim como pela maneira com a qual certos teóricos da arte, como Schlegel, classificaram e descreverem a arquitetura gótica. Para Schlegel existe na arte uma polaridade entre os estilos "sideral" e "vegetal", que não coincidi, mas era paralela à dicotomia "clássico" e "romântico". Em sua demonstração, em termos não tão divergentes em relação a Hegel, ele identificou como "vegetal" o produto do intenso pensamento "sideral" dos mestres construtores medievais, contestando assim a originalidade da analogia entre a abóbada e a floresta.

No século XVIII, o *locus classicus* dessa metáfora era encontrado na monumental edição da obra de Pope, estabelecida pelo Bispo Warburton, e mais precisamente no comentário de Warburton sobre a Quarta Epístola dos *Ensaios Morais*, dedicada a Lorde Burlington. Trata-se de uma passagem aparentemente irrelevante, na qual Pope apostrofa o nobre pedante:

> Yet shall [My Lord] your just, your noble rules
> Fill half the land with Imitating fools,
> Who random drawings from your sheets shall make
> And of one beauty many blunders make;
> Load some vain church with old Theatric state,
> Turn Arcs of triumph to a Garden-gate [...][32]

Warburton se decide por interpor um argumento sobre os méritos comparativos da igreja e do arco do triunfo: "por estar destinado um ao serviço religioso, e o outro ao entretenimento civil: é impossível que os ornamentos profusos e lascivos do último transformem-se na modéstia e santidade do primeiro". Na mente de Warburton a incompatibilidade é reforçada, pelo fato de que, na igreja, o ornamento é essencialmente interior, enquanto no edifício pagão, é exterior. Ele continua:

> Nossos antepassados góticos tinham noções mais justas e varonis que [esses] modernos imitadores da magnificência grega e romana, e eu tentarei explicar aquilo que honra seu gênio. Sem distinção, porém erroneamente, todas as nossas igrejas antigas são chamadas góticas. Existem duas espécies de igrejas; aquelas construídas na época saxônica, e as construídas durante a dinastia dos reis normandos [...] Quando os reis saxônicos tomaram-se cristãos, sua piedade [...] consistia em edificar igrejas em seus reinos e promover peregrinações à Terra Santa [...] Ora, a arquitetura da Terra Santa era grega, mas havia perdido muito de sua antiga elegância. Nossa produção saxônica foi, na verdade, uma cópia medíocre daquela [...]

32. Entretanto, [Meu Senhor] vossas justas, vossas nobres regras / Preenchem, metade da terra [Inglaterra] de tolos imitadores, / Que desatinados desenhos de vossas lâminas farão/ E da beleza, muitas asneiras produzirão; / Sobrecarregando alguma igreja vã com velhos faustos de teatro, /transformando arcos de triunfo em portas de jardim [...] (N. da T.)

Porém, nossas obras normandas remontam a uma fonte bastante diversa. Quando os godos conquistaram a Espanha, e o confortante calor do clima e a religião dos antigos habitantes fez amadurecer sua perspicácia e inflamou sua piedade equivocada [...] eles conceberam uma nova forma de arquitetura, desconhecida na Grécia e em Roma, fundada sobre princípios e ideias originais, mais nobres que aquelas que haviam dado origem inclusive à grandeza clássica. Para esse povo do Norte acostumado, durante as trevas do paganismo, a adorar sua deidade nos BOSQUES [...] quando sua nova religião necessitou de edifícios cobertos, eles engenhosamente os projetaram, tanto quanto a arquitetura poderia permitir, de modo a parecerem arvoredos [...] E com tal habilidade e sucesso executaram o projeto [...] que, nenhum observador atento jamais contemplou uma alameda regular de árvores bem crescidas, entrelaçando seus ramos em direção ao céu, sem que lhe viesse à mente a perspectiva infinita da catedral gótica [...]

A partir dessa ideia, todas as constantes transgressões contra a arte, todas as monstruosas ofensas contra a natureza, desaparecem; tudo tem sua justificativa, a ordem reina, e um Todo harmonioso surge do emprego diligente dos meios apropriados e à medida do objetivo. Como poderiam os arcos não ser ogivais, se o Artesão deveria reproduzir a curva criada pelos galhos que se entrecruzam? Como evitar que as colunas se dividam em fustes distintos, quando devem representar os troncos de um grupo de árvores? Conforme o mesmo princípio, elas formam as dispersas ramificações das janelas, na obra de cantaria, e os vitrais que preenchem os interstícios. As primeiras representando os galhos e os últimos, as folhagens de uma clareira, ambos contribuindo para a preservação dessa luz melancólica que inspira a reverência religiosa e o temor. Finalmente, compreendemos a razão de sua estudada aversão pela solidez dessas massas assombrosas, consideradas demasiado absurdas pelos homens habituados à robustez aparente e real da arquitetura grega [...] Contudo, não se pode deixar de admirar a engenhosidade do artifício, considerando que essa surpreendente leveza era necessária para completar a realização plena da concepção do arquiteto de um local de culto silvestre [...] A ARQUITETURA GÓTICA foi tal como aqui se descreve. E não seria descrédito algum para os mais ardentes admiradores de Jones e Palladio reconhecerem que ela apresenta seus méritos, e admitir que sua origem envolve maior grandeza que aquela da ARQUITETURA GREGA E ROMANA, mesmo tendo um parentesco mais humilde[33].

Devo me desculpar pelo comprimento excessivo dessa citação. Mesmo depois de extirpados alguns dos excessos de Warburton, a passagem permanece prolixa, mas importante. De qualquer modo, é reconfortante pensar que Warburton – que no mesmo ano da publicação da obra de Pope abandonou sua prebendaria em Gloucester por outra em Durnham, para finalmente retornar a Gloucester como bispo – sentia uma real simpatia pela arquitetura gótica. O leitor terá, sem dúvida, reconhecido, alguns dos conceitos já reencontrados nas citações de Hegel e Goethe. Ambos tinham conhecimento, direta ou indiretamente, desse texto, que muito provavelmente se encontrava na origem da rapsódia de Coleridge. Warburton atribui às *Parentalia* de Wren a teoria da origem mourisca da arquitetura gótica, que figura igualmente no *Trois dialogues sur l'éloquence* (Três Diálogos sobre a Eloquência) de Fénelon, publicado na mesma época. A hipótese

33. Alexander Pope, *The Works*, vol. 3, pp. 326-330.

foi popularizada com o prefácio de Evelyn, o tradutor da edição inglesa das *Ordres parallèles*, de Fréart de Chambray, e remonta indubitavelmente à condenação em bloco, tão em voga no século XV, de todas as coisas gregas e góticas, tanto na pintura como na arquitetura. (Ver apêndice 1)

Na realidade, não pretendo considerar o modo com que se desenvolveu o conceito da arquitetura "gótica" seja como ideia sobre o passado, seja como maneira de trabalhar. O que me interessa é a transformação do modelo ou arquétipo arquitetônico, e nesse sentido parece válido mencionar o exemplo mais antigo, remanescente do "bosque" que serviu como modelo para a arquitetura gótica.

Ele aparece em um informe sobre o estado da arquitetura romana, dirigido a um Papa, cujo nome não é mencionado – escrito talvez por Rafael e/ou Baltasar Castiglione ao papa Leão X ou talvez por Peruzzi (embora, pessoalmente, não acredito nessa última hipótese). De qualquer forma, o autor lamenta a maneira com que os bárbaros, chegando em Roma, despojaram antigas estruturas de mármore e até mesmo de tijolos, para seu próprio uso, e assinala que eles haviam conseguido corromper inclusive a Grécia, berço dos "inventores e mestres perfeitos em todas as artes", convertendo-a na pátria de um estilo abominável.

> A seguir, surgiu, em quase todos os países, o estilo germânico de arquitetura [...] [que o estilo] utilizou em geral formas pequenas, intumescidas e pobremente construídas como ornamento e – ainda pior – animais estranhos, figuras e folhas, sem qualquer significado, como mísulas para a sustentação das vigas. Todavia, essa arquitetura germânica tinha uma justificativa: originava-se dos ramos das árvores, amarrados e arqueados para a construção de arcos ogivais. Apesar dessas origens, não de todo desprezíveis, ainda assim, a construção é frágil pois as cabanas construídas a partir de troncos de árvores erguidos como colunas e amarrados de modo que seus topos e coberturas (descritos por Vitrúvio em seu relato sobre a origem da ordem dórica) podem suportar cargas maiores que os arcos ogivais, que apresentam dois centros [...] A parte a baixa resistência do arco ogival, ele carece da graça do nosso estilo que agrada aos olhos pela perfeição do círculo, podendo-se observar que a própria natureza não se esforça por outra forma [...][34]

Com o risco de reafirmar o óbvio, devo assinalar que Rafael ou quem quer que tenha escrito o informe não oferece ao leitor nenhuma fascinante e arrebatadora visão da arquitetura gótica: a melancolia nórdica e os sagrados bosques pagãos não se fazem presentes. A arquitetura gótica se origina a partir de uma forma rústica de cobertura. Rafael se mostra mais próximo de Sir James Hall que dos românticos admiradores da arquitetura gótica. Entretanto, também encontramos algo de desconcertante. O autor do informe refere-se às origens da arquitetura gótica como se estivesse

34. Raffaello Sanzio, *Tutti gli scritti*, p. 57.

Mosaico do abside, S. Clemente, Roma.

aludindo a um conceito bastante difundido. Existem, é claro, uma série de referências às florestas e santuários celtas e germânicos, todas elas oportunamente compiladas por Philip de Cluver[35], cuja obra era, sem dúvida, conhecida dos escritores de século XVII e certamente de Wren, Evelyn e Warburton. Porém, o único texto, entre todos aqueles a respeito de tais santuários que o pseudo-Rafael poderia ter utilizado para fundamentar seu conceito da origem do arco a partir de ramos amarrados entre si, era a descrição de Lucano do santuário existente nos bosques próximos de Marselha cujos "ramos entrelaçados encerravam um espaço central e fresco" (*Lucus erat, longo numquam violatus ab aero / Obscurum cingens connexis aere ramis*)[36]. No caso dos textos medievais, o simbolismo da floresta simplesmente não aparece. Muitas das referências encontradas na literatura patrística e escolástica relacionam o simbolismo com plantas, porém nenhuma delas certifica a hipótese da "floresta". A fonte mais óbvia, o texto *Racionale*, de Durando de Mende, por exemplo, não mostra interesse pela hipótese, apesar do grande número de argumentos sobre o simbolismo, que foram utilizados por autores posteriores. Além disso, a tentativa de relacionar uma característica tão óbvia da construção de igrejas com santuários pagãos haveria de despertar intensa desaprovação. Contudo, a partir de São Boaventura, e particularmente na literatura mística do século XIV, abundam as referências ao simbolismo relacionado especialmente com o crescimento de plantas. Antes disso, fazem-se presentes as estranhas formas vegetais dos edifícios, mais ambiciosas que as folhagens de um capitel ou as bossagens de telhado; as raras referências literárias ao templo católico como um paraíso, demasiadamente incomuns e obscuras para qualquer utilidade, por certo, existem dois antigos e evidentes símbolos arbóreos: a cruz como árvore da vida e a "árvore de Jessé".

A seguir, já no final do século XV, ocorre um grande aumento do uso de nervuras e colunas com características vegetais, um fenômeno que dificilmente pode ser justificado pelo surgimento eventual de uma teoria explícita a esse respeito. Entretanto, também pode ter sido gerado como emulação, ou eco, da descrição vitruviana das ordens que apresentava, naquela época, uma influência mais radical nos países meridionais. Porém, vale a pena notar que o texto de Vitrúvio era conhecido na Idade Média (a despeito da lenda de que o manuscrito foi descoberto por Poggio), sendo particularmente apreciado como um manual técnico, ainda que aparentemente também tenha sido compilado em um único volume junto com livros que se ocupavam do simbolismo dos números, assim como o opúsculo de

35. Philip of Cluver, *Germania Antiqua*, pp. 233-257.
36. *Lucati Pharsalia*, 3. 390.

(acima) Árvore-coluna e abóbada, Castelo Bechyne, Boêmia, segundo Börsch-Supan.
(abaixo, à direita) Bramante: Coluna da loggia, Basílica de S. Ambrósio, Milão,
(abaixo, à esquerda) A árvore-coluna, segundo P. de L'Orme.

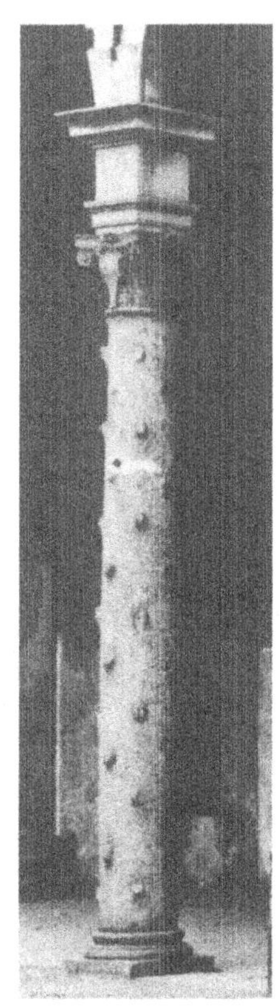

Árvore-arco, Catedral de Ulm.

Cícero sobre o *Sonho de Cipião*, ou os tratados de música de Santo Agostinho e Boécio. (Ver apêndice 2)

De toda forma, o pseudo-Rafael formula a teoria dos "galhos trançados" sem a intenção de invocar o caráter sublime da arquitetura gótica, mas como uma possível circunstância atenuante de seus defeitos. Ele parece afirmar que, embora a arquitetura gótica seja tecnicamente pobre, sem regras ou medidas, tosca e rústica, ainda assim possui a característica redentora de ser derivada do que aparentemente foi uma operação *natural*. Contudo, uma vez que se trata de uma operação humana, as origens da arquitetura gótica encontram--se, mais uma vez, nos procedimentos dos homens com a natureza, e não em características naturais "descobertas", apreendidas pelos construtores e a seguir traduzidas para a pedra. Portanto, trata-se de uma maneira de compreender a natureza e dela se aproximar, mediando-a por meio de uma técnica, mesmo que seja a mais simples.

Ora, o que Warburton, Hegel, e Coleridge admiravam era a estreita dependência da arquitetura gótica com relação não à arte, mas à própria natureza; uma natureza que não era absolutamente mediada quer seja pelo método de trabalho do construtor, quer seja pela conceituação. A catedral gótica não é um símbolo (e utilizo esse termo muito mais com o significado empregado por Charles Sanders Peirce, que aquele utilizado por Hegel), mas uma imagem, uma reflexão direta: ou ainda a solidificação, a petrificação de um bosque. Hegel concebe o espectador na catedral gótica como sendo submetido a uma gama de sensações que a floresta *poderia* ter induzido a fim de alcançar a emoção desejada.

Já sugeri que essa leitura parece pressupor uma mudança radical na maneira como a arquitetura vinha sendo entendida. Mas aqui temos a oportunidade de observar essa mudança a partir de outro ângulo, que esclarece de outra forma o desaparecimento, na metade do século XVIII, da desaprovação generalizada, nem sempre indiscriminada, que a arquitetura gótica vinha sofrendo até então. Na Inglaterra certamente, mas também por toda a Europa setentrional, e mesmo na França, desperta o interesse pela arquitetura autóctone, enraizado no conhecimento de uma herança passada e na revalorização dos monumentos remanescentes de um passado medieval glorioso. O que havia sido um brinquedo para Horace Walpole e um divertimento para William Beckford, tornar-se-ia uma paixão e uma indústria. Na época dourada do sentimento, essa mudança não poderia ser justificada por nenhum apelo a um passado recente, inventariado, histórico. O apelo deveria, é claro, ser encontrado além da história, no homem natural, à maneira de Sir James Hall, ou de preferência na natureza intocada pela mão humana.

Um aspecto curioso dessa situação é oferecido pelo Bispo Thomas Percy, que, em 1765, publicou o livro *Reliques of Ancient English Poetry* (Relíquias da Antiga Poesia Inglesa), obra que se tornaria a fonte das primeiras baladas inglesas, com um traumático impacto sobre a poesia inglesa de seu tempo. Com falsa modéstia, e um embaraço visivelmente não de todo sincero, Percy dedica o livro à Condessa de Northumberland, "e espera que as bárbaras produções de épocas incultas possam obter a aprovação ou a atenção daquela que adorna as cortes com sua presença, e difunde elegância com seus exemplos".

A apologia prossegue: "Mas a impropriedade, supõe-se, desaparecerá quando se declare que esses poemas são apresentados a vossa senhoria não como obras de arte, mas como efusões da natureza, mostrando os primeiros esforços do gênio antigo, e exibindo costumes e opiniões de épocas remotas".

"Não como labores de arte, mas efusões da natureza", eis aqui, em um certo sentido, o que os românticos admiravam nas catedrais góticas. E ainda assim, sua imagem da natureza em nada correspondia à dos construtores de catedrais. Curiosamente, a diferença de pontos de vista se reflete intensamente nas reações frente às ruínas.

Até a metade do século XVII, o termo ruínas indicava as ruínas clássicas, e, particularmente, as de Roma:

> Who lists to see what ever nature, arte,
> And heaven could doo, O Rome, thee let him see
> In case thy greatness he can gesse in harte,
> By that which but the picture is of thee.[37]

Assim Joachim du Bellay convida o peregrino (na tradução de Spenser) a reconstruir a grandeza perdida, a partir de remanescentes despedaçados e empoeirados, sendo que com esse exercício ele terá apreendido ao mesmo tempo o respeito pela majestade romana e uma salutar apreciação dos caprichos da fortuna dos homens.

> For if that time make end of things so sure
> It ais will end the pain I endure.[38]

Porém, os escritores do século XVIII raramente alcançaram tal profundidade com relação às ruínas. Da grandeza de du Bellay ao

37. "Quem anseia ver o que quer que a natureza, a arte,/ e o céu poderiam fazer, Oh Roma, deixai-o ver / Se ele puder conceber tua grandeza / Por aquilo que é somente tua pintura morta". (N. da T.)

38. Edmund Spenser, *The Poetical Works*, vol. 5, pp. 42-43. ["Se o tempo põe fim a coisas tão certas / também acabará com a dor que suporto"]

pobre Lorde Kames, que já apareceu no capítulo precedente, há um terrível retrocesso; mas Kames também refletiu muito a respeito das ruínas. As ruínas, ruínas artificiais, entraram em voga como lembranças melancólicas de sentimentos semelhantes aos de Bellay, porém, em torno da década de 1760, no momento em que Kames e Percy escreviam, elas haviam se convertido, apesar de todas as suas possíveis nuanças, apenas em ornamentos de jardim refinados. Kames aplicou-se sobre uma questão de gosto da qual se ocuparam alguns de seus contemporâneos: gótico ou clássico? Entre os dois, Kames preferia o gótico, uma vez que as ruínas góticas demonstravam o triunfo do tempo sobre a força[39]. A ruína clássica, entretanto, testemunhava o triunfo do barbarismo sobre o gosto e, ao mesmo tempo, invocava lembranças "históricas", recorrendo a uma leitura em prosa, enquanto a ruína gótica era claramente relacionada com a épica, com o mito atemporal, com os antepassados místicos e heroicos de Lorde Kames (e, pelas mesmas razões, de Lady Northumberland). Não surpreende que a *Faerie Queene*, de Spenser, tivesse experimentado uma ressurreição nesse período e que Camelot, a legendária corte do rei Arthur, fosse considerada como o exemplo mais próximo que os britânicos tinham do paraíso perdido.

39. Henry Home, Lord Kames, Elements of Criticism, Edinburgh, 1762, vol. 1, p. 183.

5. Razão e Graça

Neste ponto, não posso evitar um comentário sobre o texto ao qual todos os autores já citados foram forçados a aludir e que deve ser considerado como a fonte de todas as especulações posteriores sobre a cabana primitiva: o texto de Vitrúvio sobre as origens da arquitetura. Escrevendo provavelmente no tempo de Augusto, Vitrúvio oferece um relato minucioso das origens de sua arte, utilizando-o como apologia à maneira como seu livro é ordenado.

Os homens dos tempos remotos – ele afirma – criaram-se como animais selvagens nas florestas, cavernas e bosques, mantendo-se com dificuldade com alimentos silvestres. Num certo momento, sucedeu que as árvores espessas e compactas, golpeadas pela tempestade e pelo vento, friccionaram seus ramos, uns contra os outros, e se incendiaram; os homens, testemunhas do ocorrido, ficaram aterrorizados e fugiram. Ao baixarem as chamas, eles se aproximaram e, percebendo o conforto de seus corpos aquecidos pelo calor do fogo, lançaram mais madeira, e enquanto o mantinham vivo chamaram a outros homens, apontando-o com sinais que indicavam quão útil ele poderia ser. Nesse encontro entre homens, foram articulados sons de diferentes tons, sílabas fortuitas às quais o uso diário e contínuo acabou por fornecer valor consuetudinário. Assim, como consequência desse incidente, os homens, apontando em direção aos objetos de uso mais comum, começaram a falar entre si. Como a invenção do fogo propiciou o encontro entre os homens, a sua troca de ideias e coabitação; e como muitas pessoas congregavam-se agora em um único local; e tendo ainda recebido da natureza uma dádiva especial em relação aos outros animais – o de não caminhar com suas cabeças baixas, mas eretos, podendo observar o esplendor do mundo e suas estrelas; e como os homens podiam facilmente fabricar o que desejassem com suas próprias mãos e dedos; alguns dentre eles começaram a construir telhados utilizando folhas, outros a cavar

A descoberta do fogo, segundo Cesariano.

buracos sob as montanhas, e outros, imitando os ranhos e as construções das andorinhas, ergueram refúgios com barro e varas. Assim, com o passar do tempo, observando a construção dos outros, avaliando e acrescentando novos elementos a partir de seus próprios juízos, os homens construíram melhores moradias. Como eram de natureza imitativa e dócil, eles se vangloriavam de suas invenções diárias, apresentando uns aos outros os resultados de suas construções; de modo que, competindo no emprego de suas habilidades, aperfeiçoaram gradualmente sua capacidade de julgamento. No início, cravaram estacas aforquilhadas, e, distribuindo entre elas varas, terminaram as paredes com barro. Outros levantaram paredes utilizando torrões de terra secos, estruturados com madeira e cobertos por caniços e folhas para protegerem-se da chuva e do calor. Durante o inverno, quando os telhados não podiam resistir às chuvas, eles imaginaram cumeeiras e telhados inclinados cobertos de argila, que forçavam o escoamento da chuva[1].

A seguir, Vitrúvio menciona as nações bárbaras e primitivas cujos hábitos confirmam essa descrição, citando em uma narrativa detalhada os procedimentos empregados pelos colquídios que viviam em Pontus, na Crimeia, e pelos frígios, do noroeste da Turquia, para construírem suas cabanas; os primeiros construíam altas cabanas de toras de madeira e telhados piramidais, e os últimos escavavam buracos que eram cobertos por telhados de madeira e caniços, por sua vez recobertos com terra. Em Marselha, ele parece ter visto telhados cobertos por terra e palha misturados. Vitrúvio finaliza a seção invocando dois monumentos:

Em Atenas, no Areópago, encontra-se em nossos dias um exemplo dos antigos edifícios, com telhado de argila. Também no Capitólio, a cabana de Rômulo vos recordará os antigos costumes e seus significados, assim como os telhados de palha dos santuários da cidadela. Através desses mementos *[signa]* podemos ter uma ideia dos inventos construtivos dos antigos, inferindo que eram semelhantes. Entretanto, quando os homens acostumaram-se a usar suas mãos para construir, alcançando a arte mediante o tirocínio constante de suas habilidades; quando a indústria surgiu em suas mentes de modo que os mais astutos reivindicaram para si o *status* de artesãos [...] então eles também progrediram gradualmente da construção de edifícios para outras artes e disciplinas, passando de uma vida selvagem nos campos agrestes para uma humanidade civil. Porém, ao aperfeiçoarem suas mentes, eles miraram mais além; quando, como resultado da variedade de seus ofícios, ampliaram-se suas ideias, em vez de cabanas os homens começaram a construir casas com paredes de tijolos, apoiadas sobre fundações adequadas ou de pedras, com telhados de estrutura de madeira cobertos por telhas, e então, graças à sua acurada observação os homens foram guiados de um mundo de ideias confusas e delirantes para um certo raciocínio de simetria[2].

Com essa passagem, Vitrúvio justifica seu projeto para o que pretendia que fosse o primeiro tratado completo sobre arquitetura. Tendo enumerado no seu primeiro livro as realizações essenciais e numerosas do arquiteto, e tendo discutido os principais conceitos relacionados com os sítios da implantação, os rituais de construção

1. *Vitruvius* (ed. e trad. Frank Granger) 2.1.2.
2. *Idem*, 1.4.

A construção da cabana primitiva, segundo Cesariano.

e similares, ele utiliza o trecho que versa sobre as origens da arquitetura, desde a primeira cabana, para introduzir o capítulo que trata em detalhe dos diferentes materiais construtivos. Contudo, no terceiro livro, ao abordar a questão do ornamento, ele retoma a problemática de como "as confusas e vagas ideias" se converteram em "um certo raciocínio de simetria".

A simetria, explica Vitrúvio, é o estabelecimento de uma relação geral de proporções em um edifício, um templo em particular, mediante o uso do módulo, ou uma unidade matemática eleita para o conjunto do edifício, que corresponde, no caso, à metade do diâmetro de uma coluna. O modelo que inspirou este método é o corpo humano idealizado, *hominis bene figurata ratio*[3]. Vitrúvio segue a asserção, com uma detalhada descrição canônica das relações entre as partes do corpo humano: o cânone inclui a famosa declaração sobre o corpo humano inscrito no interior do quadrado e do círculo, ilustrada por tantos artistas. Além disso, Vitrúvio observa que em todos os exemplos que sobreviveram, e particularmente nos templos, os antigos utilizaram as ordens, em cujos princípios encontravam-se embutidas as medidas mais comuns, tais como o pé, a polegada e a vara, derivadas do corpo humano, assim como o número dez, cuja perfeição, conforme Platão, procedia dos dedos das duas mãos. Nessa altura, segue uma pequena discussão pitagórica, acerca das perfeições relativas do número dez e do número seis, com o inevitável elogio do dezesseis.

De qualquer modo, após essa disquisição numerológica, Vitrúvio prossegue na análise do número de colunas, das distâncias entre elas

3. *Idem*, 3.1.1.

A construção da cabana primitiva, segundo *Vitruvius Teutsch*.

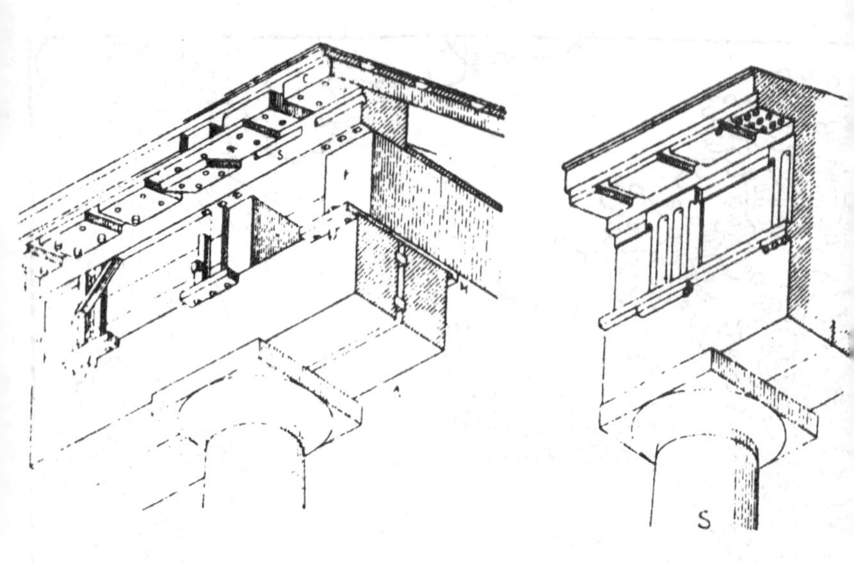

(acima) A ordem dórica em pedra e a reconstrução do seu original em madeira, segundo Choisy.
(abaixo, à esquerda) O santuário de Apoio em Thermum, segundo Kawerau. A: o mégaro egeu; B: o primeiro mégaro helênico com seu peristilo de pilares. Em linha mais clara, está desenhado o templo do século VII a. C, que sobre ele foi construído.
(abaixo, à direita) Reconstrução das origens da ordem jônica e o pórtico de cariátides, segundo Cesariano.

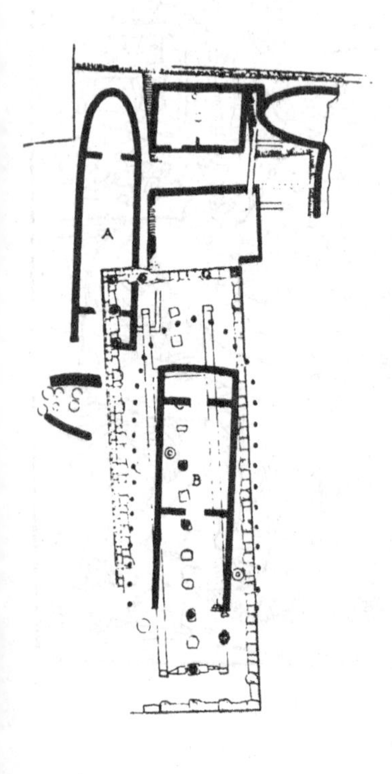

e suas relações com as paredes da fachada do templo, como um padrão para a sua classificação. Ao tratar em seu terceiro livro da ordem coríntia, ele analisa a minuciosa relação da ordem dórica com o corpo masculino e da jônica com o corpo feminino, atribuindo as origens da ordem coríntia a uma lenda de um passado relativamente recente, sobre a qual já escrevi alhures[4]. Em seguida, Vitrúvio passa às minúcias e, remontando-se à história da cabana primitiva, ele prossegue descrevendo a "obra do carpinteiro" que abrange a parte superior de qualquer templo. Ele descreve detalhadamente a superestrutura e conclui: "Por causa de todas essas coisas, e por causa da natureza da obra do carpinteiro, os artesãos ao edificarem templos lavrados em pedra e mármore imitaram essas maneiras de construir, acreditando que aqueles artifícios deveriam ser fielmente seguidos"[5].

Nessa frase de Vitrúvio, encontram-se resumidos dois argumentos, aquele referente à natureza das cabanas primitivas construídas em madeira e caniços e aquele que considera o corpo humano como fonte positiva de toda a estrutura numérica do conhecimento, da qual as ordens constituem um exemplo. Vitrúvio encerra essa parte de sua obra com uma admoestação. Ele demonstra que uma cornija não deve ser jamais colocada de forma que os dentículos estejam *abaixo* dos mútulos, pois os dentículos representam as tábuas que, na construção original de madeira, colocavam-se por cima das vigas, representadas pelos mútulos, portanto nesse caso, o ornamento seria infiel ao modelo original em madeira. E os antigos – nesta ocasião, com todo o reconhecimento de Vitrúvio – "acreditavam que não haveria qualquer justificativa evidente para representar em imagem aquilo que não poderia ter ocorrido na realidade".

A seção seguinte abre-se com uma recapitulação: "Pois eles se esmeraram, através do hábito, na excelência de suas obras, fundadas em uma incontestável adequação e nas verdades da natureza, aceitando todos os argumentos que pudessem ser justificados pela realidade."

Apresento esse texto fundamental somente nessa última etapa do ensaio, pois sua exegese ocupou arquitetos em circunstâncias bastante afastadas do contexto original de Vitrúvio; e eu não gostaria de ofuscar as realizações e a originalidade de Laugier ou Milizia, reduzindo suas ideias, outrora renovadoras e influentes, a simples comentários: o que, em um certo sentido, elas certamente foram. Fato que nem Milizia, nem Laugier teriam contestado. E, contudo, mesmo as formulações de Vitrúvio apresentam todas elas as marcas de algo recebido como herança. O relato é elíptico, com referências a vários outros escritos. As suas linhas mestras apresentam o sabor

4. J. Rykwert, "The Corinthian Order", *Domus*, n. 426, maio 1965, pp. 25-30.
5. Vitruvius, *op. cit.*, 4. 2.2.

da doutrina estoica tingida pelo empirismo peripatético, desde o trauma do fogo até a invenção da linguagem e das artes consideradas como atividades sociais, o preciso desenvolvimento das técnicas a partir de fragmentos de impressões sensoriais e a sucessão das etapas lógicas que essas impressões provocaram nos homens primitivos, até que estes tivessem alcançado o domínio do meio mediante à observação da natureza externa e à "percepção" de seus próprios corpos.

Sêneca, em sua nonagésima epístola moral, também discute a invenção das artes nos primeiros tempos da humanidade. Ele cita o último grande filósofo helênico, Posidônio de Apaméia, que teria afirmado: "Quando os homens estavam dispersos pela terra, encontrando seu refúgio em abrigos escavados nas encostas, ou em qualquer fenda de rocha ou ainda nas árvores ocas, a filosofia lhes ensinou a levantar telhados".

Contudo, Sêneca, como estoico purista que era, não podia admitir tal afirmação: a filosofia não poderia ser responsabilizada por invenções tão vulgares. A artificialidade de histórias sobre histórias, de sociedades que se chocavam umas contra as outras, não poderia ser resultado da filosofia, assim como a filosofia não poderia ter produzido o conceito de propriedade ou os dispositivos destinados a satisfazer o paladar dos glutões. "Não", conclui Sêneca, "acreditem, era uma época feliz antes de existirem arquitetos, antes de existirem carpinteiros". E sua condenação é mais ampla que a de Rousseau: "Todo esse perfeito enquadramento da madeira e corte das vigas, numa marca previamente executada, nasce quando nasce o luxo. Os primeiros homens partiam suas madeiras com cunhas"[6].

A ideia de Sêneca da filosofia não inclui qualquer tipo de técnica. Somente os mais desprezíveis entre os escravos dedicar-se-iam a tarefas tais como idear a taquigrafia ou inventar janelas transparentes, ou ainda aperfeiçoar o aquecimento dos banhos públicos. O homem sábio se ocupa dos segredos da natureza e das leis da vida; ele encontrou um modo de distinguir a verdade entre os diferentes juízos, rejeitando todos os prazeres manchados pelo remorso. Acima de tudo, ele reconhece que somente pode ser feliz aquele que não está à procura da felicidade, e somente é poderoso aquele que dominou a si próprio.

Argumentos estes que tornam patente a postura ambivalente de Sêneca (compartilhada entre muitos estoicos), com relação à idade de ouro. Para os estoicos, as verdades da filosofia não eram evidentes aos homens da idade de ouro, que viviam no estado de natureza; portanto, a filosofia surge somente com a relativa decadência trazida pela civilização.

6. Lucius Annaeus Sêneca, *Letteres a Lucilius* 90. 7-9.

Em todas as versões sobre as origens das técnicas e da civilização, persiste uma outra ambivalência implícita e ainda mais radical. Tanto a cultura é resultado das necessidades de sobrevivência do homem após o pecado que o privou dos benefícios da graça e da natureza, assim como descrito no livro do Gênesis, como a queda é por si a punição pelo roubo dos segredos divinos das artes, conforme a lenda de Prometeu. Vitrúvio não recua tanto, de modo algum. Ele não é um estoico radical como Sêneca, mas antes, um eclético onívoro que se alimenta das obras enciclopédicas de Posidônio, obras estas que Sêneca desaprovava em absoluto. Posidônio, assim como outros filósofos que haviam se interessado pela questão, como por exemplo, Teofrasto ou Dicaerco, sustentava, ao contrário de Sêneca, que era a filosofia, e não a necessidade, que teria ensinado as artes à humanidade. Vitrúvio exemplificou sua crença com detalhes, no relato sobre a origem de sua própria arte. Um fogo se originou a partir da fricção das árvores, umas contra as outras. O calor desse incêndio acidental levou os homens a refletir sobre sua influência confortante, antes mesmo de terem se apropriado da fala. A catástrofe natural submete a humanidade de Vitrúvio ao trauma civilizatório: assim como na lenda de Prometeu o elemento hefestiano estimulou a humanidade. Novamente, verifica-se, pelo modo como essa lenda comparece no texto de Vitrúvio, que possivelmente ela tenha suas origens em Posidônio, que acreditava que todo o universo era sustentado pelo *vis vitalis*, um sopro aquecido originário do sol. O que segue, sugere uma reformulação, à maneira de Posidônio, de conceitos anteriores como, por exemplo, de Protágoras, tal como foram registrados na *Memorabilia*, de Xenofonte.

É interessante notar que a cuidadosa elaboração da história da arquitetura, em termos de um constante aperfeiçoamento através da competição e da imitação, legitima a prática da transferência de detalhes de um tipo de construção para outro, sob a forma de um sistema ornamental coerente; também digno de nota é o fato de que essa operação, apesar de perfunctoriamente aceita pela maioria dos comentaristas de Vitrúvio, não voltará a ser um ponto capital da teoria da arquitetura, até o século XVIII quando, de certa forma, o clima intelectual terá retomado uma coloração estoica e empirista muito próxima ao período no qual o livro de Vitrúvio foi escrito. Sinto-me quase que tentado a concluir que Locke foi para Laugier o mesmo que Zênon foi para Vitrúvio.

E ainda assim, uma teoria da arquitetura baseada no cinismo seria realmente uma contradição em termos (como prova Diógenes). Uma teoria epicurista neste campo poderia ser restaurada, mas ela, certamente, não aparece no quinto livro de Lucrécio *De rerum natura*, o mais importante de todos os documentos epicuristas que trataram das origens das artes. Apesar de Lucrécio também relacionar a invenção do fogo com as primeiras construções, ele escreve muito pouco sobre elas. Ele relata o modo como os homens, em seu estado selvagem ocuparam "as bem conhecidas florestas habitadas pelas ninfas", e que "quando ainda não sabiam utilizar o fogo para seus propósitos [...] viviam nos bosques, nas cavernas das montanhas e florestas, para proteger seus rudes membros sob os galhos enquanto as rajadas de chuva e vento os açoitassem [...]"[7]

Quando um relâmpago ou a fricção de galhos, como no relato de Vitrúvio, permitiu-lhes produzir um fogo controlável, e o calor do sol lhes mostrou como cozinhar o alimento, então surgiu a construção, contudo, Lucrécio não nos fornece outros detalhes[8]. Entretanto, ele menciona os primórdios da música: foram as cristalinas notas dos pássaros e o sibilar de Zéfiro, através da palheta, que ensinaram os homens a cantar e a tocar música. Esse tipo de imitação da natureza animada e inanimada já havia se apresentado, sem dúvida, em outras pré-histórias. Diodoro Sículo preserva fragmentos da cosmogenia de Democrito, que por sua vez é condensada por Hecateu de Abdera, para quem os homens aprenderam as artes imitando os animais: com a aranha aprenderam a fiar, com a andorinha a construir e o canto, com o cisne e o rouxinol[9] – apesar de notar alhures que a música seria uma arte jovem, e portanto, não gerada pela necessidade[10]. Hecateu borda sobre o tema, sugerindo a existência de três estágios de criação das artes; o primeiro é a consciência da necessidade, o segundo é o exemplo dos animais que leva à consequente invenção da arte, e o terceiro é a elaboração das artes, tais com a música, fundamentadas sob aquilo que resta quando todas as necessidades foram satisfeitas[11]. Essa laicização da pré-história não prescinde daqueles que acreditam nos mitos nem daqueles que acreditam nas crenças populares, convertendo-se na principal fonte para as especulações de ambos, epicuristas e estoicos, nos séculos seguintes.

Vitrúvio, como já salientei, adere a uma posição estoica central. Não seria a necessidade, mas a reflexão que ensinaria ao homem a modificar o elemento natural a seu favor. Ele é o único entre os teóricos da arquitetura a quem os teóricos posteriores não puderam ignorar. Para Vitrúvio, como para todos os letrados de seu tempo, a questão das origens apresentava uma importância especulativa primordial, como ponto de partida de toda a sua teoria arquitetônica.

7. Lucretius, De *rerun natura* (trad. H. A. J. Munro), 5.11.1104.
8. *Idem* 11. 1091.
9. Hermann Diels, *Die Fragmente de Vorsokratiker*, *s.v.* Democritus 68. 154.
10. *Idem*, 144.
11. Plutarco, *Moralia*: *On the Tranquility of Spirit*, Diod. Sic., 1. 8. 6.

Apesar dos estranhos resumos medievais de sua obra, Vitrúvio foi pouco lido na Idade Média, sem ter um verdadeiro seguidor. Ele alcançou certa popularidade no século IX e novamente no século XIV. Infelizmente, eu me afastaria por demais do tema se me estendesse sobre o uso que Bocaccio fez de seu livro – especificamente sobre o trecho que venho discutindo – com relação à lenda de Vulcano, ou a crença de Sidônio Apolinário de que Vitrúvio teria sido o inventor do prumo[12], ou então o epitome compilado por Pedro, o Diácono, ou ainda a possível interpretação de Einhardt sobre os "*obscura verba*". Mas, foi de fato, no século XV, após a assim chamada descoberta dos textos por Poggio, que Vitrúvio adquire uma nova importância, e sua narrativa sobre as origens da arquitetura se converte novamente em um tema de especulação.

Em minha opinião, o primeiro comentário importante sobre o texto de Vitrúvio não é verbal, mas pictórico: a série de pinturas executadas por Piero di Cosimo para a residência de Francesco Del Pugliesi, um rico negociante de lã fiorentino. Apesar de todas as excentricidades relatadas sobre ambos, tanto o mecenas como o artista, não sabemos o bastante sobre as pinturas para reconstituir toda a série; de modo que alguns ainda questionam a identificação das diversas peças dispersas entre vários museus. Entretanto, quase não há dúvida de que a coleção retrata a vida humana e animal antes da invenção das artes e o resultado do incêndio na floresta, descrito por Vitrúvio e Lucrécio, reforçado pela lição que Vulcano transmite aos homens. Enquanto os painéis de Nova York mostram o estado de barbárie anterior à invenção da linguagem e a formação das instituições, o painel de Oxford apresenta o próprio incêndio. Dos dois quadros maiores, aquele que se encontra no Wadsworth Athenaeum exibe a queda de Vulcano entre as ninfas de Lemnos – ilustrando uma encantadora, porém falsa, leitura do comentário de Servio sobre Virgílio[13] – enquanto que o da coleção de Ottawa mostra Vulcano e Actus revelando as artes à humanidade, com a cabana primitiva destacando-se no plano de fundo[14], exibida como peça familiar do aparato.

Sem dúvida, o fogo é a característica de maior destaque dessas pinturas. Vasari torna claro que a posição de Piero em relação ao fogo não era de todo usual; evidentemente, Vasari o considerava um colega admirável, apesar de bastante singular. Ele comenta, por exemplo, sobre o costume de Piero de cozinhar "não apenas seis ou oito ovos por vez, mas uns cinquenta" que punha na mesma panela em que fervia a cola, "de modo a economizar fogo". A seguir, ele os

12. Sidonius Apollinaris, *Poems and Letters* 6. 3. 5.
13. Servius, em *Virgilii Maronis Opera*, Eclogue 4. 62.
14. Erwin Panofsky, *Studies in Iconology*, p. 33.

A casa dos anciãos, de acordo com a concepção de Palladio, segundo Barbaro.

A descoberta do fogo, segundo Fra Giocondo.

conservava em uma cesta, para comê-los quando desejasse. Vasari ainda observa outros sinais reveladores da personalidade de Piero: o intenso prazer que sentia na chuva, o terror dos clarões (ele costumava cobrir sua cabeça nas tempestades), e assim por diante. Aparentemente, o próprio Piero, por vezes, considerava-se de algum modo membro da raça dos primeiros homens. Ele venerava a natureza a ponto de resistir a podar ou enxertar suas árvores frutíferas. A grama de seu jardim não era aparada; e provavelmente Piero via, no mito que havia pintado, uma reconstrução feita a partir de fragmentos de Vitrúvio e Lucrécio, a imagem sintética de uma sociedade rejuvenescida, totalmente renovada e autêntica, intocada pelas artificialidades e mesquinharias de seu próprio tempo. Essa era, de certo modo, a quintessência do Renascimento: a paixão pelos mitos do nascimento e renascimento, expostos através da renovação dos temas perdidos ou mal interpretados desde a antiguidade.

Cesare Cesariano, o primeiro autor de uma edição comentada de Vitrúvio em italiano, mostra-se claramente impressionado por essa passagem de seu texto. Cesariano já conhecia o material comparativo sobre as origens da humanidade e a Idade de Ouro em Vitrúvio, Juvenal e Ovídio; estando menos familiarizado com autores gregos tais como Hesíodo e Diodoro Sículo. Seu comentário, porém, não é inteiramente livresco. Ele relata, por exemplo, o fogo ocorrido ao redor de 1480 na floresta do "*nemori Canturiensi*", o feudo "de nossos cidadãos milaneses da família dos Gayani", um incêndio que foi um prodígio e do qual ainda restava uma testemunha viva (o relato é de 1521). Ainda em 1513, manifestara-se ali um presságio, uma imensa chama no céu, "como se surgisse da lua [...] e as pessoas saíram de suas casas e essa chama não causou mal a nada nesse mundo que se possa ter ouvido. A mim me parece, que descrevi o suficiente para os ignorantes e aqui coloco, como complemento, uma gravura do evento acima". E de fato, Cesariano mostra duas gravuras do fogo arquétipo, uma delas complementada pela chama aérea mencionada no parágrafo anterior. "Pois é o fogo", ele acreditava, "que não apenas conforta muitos animais (e em especial o gênero humano), mas também os induz a falar, e assim satisfeitos eles mantêm a companhia um do outro [...]"[15]

Talvez o mais importante de todos os comentaristas – como estudioso e ao mesmo tempo como figura pública – foi Daniele Barbaro (1514-1567), amigo de Palladio e patrono, juntamente com seu irmão, da *villa* de Maser. Em sua análise do mesmo trecho do segundo livro de Vitrúvio, ele observa – conforme o costume – a discrepância existente entre o relato de Vitrúvio e o das Escrituras, elogiando o autor pagão por tão estreito conhecimento das origens

15. *Vitruvius* (ed. Cesare Cesariano), p. 31 recto.

"naturais", apesar de ignorante da verdadeira história revelada da criação divina. No restante, ele segue, em grande parte, o comentário latino de Filander, apesar de mencionar as formas singulares das cabanas primitivas, feitas de materiais desconhecidos, vistas "em nossos dias, na ilha Hispaniola [Haiti] e naquelas partes do mundo descobertas pelos modernos". E, comentando ainda a respeito dos primitivos montículos de terra dos frígios ele nota: "Tenho visto cabanas similares em algumas partes da Alemanha: elas mais parecem objetos naturais que criações humanas [*non enim facta, sed natae videntur casae*]". Tudo isso não seria digno de nota se as ilustrações para a edição de Barbaro não tivessem sido preparadas por Palladio; no terceiro capítulo do sexto livro, no qual Vitrúvio trata do plano de residências particulares, Palladio introduz uma casa "primitiva" de dois andares, construída de forma rudimentar, com um frontispício próprio do pórtico de um templo coríntio. Sem dúvida familiarizado com nossos textos vitruvianos, Palladio os sintetiza no prefácio do primeiro dos *Quattro Libri* para justificar porque irá tratar inicialmente das casas particulares:

> [...] como elas sugerem um método para conceber edifícios públicos; como é bastante provável que no princípio os homens viviam isolados e mais tarde, tendo percebido as vantagens que existiam na ajuda de outros homens para obter aquilo que poderia fazê-los felizes (se existir alguma felicidade que possa ser encontrada aqui embaixo), eles chegaram naturalmente a desejar e apreciar a companhia dos outros homens. Assim, grupos de casas se converterem em aldeias e grupos de aldeias transformaram-se em cidades, e nelas [ali foram construídos] os espaços públicos e os edifícios. Sendo assim, como nenhuma parte da arquitetura é mais indispensável ao homem ou praticada mais frequentemente, eu tratarei inicialmente das casas particulares e a seguir dos edifícios públicos [...][16].

Portanto, Palladio acredita que a residência particular constitui o primeiro tipo de construção, não apenas historicamente, mas logicamente. Sendo que ele deduz a forma da primitiva casa da antiguidade, já desaparecida, a partir dos indícios encontrados nos edifícios públicos que ainda restavam. Donde o frontispício do templo que introduz em sua ilustração para o livro de Vitrúvio, assim como aqueles insistentes pórticos com frontões que ornam suas mais modestas vilas, espalhadas pela região de Vicenza. Nesse sentido, a vila palladiana constitui uma outra variante restaurada da antiga casa primitiva; e a própria ordenação do tratado de Palladio ostenta a marca da "antropologia" vitruviana.

Assim como para Palladio, o conflito entre a evidência das Escrituras e o testemunho dos antigos parecia menos dramático que para outros comentaristas; tampouco Barbaro, tão devotado a Aristóteles,

16. Palladio, 7 *Quattro Libri dell'Architettura*, Veneza, 1570, p. 6.

sentia este conflito com muita intensidade. Ao contrário, Cesariano, mais ingênuo, foi mais afetado. Mesmo abandonando-se às comparações entre as habitações primitivas – as cavernas dos trogloditas descritas por Plínio, as cabanas do Norte da Europa, ou aquelas sobre as quais teria ouvido falar nas recém-descobertas ilhas de Taprobana (Ceilão?) ou em Calcutá – mesmo admirando e respeitando esses esforços "primitivos" e parecendo aceitar as hipóteses de Vitrúvio a respeito das origens da construção, ele, ainda assim, não pode conter o comentário: "mas as origens de nossa humanidade não podem ser conhecidas de outro modo que através das narrativas de nossas sagradas escrituras [...]"

Walter Hermann Riff ou Rivius, o tradutor e comentarista do *Vitruvius Teutsch*, é mais explícito e inclusive oferece em seu comentário um pequeno relato da história sagrada, sem, porém, utilizá-lo para iluminar o texto[17]. Filarete faz a mesma tentativa, de maneira não tão sofisticada. No início de seu tratado geral ele presume que

> deve-se supor que, quando Adão foi expulso do paraíso, estava chovendo. Como não possuía um abrigo à disposição, ele colocou suas mãos acima da cabeça para proteger-se da água. E do mesmo modo como foi forçado pela necessidade a buscar o alimento para seguir vivendo, a moradia tornou-se uma habilidade [ele descobriu] para defender-se do mau tempo e da chuva. Alguns acreditam que não teria havido chuvas antes do dilúvio. Eu estou convencido do contrário, pois se a terra produzia frutos, era necessário que chovesse. Sendo a alimentação e a moradia habilidades necessárias à vida, deve-se admitir, portanto, que Adão, tendo feito para si, com as duas mãos, um telhado, e considerando a necessidade de sobrevivência, refletiu e se aplicou em construir algum tipo de habitação que o protege-se das chuvas, bem como do calor do sol [...] Se as coisas aconteceram dessa forma, então Adão deve ter sido o primeiro[18].

Filarete faz uso dessa ideia, encantadora e original, para introduzir o capítulo em que se ocupa da analogia entre a arquitetura e o corpo humano – argumento que pertence a Vitrúvio, mas ao qual Filarete imprime sua perspectiva pessoal e bastante peculiar.

Ensinamentos desse tipo não são encontrados no *De re aedificatoria*, de Alberti que, por instantes, joga com a questão das origens. A arte da arquitetura, ele afirma, originou-se na Ásia, passou à Grécia, alcançando sua plena maturidade em solo italiano[19]. Em relação às suas origens, Alberti limita-se a afirmar que

> no início, quando os homens buscavam um local onde pudessem repousar em segurança [...] desejando ainda que as atividades domésticas e individuais fossem conduzidas em espaços distintos, ou seja, que o local de dormir fosse apartado do local do fogo e que ao mesmo tempo cada espaço tivesse sua própria função, o

17. *Vitruvius Teutsch*, p. 51-62.
18. *Filarete's Treatise on Achitecture* 1. 4. 5.
19. Alberti, *De re aedificaloria A3.*

Adão protegendo-se da primeira chuva, segundo Filarete.

> homem começou a projetar um telhado para proteger-se da chuva e do sol. Com o mesmo propósito, foram construídas paredes longitudinais para apoiar o telhado [...] Assim se deu, em minha opinião, a construção em seus primórdios e na sua sequência original. Pouco importa quem primeiro a concebeu: Vesta, a filha de Saturno, ou os irmãos Eurálio e Hipérbio [...][20]

e assim por diante; segue então, um lista de nomes tomados de um manuscrito adulterado de Plínio. Apesar de indiferente com relação às origens, Alberti se mostra bastante explícito e original frente a outros temas, tais como as ordens. A analogia com a natureza adquire em Alberti um formato completamente distinto[21]. Para ele a edificação é, sem dúvida, a reprodução de um corpo, particularmente um corpo animal cujas proporções, ele acredita, são ordenadas conforme um sistema pitagórico[22].

O terceiro fundador do *tratatto* italiano, Francesco di Giorgio Martini, retoma o argumento da cabana primitiva, a partir de uma outra perspectiva[23]. Sua principal preocupação é defender a magnificência das edificações contra os defensores da pobreza evangélica, que por sua vez também invocavam a antiguidade e particularmente exemplos da virtude antiga, como Cincinato, para condenar os grandes gastos nas construções. Obcecado pela ideia de estabelecer uma imagem da ordem cósmica no edifício, Martini descarta esse argumento como irrelevante; além disso, no que diz respeito ao uso da analogia animal ele vai mais longe que Alberti. Para ele, tanto a cidade como o edifício isolado, ou mesmo partes de ambos, como as colunas e as cornijas, eram desenhadas, seja em planta ou elevações, como analogia do corpo humano, o qual – considerado como o ápice da criação divina – era a origem primeira e exemplar da arquitetura. Alberti acreditava (assim como Martini também parece sugerir) que os capitéis das diferentes ordens teriam evoluído a partir dos suportes que sustentavam as vigas existentes no topo dos pilares de madeira. Contudo, nenhum dos dois tinha a preocupação de seguir os rastros dos detalhes formais até encontrar suas origens míticas, nem mesmo desenvolver a analogia orgânica mais adiante[24]. Ambos os autores eram demasiadamente racionais para o passo, discutível, porém criativo, para o qual uma mente inferior como a de Filarete saltou: a poética imagem de Adão com as mãos elevadas protegendo sua cabeça do extraparadisíaco e sugerindo as origens do abrigo, o telhado de duas águas.

20. *Ibidem*, 1. 2.

21. *Ibidem*, 1.9; 7.5; cf. 3.12

22. *Ibidem*, 9. 5.

23. Francesco di Giorgio Martini, *Trattati di Architettura, Ingegnerìa e Arte Militare*, pp. 325-326, 372-373.

24. Alberti, *op. cit.*, 7.6; Martini, *op. cit.*, pp. 57-58.

A cabana primitiva é recorrente em outros tratados sob formas diversas: no tratado de Serlio ela atua tão somente como elemento do pano de fundo de peças sobre sátiros; Scamozzi a trata como uma referência indireta, mas com respeito. Ele descreve como Deus, o grande arquiteto, ao criar o maravilhoso mecanismo do mundo, fez do homem o mestre de seu próprio mundo[25]. O intelecto humano e sua sede pelo conhecimento deram origem à arquitetura, assim como às outras artes. Portanto, a antiguidade remota e o enorme prestígio da arquitetura não podem ser questionados, "pois ela tem suas origens nos tempos de nossos antepassados e grandes patriarcas, cujas necessidades de moradia atendeu: como testemunham as sagradas escrituras, comprovadas por Vitrúvio". A literatura manuscrita era bastante escassa. Vitrúvio e Alberti foram os únicos teóricos de arquitetura a terem suas obras publicadas antes de 1500, com exceção do dicionário arquitetônico de Francesco Maria Grapaldi publicado em 1494; os manuais de Martini, assim como o texto de Filarete, tiveram sua circulação limitada por estarem na forma manuscrita. Mesmo os comentários sobre a obra de Vitrúvio – que por três séculos seriam o principal veículo da teoria arquitetônica – datam dos inícios do século XVI.

Todavia, na prática construtiva, mesmo no apogeu da grande excitação provocada pela descoberta dos modelos antigos, certos temas medievais não foram esquecidos; além disso, a antiguidade, que naquela época era considerada por muitos como o mais adequado precedente para uma arquitetura cristã, não era a antiguidade atemporal dos mitos, mas o "estilo" particular da primeira arquitetura cristã, assim como esta se apresentava nos modelos constantinos: o Sepulcro Pascal de Alberti, em São Pancracio, em Florença, é um precioso testemunho dessa ideia.

O modo com que essas citações, ou referências aos lugares santos, foram introduzidas ao longo de toda a Idade Média tem sido objeto de estudo de muitos autores. Da mesma forma, os temas derivados da cruz – dos quais a igreja de planta em forma de cruz apresenta-se como o exemplo mais imediato – e seus correlatos como a perfeita humanidade do Salvador crucificado. Esses temas são enxertados nos conceitos sobre o corpo humano visto como um universo condensado, um microcosmo, de modo que as variantes relacionando a cruz, o corpo do Salvador e o templo cósmico são comuns na especulação medieval acerca da arte da construção. Tais ensinamentos refletiram-se provavelmente na formação oral das corporações maçônicas medievais e aparecem explicitamente nos escritos de teólogos como Abelardo ou os monges vitorinos, ou então de visionários como Opicinus de Canistris ou Hildegardo von Bingen.

25. Vincenzo Scamozzi, *L'Idea dell'architettura universale*, p. 9

O problema tornava-se complexo pela presença nas escrituras das especificações de três modelos ideais, "revelados" aos arquitetos: a arca de Noé, o tabernáculo do deserto e o Templo de Jerusalém – o único edifício sagrado de caráter permanente, minuciosamente descrito nas escrituras. Entretanto, na descrição do templo aparecem formas conflitantes: o verdadeiro edifício de Salomão, suas duas últimas reconstruções e a visão do profeta Ezequiel.

Na comoção da primeira renovação do antigo e da primeira releitura de Vitrúvio, acreditava-se que a consonância entre o texto e os esplêndidos remanescentes das obras antigas pudesse fornecer todos os elementos necessários para uma arquitetura que atendesse à razão e à natureza simultaneamente, e fosse, portanto inconteste, a única e verdadeira arquitetura. Uma segunda hipótese também foi frequentemente levantada: a de que o Templo de Jerusalém teria sido construído da mesma maneira e com a mesma magnificência que ele poderia ser reconstruído a partir das ruínas da Antiguidade Clássica. O que conferia ao estilo tanto a autoridade dos preceitos da escritura como da vontade divina. O relato de Vitrúvio, com suas longas digressões sobre as origens da construção, proporciona uma justificativa suplementar para as modalidades que o autor prescreve e as ruínas dos edifícios clássicos que ilustra. Essas modalidades são invocadas com o objetivo de transformar a tradição construtiva existente além de absorver elementos externos, tais como os orientalismos importados pelos expatriados de Bizâncio. Porém, uma vez sucedida a transformação, um novo problema se faz presente.

A arquitetura do século XVI não poderia limitar seu apelo à natureza e à razão ou fundamentar seu método apenas nas operações da razão, guiada pela filosofia; as regras constantemente invocadas nesse século, tais como as das ordens, deveriam contar com a sanção da graça, tendo como origem e garantia a revelação divina, embora a revelação não contradissesse de modo algum as operações da razão, mas, ao contrário, as santificasse e elevasse. Esse artigo de fé foi expressamente afirmado a toda cristandade, pelo Papa Leão X em sua Bula *Apostolici Regiminus*, datada de 19 de dezembro de 1513. Tal atitude sugere um retomo a certos temas medievais; com a diferença que durante a Idade Média somente as sete artes liberais haviam sido propriamente discutidas nesses termos. As assim chamadas artes mecânicas ofereciam menor interesse para as especulações teológicas e quase teológicas. Os autores dos séculos XV e XVI que almejavam conferir às produções dos artistas visuais a dignidade plena dos "literatos" – dignidade esta que se havia perdido nos últimos tempos – voltaram-se, na busca por uma justificativa teórica, para os escritos místicos e pseudomísticos: donde a pilhagem em larga escala da obra de Agrippa de Nettesheim feita por Paolo Lomazzo, ou a devoção absoluta pelos ensinamentos de Ramon Llull, o *Doctor Illuminatus* catalão, experimentada por Juan de Herrera, o arquiteto do Escorial. Herrera apresenta-se como um personagem enigmático. O estranho papel que teve na vida de Felipe II da Espanha não se limitou a sua função de arquiteto do Escorial – foi o segundo a ocupar essa posição, mas sua influência foi fundamental – ele também mantinha relações pessoais bastante estreitas com o rei. Parecia claro que essa honra se devia a algo mais que seu talento como arquiteto. E muito provavelmente os dois compartilhavam sua devoção pelos ensinamentos de Llull. Herrera foi um dos mais importantes Llullistas de seu tempo, sendo que a construção do Escorial parece ter sido concebida por ambos, o arquiteto e o rei, como um complexo e prolongado exercício espiritual envolvendo uma imensa escala material.

O palácio-monastério foi projetado como resultado da promessa feita por Felipe II em 10 de agosto de 1557, antes da Batalha de São Quintino, que terminou com a derrota decisiva dos franceses. A data exata tem sua importância para o projeto: a igreja foi orientada de modo que seu eixo assinala o pôr-do-sol do dia 10 de agosto, dia de São Lourenço no calendário da igreja, sendo que a planta em grelha deveria lembrar o instrumento do martírio do santo. Toda a história da construção do palácio é pontuada por referências à astrologia e ao calendário da igreja.

Contudo, esse tipo de simbolismo é apenas superficial, pois conceitos mais complexos estão envolvidos na construção do Escorial, os quais gostaria de ilustrar referindo-me a um episódio um tanto negligenciado pela teoria arquitetônica: a reconstrução do Templo Salomônico (modificado conforme a visão de Ezequiel) por Juan Villalpanda.

Essa reconstrução – e sua detalhada justificativa – ocupa a maior parte do segundo, dos três importantes volumes nos quais Villalpanda, juntamente com seu colega, jesuíta de Córdoba, Jerônimo Prado, desenvolve seu comentário a respeito do Livro de Ezequiel. A obra foi publicada em Roma entre 1596 e 1604. Os dois jesuítas haviam saído da Espanha para Roma (onde Prado viria a falecer ainda antes do livro terminado), às expensas de Filipe II que, de modo geral, financiou e apoiou suas pesquisas até o fim. O primeiro volume é dedicado àquele "que se assemelhava a Davi na compaixão, a Salomão na grandeza da alma e na sabedoria, bem como na edificação da mais esplêndida e verdadeiramente majestosa obra de São Lourenço do Escorial", Felipe II apresentado ainda como "Ezequiel pelo fervor e entusiasmo santo. Pois vós iluminastes, aquilo que sua época tornou necessário encobrir à sombra de secretas palavras, como se os véus da obscuridade fossem tolhidos com a ajuda de Deus, que ilumina sua igreja cada dia mais"[26].

26. Hieronymus Pradus e Ioannes Baptista Villalpandus, *Ezechielem explanations et apparatus Urbis ac Templi Hierosolymitani*, vol. 1, p. vii.

O entusiasmo de Villalpanda o transporta a alturas impressionantes, e ele compara sua detalhada exegese do Templo (e do Escorial como pressuposto) com a luz da verdade, tão radiosa como um imenso sol, que somente aqueles coniventes com a escuridão da noite não podem enxergar.

A comparação com Salomão é mais que uma lisonja comum de corte. Felipe II vanglorizava-se desse paralelo. Um de seus títulos era Rei de Jerusalém, o que lhe conferia uma afinidade funcional com o rei dos judeus. Outras semelhanças também lhe foram atribuídas: sabedoria, prudência, piedade, a familiaridade com os mistérios ocultos, lendariamente atribuída a Salomão – e que Felipe II buscava alcançar seguindo os ensinamentos de Llull – e finalmente a construção da igreja-monastério-palácio do Escorial que deveria coroar de glória seu reinado, assim como a construção do Templo de Jerusalém, com suas residências para os sacerdotes e o palácio, haviam coroado o rei Salomão.

A identificação com Salomão constitui um lugar-comum bastante enraizado na iconografia medieval da realeza. Justiniano já teria exclamado – conforme Codimus –, ao entrar na Santa Sofia restaurada, "Salomão, eu te sobrepujei", e Carlos Magno, conforme um de seus cronistas (o monge anônimo de São Gall), construiu suas igrejas e palácios para acomodar todos os dignatários de sua corte "seguindo o exemplo de Salomão"[27]. Assim como Davi constituía o arquétipo do guerreiro piedoso, Salomão era o arquétipo do sábio construtor e Felipe II ansiava pela identificação com seu modelo. Além do mais, ao revelar a natureza misteriosa de sua iniciativa ele acrescentou ainda um terceiro arquétipo à sua ascendência espiritual: o inspirado profeta Ezequiel, que de modo diverso de Salomão, teve os grandes segredos da harmonia universal a ele revelados mediante a descrição do Templo.

Entretanto, a reprodução fiel do templo de Jerusalém não era uma ideia de todo inovadora. A Capela Sistina, construída um século antes do Escorial, foi segundo os imperativos medievais claramente modelada sobre a construção do Templo, repetindo suas dimensões. Apesar desse precedente não ter sido invocado com tanta frequência durante a Idade Média, Durando afirmou expressamente no já citado *Rationale divinorum officiorum*, que a forma material da igreja derivava ao mesmo tempo do Templo de Jerusalém e do tabernáculo do deserto. De Abelardo em diante, a ideia do Templo como imagem da harmonia universal, esteve sempre presente entre os construtores medievais, reiterada não somente pelos filósofos e místicos, mas também pelos autores de hinos litúrgicos.

27. Julius von Schlosser, *Schrifquellen zur Geschichte der karolingischen Kunst*, p. 104.

Portanto, Villalpanda recorria a um corpo sólido de precedentes com os quais Felipe II e Herrera também estavam familiarizados. Sabemos, pelos escritos do próprio Villalpanda, que Herrera foi seu mestre e que estava bastante familiarizado com os detalhes da reconstrução. Contudo, o que Villalpanda pretendia, ao se referir a Herrera como seu mestre, não é efetivamente claro. Se a alusão é relativa à arquitetura, então as realizações arquitetônicas de Villalpanda são surpreendentemente modestas: uma colaboração no interior da Catedral de Baeza perto de Cordoba, com Alfonso Barba, um mestre *plateresco* menor; sendo que o baixo-relevo sobre o portal da Natividade é atribuído a Jerônimo Prado, colaborador de Villalpanda no comentário. Por outro lado, Prado era bastante conhecido entre seus contemporâneos não como arquiteto, mas como um erudito, especialista nos estudos bíblicos, e foi nessa disciplina introduziu Villalpanda. Além do extenso comentário sobre Ezequiel, Villalpanda apresenta um segundo estudo a seu favor, a edição de um comentário medieval sobre as epístolas de São Paulo, atribuídas a São Remigio.

Apesar do alcance modesto de sua obra arquitetônica, Villalpanda discorre sobre arquitetura com grande autoridade e familiaridade. Ele apresenta-se ainda como um hebraísta competente, o que não era esperado de um seguidor de Llull.

O comentário sobre o livro de Ezequiel e a restauração do Templo de Jerusalém nele contida parecem ter consumido grande parte de sua energia. Ele não foi, de fato, o primeiro a propor tal comentário sobre Ezequiel, mas estava convencido – como afirmava claramente – de que era o primeiro devidamente qualificado a fazê-lo.

Villalpanda critica muitos de seus predecessores, tais como Ricardo de São Vitor por sua ignorância das línguas orientais; porém, quando estes apresentavam conhecimento do hebraico, como Nicolas de Lyra (cujo comentário ilustrado com xilogravuras inspiradas nas antigas iluminuras de manuscritos, foi publicado primeiramente em 1489 e novamente em 1588), Villalpanda argumenta que desgraçadamente eles viviam em uma Europa que se encontrava perdida em "fantasias lombardas", e sendo assim desenhavam edifícios como se estes fossem monstros ou prodígios, mostrando desconhecer as leis da arquitetura[28]. Pois a única arquitetura consoante com a razão, a única arquitetura digna desse nome, era aquela codificada por Vitrúvio, e com a qual um intérprete de Ezequiel deveria estar familiarizado. Esse conceito explicita-se ao longo do texto de Villalpanda. A revelação não pode contradizer a razão: a arquitetura vitruviana, sendo a única arquitetura *razoável* (reasonable), era também a única arquitetura possível a partir de uma

28. Pradus e Villalpanda, *op. cit.*, vol. 2, p. 20-21.

revelação divina. Como consequência, Villalpanda não hesita em construir paralelismos (alguns pouco convincentes) entre as regras vitruvianas e as especificações reveladas das Escrituras[29]. Ele chega inclusive a corrigir um comentário de Vitrúvio remetendo-se ao Livro dos Reis[30].

A grande antiguidade dos judeus, sua dignidade como o povo de Deus, o vasto império que as Escrituras parecem lhes atribuir e a considerável autoridade do rei Salomão para além de suas próprias fronteiras parecem justificar para Villalpanda a hipótese de que a arquitetura clássica derivava de modelos judaicos e, em particular, de seu arquétipo, o Templo de Jerusalém. As três ordens canônicas clássicas, com todas as suas variantes, não existiam no Templo. Este apresentava uma ordem complexa, cujos ornamentos e proporções eram de origem divina e da qual derivavam as três ordens descritas por Vitrúvio. A ordem do Templo consistia em uma coluna coríntia modificada, encimada por um entablamento dórico. A veracidade dessa restauração repousava em parte sobre a hipótese da origem judaica da arquitetura clássica, fundamentada sobre a afirmação de Flavio Josefo em *Antiguidades Judaicas* de que os capitéis dos pórticos do Templo seriam coríntios[31]; a referência, no mesmo texto de Josefo, de que Herodes teria elevado o edifício do Templo para ajustá-lo às proporções salomônicas, confirmava a hipótese de Villalpanda de que Templo de Herodes era uma reprodução fiel do original de inspiração divina[32].

Porém, sua segurança parece ter sido inspirada principalmente por outras fortes convicções, estranhas a evidências mais diretas e apenas insinuadas. Evidentemente, a amplitude de sua publicação pressupõe alguns anos de preparação. Ele alega ter concebido a reconstrução 16 anos antes da publicação do primeiro volume – o que seria por volta de 1580[33]. Na mesma passagem, ele deixa entender que Herrera tinha conhecimento da reconstrução e que, ao ver os desenhos, teria afirmado que um edifício de tanta beleza poderia proceder somente e diretamente de Deus. Uma certa mistificação envolve essa declaração, sugerindo a existência de algo como uma revelação pessoal em relação ao projeto. Villalpanda jamais divulga quem teria sido o responsável pela ideia original, ele ou Herrera. De todo modo, Herrera possuía entre os livros de

29. *Idem*, pp. 426-427.
30. 2 Reis 7:20.
31. Josephus Flavius, *Jewish Antiquities*, 15.2
32. Pradus e Villalpanda, *op. cit.*, vol.2, pp. 580-593.
33. *Idem*, *pp.* 17-18.

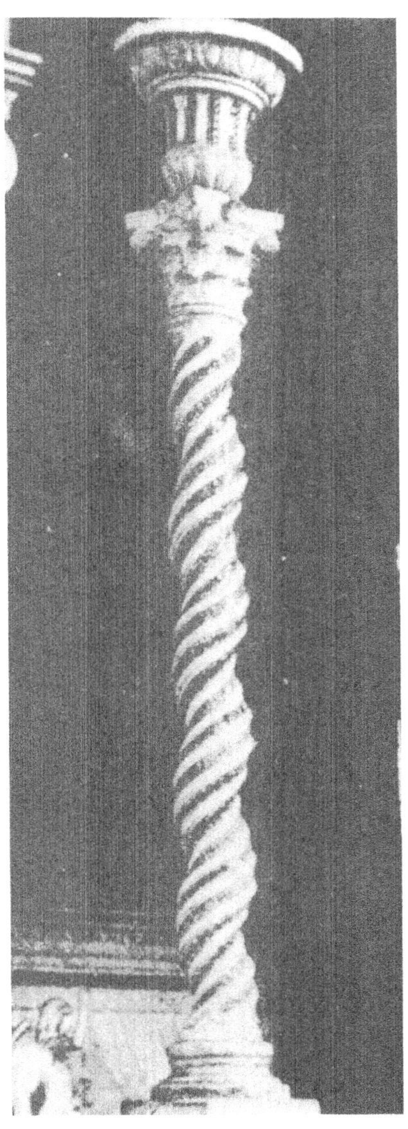

(à esquerda) A Colonna Santa na capela da Pietà, S. Pedro, Roma; a proteção octogonal data do século XV; segundo Alinari.
(à direita) Castiçal de Páscoa, S. Lorenzo Fuori le Mura, século XIII.

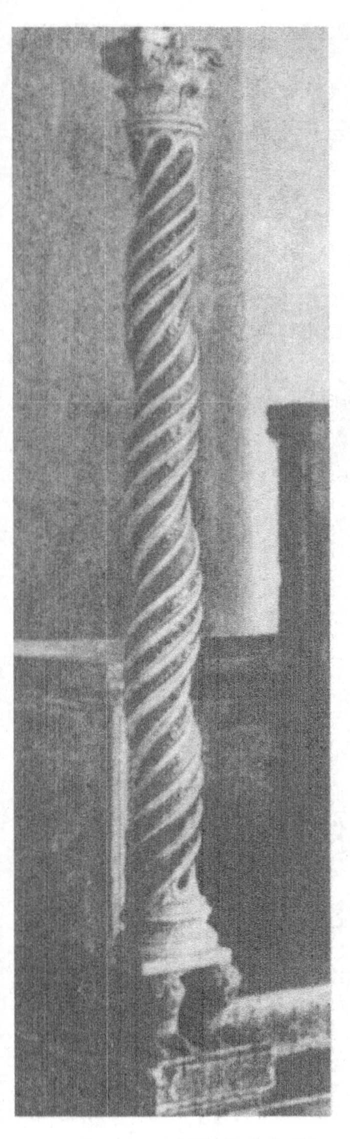

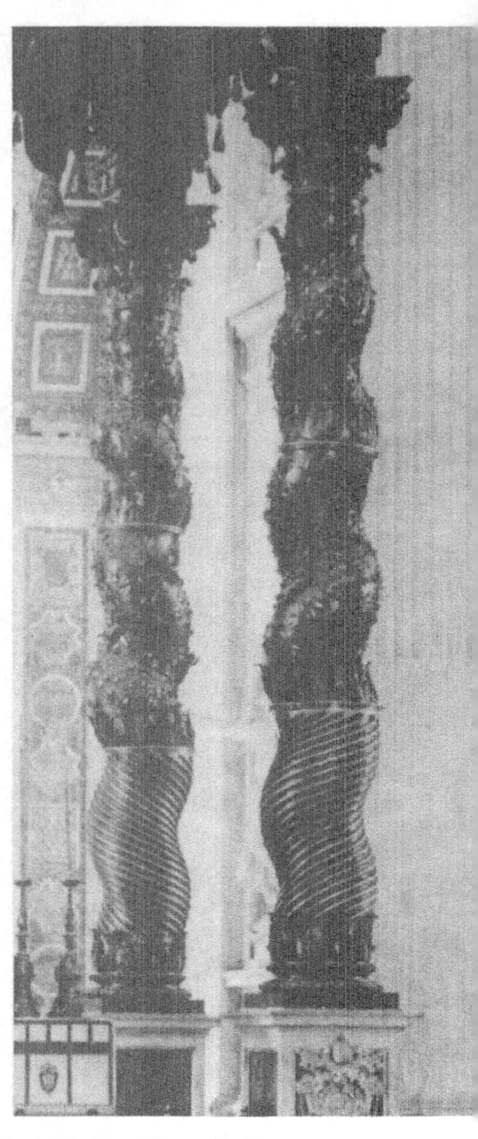

(à esquerda) Castiçal de Páscoa, Santa Maria em Cosmedin, Roma.
(à direita) Bernini: Duas colunas do baldaquino, S. Pedro, Roma.

Rafael: S. Pedro e S. João no Templo. Cartão para tapeçaria. Victoria and Albert Museum, Londres.

sua biblioteca um manuscrito sobre o Templo de Ezequiel, e como faleceu em 1597, antes ainda da publicação do segundo volume de Villalpanda, que continha a restauração, o tal manuscrito não poderia ter nenhuma relação com o texto publicado.

O aspecto do Templo de Jerusalém foi, por longo tempo, parte inevitável da iconografia cristã. Por toda a Idade Média, o Templo foi simplesmente assimilado como uma igreja contemporânea; porém, durante o século XV somente a arquitetura "antiga" poderia servir como modelo para um edifício "majestoso". Em um período em que mesmo cenas medievais, tais como a *Visão de* São *Bernardo* (Perugino, Munique; Filippino Lippi, La Badia, Florença), tinham lugar sobre um fundo "vitruviano", ou um conhecido cenário gótico era "aperfeiçoado" mediante o uso de importações antigas (*São Bernardo Pregando* de Vecchietta, Liverpool, ou os afrescos de São Francisco de Ghirlandaio em Santa Trinità, Florença), o próprio Templo somente poderia ser concebido em termos clássicos, sendo que especulações nesse sentido iniciaram-se antes de Villalpanda. Philibert de L'Orme, alguns anos mais jovem que Herrera, propôs acrescentar ao seu *Premier tome d'architecture* (Primeiro Tomo de Arquitetura) que surge em 1567, um segundo volume "de nossa arquitetura, que versará sobre as proporções e medidas divinas da primeira e antiga arquitetura dos pais do Antigo Testamento, adaptadas à arquitetura moderna [...]" Não se sabe ao certo se L'Orme pretendia incluir uma restauração do Templo em seu segundo livro. Mas, com certeza, nenhum desenho desse tipo sobreviveu. Apesar das numerosas representações impressas do Templo, das especulações numerológicas e cosmológicas de visionários e alquimistas, poucas das reconstruções arquitetônicas anteriores a Villalpanda foram precisas com relação à construção do Templo.

Esta talvez seja a razão pela qual Villalpanda parece tão seguro a respeito do caráter inspirado de seus próprios desenhos do Templo, assim como de sua semelhança com os desenhos originais de inspiração divina; ele estava convencido da existência de uma série desses desenhos originais feitos pela mão do próprio Deus (assim como Ele havia inscrito as tábuas da lei)[34], ou então por uma mão (a de Davi?) guiada diretamente pela inspiração divina, como de fato, o Livro das Crônicas parece sugerir[35].

As desmesuradas pretensões de Villalpanda eram conhecidas antes mesmo da publicação de seu livro, tendo provocado objeções por parte dos teólogos, o que justifica a viagem dos dois jesuítas para Roma, visto que Herrera também já havia tido suas desavenças com a Inquisição; até mesmo no círculo mais próximo de Felipe II, escutavam-se as críticas por parte dos eruditos. Entre estes opositores, o mais culto e persuasivo era o humanista Benito Arias Montano, primeiro bibliotecário do Escorial. Teólogo do Concilio de Trento, Montano é conhecido principalmente como o editor da imensa Bíblia poliglota de Antuérpia, em cujo sétimo volume (publicado em 1572) incluiu o *Exemplar*, *sive de Sacris Fabricis Liber*, no qual apresenta sua própria reconstrução do Templo salomônico, quiçá mais sóbria que a de Villalpanda, porém ainda inteiramente clássica. Montano negava, sem aprofundar-se no tema, que a visão do Templo de Ezequiel corresponderia ao verdadeiro edifício de Salomão[36]. Villalpanda, por outro lado, considerava que essa reconstrução "não seguia, nem mesmo parcialmente, as especificações da sagrada profecia", e que Montano havia cometido um erro fatal ao reconstruir o Templo salomônico sem consultar a Ezequiel, nem a Vitrúvio ou a Euclides: mostrando-se dessa forma também "ignorante dos métodos e das leis da arte". Villalpanda, respaldado na confiança pelo sobrenatural e por sua familiaridade com as leis da arquitetura, deixou uma marca indelével sobre o tema, de modo que, certamente, nenhum de seus sucessores ou oponentes, ou qualquer outro que desde então tenha se dedicado ao motivo do Templo de Salomão poderia tê-la ignorado por completo, nem mesmo quando refutada pelo frade barnabita Agostino Torinelli (cujos *Annales sacri et profani* foram populares por mais de dois séculos). E houve muitos outros autores que se ocuparam do tema. Em 1642, o rabino

34. 2 Paralipomenon 28:ll.
35. Pradus e Villalpandus, *op. cit.*, vol. 2, p. 71.
36. *Idem*, pp. 20-21.

Montano: Restauração do Templo de Jerusalém

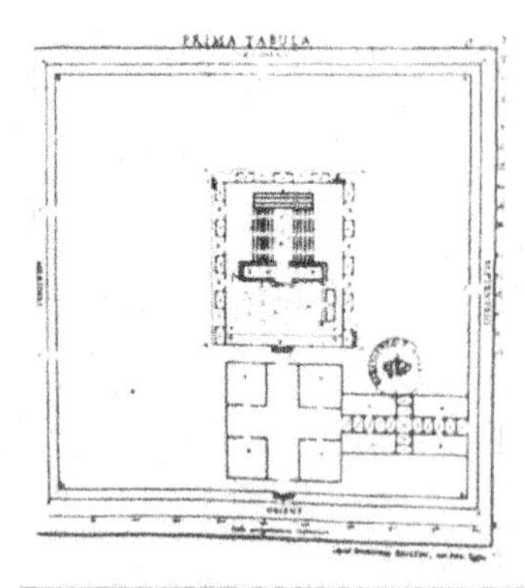

Restaurações do Templo de Jerusalém.
em cima: Claude Perrault; *em baixo*: Lamy.

Jacob Jehudá Leon publicou a sua versão, que já havia sido admirada na forma de um modelo construído em madeira, executado e exibido nos Países Baixos. Em 1650, John Lightfoot publicou seu livro *The Temple, Especially as it Stood in the Dayes of Our Saviour* (O Templo, Especialmente como Existia nos Dias de Nosso Salvador); e em 1657 surgiu o primeiro volume da Bíblia poliglota de Londres editada por Brian Walton, contendo um texto longo do hebraísta francês Louis Coppel, centrado na reconstrução de Villalpanda. Todos esses projetos eram relativamente grandiosos, à exceção daquele de Lightfoot talvez um pouco mais simples, mas nenhum tão modesto e anticlássico como aquele imaginado por Claude Perrault, o desmistificador das ordens clássicas, para a edição latina do *Mishneh Tora*, de Maimônides, publicada em 1678 pelo hebraísta francês Louis Compiègne de Veil; finalmente, em 1721, surge o largo in-fólio do oratoriano francês Bernard Lamy, dedicado exclusivamente ao templo e a Jerusalém – um livro elegantemente ilustrado, que parece combinar o essencial da reconstrução de Perrault com algumas das ideias grandiosas de Villalpanda (ver apêndice 3).

Apesar da grande quantidade de literatura hostil, e apesar do justificado ceticismo de distintos estudiosos da Bíblia (e mesmo teóricos da arquitetura, como Perrault, que jamais perdia a ocasião de fustigar Villalpanda), as luxuosas lâminas de seu livro apresentavam-se bastante atraentes, sendo citadas por numerosos teóricos da arquitetura; Guarino Guarini, por exemplo, inclui uma versão um tanto expurgada da ordem do Templo à sua lista de capitéis extravagantes, e confessa tê-la utilizado com sucesso. Fréart de Chambray, que talvez tenha escrito o mais culto e popular tratado sobre as ordens paralelas (publicado pela primeira vez em 1650), incluía a ordem do Templo de Villalpanda entre suas colunas coríntias; entretanto, Fréart se mostra, de certa forma, um tanto indiferente em suas recomendações se considerarmos que ele a chamava de "a flor da arquitetura, e a ordem das ordens".

> Por exemplo – ele afirma –, supondo a construção de igrejas e altares em memória daquelas generosas virgens que desde sua tenra idade resistiram a crueldade dos tiranos [...] superando com sua perseverança toda sorte de tormentos: o que poderíamos imaginar de mais expressivo e digno de sua coragem que essa ordem divina?[37]

Está claro que a mistura do coríntio e do dórico ia contra a formação acadêmica Fréart. No caso citado, razões iconográficas sugeriam que a ordem fosse utilizada "com atitude e razão tais, que o resultado seria não somente perdoável, mas bastante criterioso".

37. Roland Fréat de Chambray, *A Parallel of the Ancient Architecture with the Modern*, p. 76.

A influência das lâminas não se limitou à já citada imitação da ordem do Templo. O Templo salomônico de Villalpanda foi reproduzido nos comentários sobre as Escrituras, nas Bíblias ilustradas ou nas edições de Flavio Josefo, e em livros de viagens. Mas acima de tudo, ele se converteu na pedra de toque da teoria arquitetônica; Nicolaus Goldmann, por exemplo, o matemático que também se dedicou à arquitetura civil e militar, estabeleceu um sistema de proporções sobre uma versão modificada da reconstrução de Villalpanda. Esse sistema foi ampliado e publicado, primeiramente como um comentário sobre o templo, e mais tarde, separadamente, como um ensaio sobre as proporções harmônicas – *Die unentbärliche Regel der Symmetrie oder: Des Ebenmasses, Wie sie Zuförderst an dem herrlichsten Exempel des göttlichen Tempels von Solomone erbauet wahrzune(h) men* [...] Do mesmo modo, claramente influenciadas pelas hipóteses de Villalpanda, as especulações de René Ouvrard sobre a validade universal das proporções harmônicas foram publicadas em 1679. Quando Fischer von Erlach publicou a primeira história geral da arquitetura, *Entwurf einer historischen Architektur*, em 1721, ele ilustrou o Templo de Jerusalém de acordo com a reconstrução de Villalpanda. Os debates foram retomados por volta de 1740, quando uma imensa quantidade de material, a favor e contra Villalpanda (mas principalmente contra), foi publicada no oitavo e nono volumes do *Thesaurus Antiquitatum Sacrarum*, de Biagio Ugolino.

As principais hipóteses de Villalpanda a respeito das origens das ordens ainda inspirariam um dos mais singulares textos da literatura arquitetônica de língua inglesa, publicado em 1741: *The Origin of Building, or the Plagiarism of Heathens Detected* (A Origem da Construção, ou o Plágio dos Idolatras Detectado), escrito por John Wood, o velho, o arquiteto de Bath.

Para Wood, o "segredo" das ordens teria sido revelado por Deus diretamente a Moisés, e a ordenação divina para a construção do tabernáculo constituiria a verdadeira origem de uma arte de construir formalizada. A construção, assim como foi narrada pelas Escrituras, representava o abandono dos antigos métodos, de fincar no solo estacas aforquilhadas para sustentar um telhado, conforme foram descritos por Vitrúvio e Lucrécio.

> As árvores ou as estacas com as quais se faziam os pilares foram destituídas das bases que lhes ofereciam as antigas construções, as estruturas que as fixavam ao solo. E assim, DEUS supriu essa imperfeição com o auxílio da arte que ele havia REVELADO, oferecendo uma outra espécie de base, larga o suficiente para mantê-los verticais... Além disso, a graciosa vontade de Deus se manifestou mostrando por meio daqueles pilares como deveríamos atender nossas necessidades na construção com o uso dos materiais da terra, e ainda, como conciliar a Arte com a Natureza [...] com esse propósito, os pilares que imitavam as árvores, foram dotados de uma base em sua extremidade inferior que correspondia às raízes, e capitéis no seu topo representando a ramagem da árvore: Deus nos mostrava em

Restauração do Templo de Jerusalém de acordo com Villalpanda, segundo Fischer von Erlach.

um único e mesmo objeto como deveríamos nos aplicar na imitação dos elementos naturais [...][38]

Não reproduzirei aqui a fantástica cronologia da transmissão dos detalhes da revelação mosaica aos gregos; segundo Wood, as ordens foram atribuídas, tradicionalmente, aos gregos, "pois sendo eles um povo naturalmente inclinado à ficção, tanto ornaram a sua história das origens das ordens, que os romanos, sem quaisquer reticências, lhes concederam o invento daquelas belas partes, como testemunham os escritos de Vitrúvio [...]" A cronologia de Wood, apesar de suas revisões, apresentava influências claras das cronologias do Arcebispo Ussher e de Isaac Newton. Alguns anos após a publicação da obra *The Origin of Building* (A Origem da Construção), ele a ampliou desenvolvendo um pequeno guia sobre Bath e um segundo texto sobre Stonehenge, os druidas e o mítico rei inglês Bladud, fundador de Bath – *Choir Gaure, Vulgarly Called Stonehenge* etc. –, no qual atribui aos ingleses, entre outros feitos, a construção do templo de Apolo[39] em Delfos. Wood era um nacionalista no espírito do século XVIII, mas também um protestante da linha wesleyana. Apesar de não estar diretamente familiarizado com a obra de Villalpanda, ou a literatura italiana, espanhola, alemã ou latina – ele cita principalmente textos ingleses –, é provável que tenha visto ou ouvido comentários sobre a imensa maquete do Templo de Villalpanda terminada em 1694 pelo arquiteto Johann Jakob Erasmus, de Ham-

38. John Wood, *The Origin of Building*, p. 70.
39. John Wood, *Choir Gaure*, p. 10.

(nesta página e na próxima Reconstrução do Templo de Jerusalém de acordo com Villalpanda. Maquete em madeira de J. J. Erasmus.

burgo, e exposta na Inglaterra antes de 1720 (podendo ainda ser vista no Museum fur Hamburgische Geschichte). A sua prática palladiana era estimulada pela crença, estranhamente paralela à de Felipe II, dois séculos antes, de que ao seguir os preceitos vitruvianos ele estaria realizando uma tarefa piedosa. E curioso encontrar uma convicção tão forte como a de Wood no momento em que os primeiros teóricos do neoclassicismo questionavam o caráter extratemporal e mítico das ordens, e os mestres do rococó desafiavam com insolência as regras vitruvianas.

Fossem quais fossem as fraquezas e os exageros da reconstrução do Templo de Villalpanda e seus ornamentos, não há dúvida de que sua obra contribuiu para revitalizar as ordens clássicas. No século XV, a arquitetura clássica havia oferecido o único repertório de temas que permitia a reinterpretação dos programas tradicionais da arquitetura sagrada assim como da arquitetura pública secular, pois a evocação da antiga grandeza era *o* grande tema da retórica do *Quattrocento.* Além disso, as referências aos edifícios do reinado de Constantino proporcionavam à arquitetura clássica uma prova adicional de sua relação com a arquitetura cristã dos primeiros tempos. Contudo, à medida que proliferava a literatura arquitetônica, as referências precisas de um classicismo politizado, relativo a períodos distintos e definidos (republicano em Florença, imperial em Milão), dissolveram-se em um tempo arcaico e mítico indefinido, no qual a arquitetura da Antiguidade Clássica transformou-se em uma arquitetura absoluta e atemporal, cuja justificativa não encontrava precedentes a não ser a própria razão, debilitando inclusive o apelo do precedente sacro do período de Constantino.

Villalpanda considerava como certa a natureza absoluta da arquitetura clássica. Para ele, a razão não era uma garantia suficiente desta retidão absoluta, assim como a razão isolada não poderia alcan-

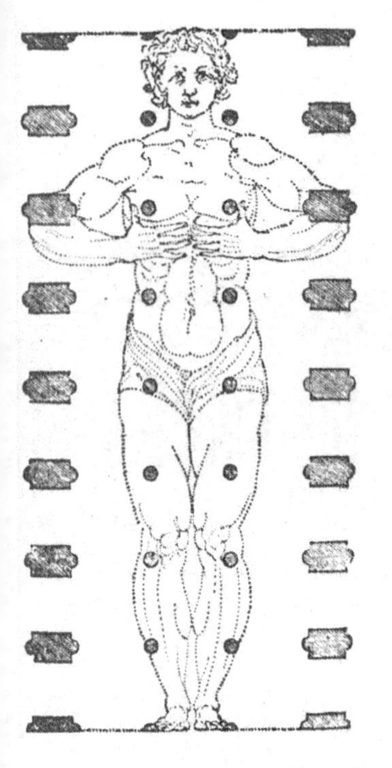

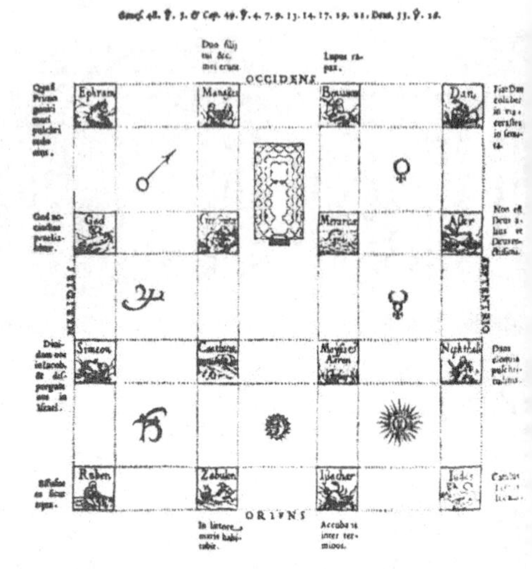

(à esquerda) O santuário do Templo de Jerusalém e o corpo ideal, segundo Pradus e Villalpanda.
(à direita) O templo de Jerusalém com os pátios atribuídos aos planetas, e os pórticos das tribos, aos signos do zodíaco, segundo Pradus e Villalpanda.

çar a perfeição da fé. Devemos lembrar também que Villalpanda não era um teórico da arquitetura, mas um biblista e teólogo que justificava os empreendimentos construtivos de Felipe II, seu mestre, como exercícios espirituais singulares pela vasta corporeidade de suas manifestações, e que por sua própria escala pareciam refletir as mesmas manifestações do rei Salomão, o modelo do governante sábio.

Villalpanda foi um dos poucos autores que se ocupou de outros temas que teriam um impacto importante e direto sobre cinco ou seis gerações de arquitetos práticos. Elevar a arquitetura acima da razão e acima do mito era para ele inseparável de seu objetivo principal: revesti-la de uma autoridade divina absoluta, sem negar seu contexto histórico. A necessidade recém-experimentada de uma tal autoridade foi talvez mais poderosa do que supunha o próprio Villalpanda. De qualquer modo, foi como consequência de sua obra que as ordens clássicas transformaram-se em um arquétipo inevitável para uma arquitetura da graça. E, enquanto arquétipo, o próprio templo incorporou seus predecessores: a arca de Noé e o tabernáculo do deserto;

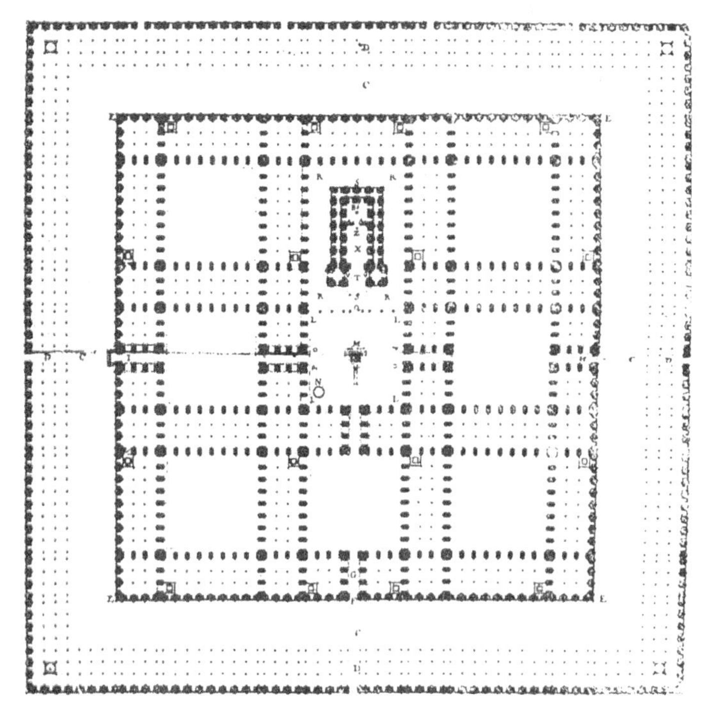

Planta do Templo de Jerusalém de acordo com Villapanda, segundo Pradus e Villalpanda.

na realidade, a ornamentação do templo fundamentava-se na do tabernáculo. A transposição das formas originalmente feitas em madeira para a pedra evoca as teorias de Vitrúvio sobre a origem das ordens nas construções em madeira. O próprio traçado do Templo de Villalpanda, com seus 12 pavilhões, imitava a disposição das 12 tribos ao redor do tabernáculo no deserto; representando ainda as 12 casas do zodíaco, enquanto que os sete pátios representavam os planetas. A antiga origem do sistema de proporções canônico a partir do corpo humano é um elemento importante para Villalpanda, mesmo que sob uma formulação nova e quase medieval. As proporções do templo baseiam-se no corpo humano ideal, ou seja, o corpo do Salvador. O Salvador, ele próprio, conforme uma acepção particular, o templo do Espírito Santo, apresenta-se prefigurado de forma anagógica em Jerusalém pela presença do Templo "construído pelas mãos dos homens". E, particularmente, suspeito que mesmo os teóricos mais céticos da arquitetura, aqueles que haviam rejeitado suas interpretações das escrituras e suas detalhadas reconstruções, adotaram um tom indulgente com relação a Villalpanda por aceitarem suas hipóteses subjacentes.

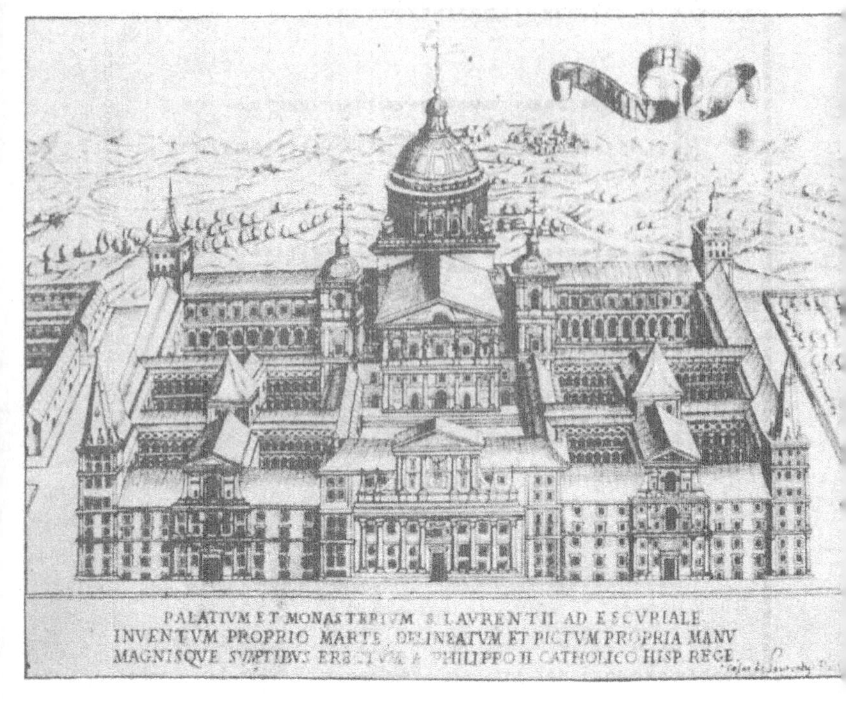

O Escorial, segundo Caramuel de Lobkowitz.

Juan Caramuel de Lobkowitz, o bispo falante e jocoso de Vigevano, estruturou seu livro em torno de noções semelhantes. Seu tratado de arquitetura (entre muitas de suas publicações) intitulava-se *Templum Solomnis in Jerusalem, Rectam et Obliquam exhibens*, contando ainda com um subtítulo bastante prolixo em espanhol (a língua do texto) – do qual reproduzo apenas um resumo – *Architectura civil Recta y Obliqua, Considerada y Debuxada em el Templo de Jerusalém... Promovida a summa Perfection em el Templo y Palácio de D. Lorenço cerca del Escorial.* Lobkowitz publicou seu texto em 1678, na prensa de sua própria diocese. Apesar de suas próprias ilustrações do Templo deverem mais ao Rabi Jehuda Leon que a Villal-panda, ele cita este último com grande respeito; e, de toda forma, o conceito fundamental subjacente ao conjunto da obra deriva claramente de Villalpanda. Do mesmo modo, Lobkowitz estava convencido de que ambos os projetos do templo eram de inspiração divina, embora seja muito insistente sobre a madeira como o ponto de partida de toda a ornamentação em pedra e de fato, da própria construção, afirmando que (tendo como referência um teórico anterior padre Pierre de Chalés) este seria o "ensinamento verdadeiro e universal" sobre as origens da arquitetura. Lobkowitz estava familiarizado com a hipótese das origens da arquitetura a partir das cabanas e cavernas, conforme demonstrado pelos autores antigos (e particularmente por Vitrúvio) e desenvolvido por seus comentaristas. Ele também é um dos primeiros a fazer extensas referências às moradias dos índios americanos, dos esquimós (os trogloditas Scriningeri que não conheciam as leis – ao mesmo tempo, parece desconhecer a existência dos iglus), e está familiarizado com as casas-barcos dos malaios e com as moradias dos arborícolas africanos. Lobkowitz recolhe material das narrativas de viagens e da popular literatura missionária, e curiosamente anota ter visto uma rede de dormir na casa de um negociante em Antuérpia, comentando então sobre o bom senso dos hábitos de dormir dos ameríndios[40].

Com tudo isso, Lobkowitz, amante dos paradoxos e das contradições, argumenta que a arquitetura militar é mais antiga que a civil, lembrando que embora como um ser perfeito, o homem pecou e foi expulso do paraíso: as muralhas que o impediam de retornar constituíram então a primeira arquitetura, guardada por anjos com espadas flamejantes, que teriam sido os primeiros soldados. Esse protótipo é fruto do raciocínio idiossincrático de Lobkowitz, sem qualquer relação mais direta com as ilações menos tortuosas dos principais teóricos da arquitetura. As gigantescas paredes de pedra, defendidas pelos resplandecentes cavaleiros celestes, evocam as imagens descritas pelos fabulistas e viajantes medievais do inacessível "paraíso terrestre". Não obstante, Lobkowitz não desenvolve essa ideia. Ao contrário, surpreendentemente, ele dedica uma grande parte de seu livro descrevendo moradias primitivas de vários tipos; com particular insistência, como já apontei, àquelas dos índios americanos, que por sua dignidade pessoal, vida ordenada, generosidade e beleza física, tornar-se-iam candidatos ideais para assumir o papel do nobre selvagem, objeto que tanta fascinação provocaria no período seguinte. Outro exemplo é a ênfase de Lobkowitz no detalhamento do "palácio" do cacique de Hispaniola (i.e. Haiti), construído em madeira e taipa, descrevendo seu pátio, pórticos e pilares nos mesmos termos que usaria para descrever um edifício clássico. Porém, ele não menciona, em parte alguma do texto, a arquitetura de pedra, bem mais avançada, do Peru e do México; talvez porque a desconhecia, talvez porque lhe fosse desagradável. Afinal, sua intenção não era apresentar uma descrição analítica ou comparativa da arquitetura mundial, mas justificar a procedência de *todas* as arquiteturas a partir dos métodos "racionais" dos antigos e da intervenção da divina providência, culminando na única arquitetura possível, aquela da Antiguidade Clássica, a qual (como indica o título de seu livro) alcança a perfeição com a construção do Escorial, o sucessor do Templo de Jerusalém.

40. Juan Caramuel de Lobkowitz, *Architecture! Civil Recta y Oblique*, p. 77.

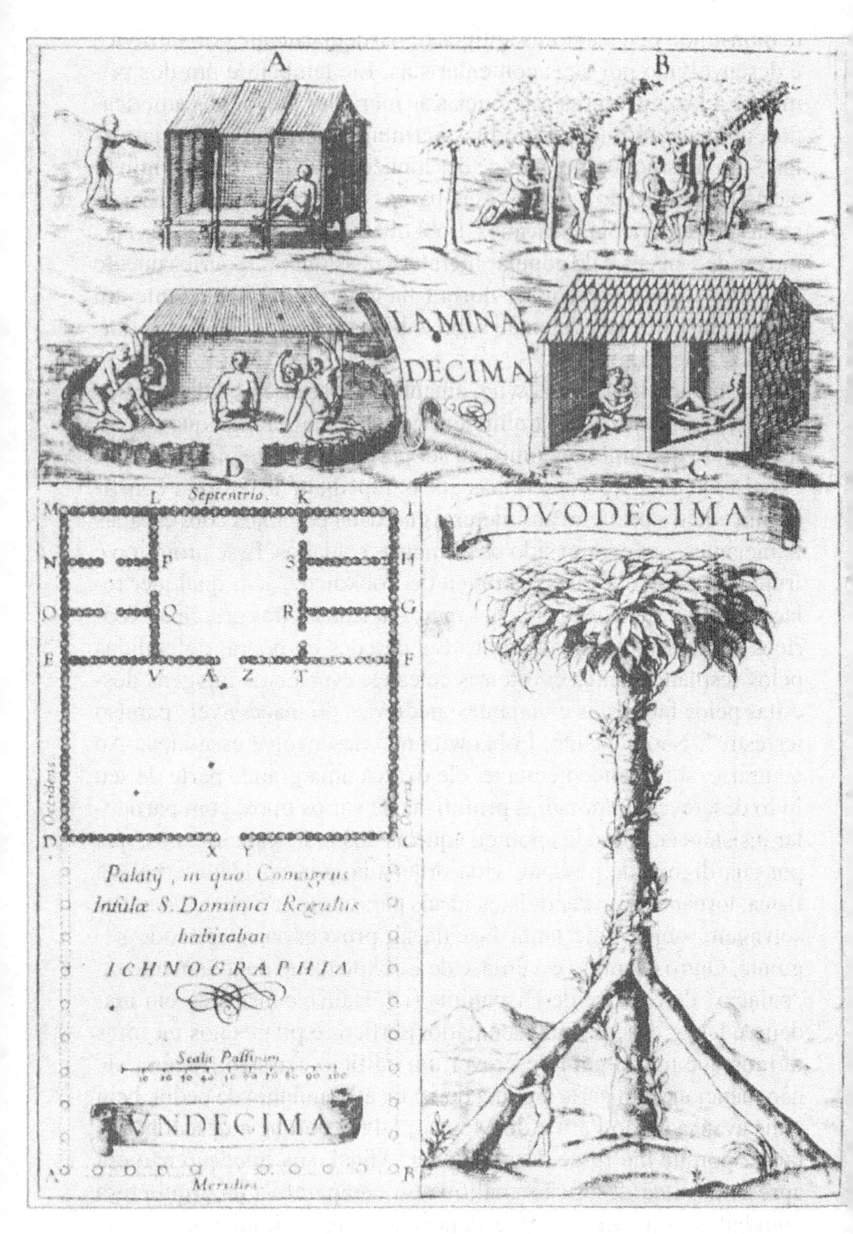

Cabanas em Hispaniola (Haiti), segundo Caramuel de Lobkowitz.

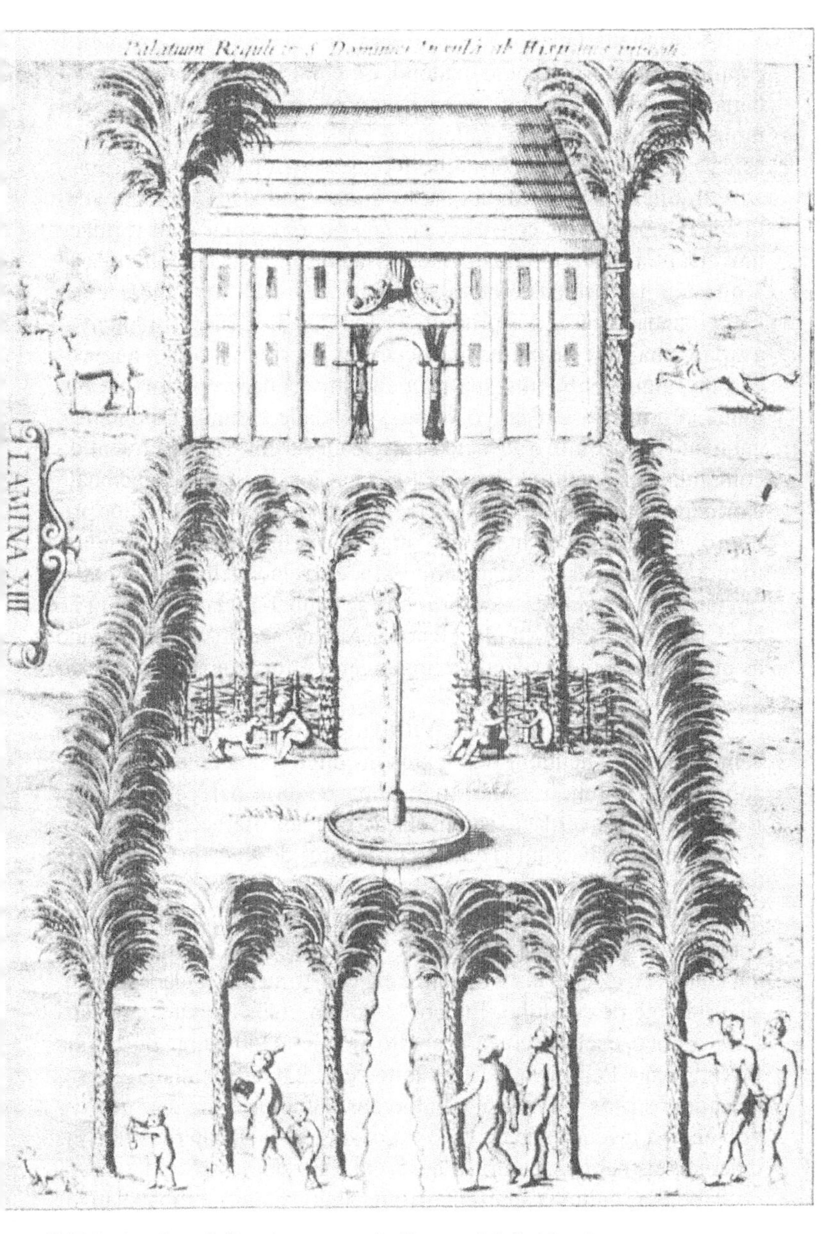

Palácio do rei em S. Domingo, segundo Caramuel de Lobkowitz.

A arquitetura clássica tem origem, "es *la doctrina verdadera y comum*", na construção de madeira, ou em última instância nas cabanas construídas com madeira e juncos – e, como Lobkowitz demonstra a sua existência em todas as partes do mundo (assim como as cavernas e as habitações arborícolas mencionadas por Vitrúvio) –, a arquitetura clássica, enquanto única "dedução" racional adequada das primitivas construções, *deveria* apresentar uma validade universal. Já sugeri o fundamento dessa afirmação. Mas com relação à questão das origens ainda existe uma distinção que merece ser mencionada. Apesar dos primeiros capítulos do Gênesis creditarem a Adão uma série de outras invenções, as Escrituras isolam a invenção da linguagem como sua primeira atividade propriamente humana, o primeiro indicativo de uma atividade humana espontânea, enquanto que a Caim é atribuída a atividade da construção no sentido comunitário. Por outro lado, os autores pagãos, já citados, relacionam a origem da linguagem com a origem da construção no seio dos primeiros agrupamentos humanos, ou seja, a primeira forma genuinamente humana de associação. Essa correlação tem fascinado, obviamente, a todos os escritores que se ocuparam da arquitetura no ocidente – alcançando o nível da obsessão no século XVIII, quando as questões sobre a origem da linguagem se tornaram um dos principais temas de especulação.

De certa forma, o texto de Vitrúvio se apresenta como um beco sem saída pois nenhum dos textos arquitetônicos anteriores a ele sobreviveu, e sendo assim, meu tema poderia parecer exaurido. Resta, a bem da verdade, a consolação que nos oferecem alguns comentaristas das Escrituras que tratam da arca de Noé, do tabernáculo e do Templo, ou mesmo da Torre de Babel. E, todavia, o primeiro edifício implícito nas Escrituras, contemporâneo do homem caído, é anterior a todos esses arquétipos: "E Caim conheceu sua esposa e ela concebeu e deu à luz a Enoch: e ele construiu uma cidade, dando-lhe o nome de seu filho, Enoch"[41]. Porém, mais adiante, as Escrituras pouco esclarecem a respeito do delicado tema de minha investigação. Por outro lado, os mitos e as lendas populares – e sobretudo, os ritos – apresentam algo das numerosas crenças que envolveram a invenção do edifício e a passagem dos materiais friáveis e perecíveis para os materiais duráveis e resistentes.

Todas as culturas apresentam uma ampla gama de ritos relativos à construção, porém a mim não provocam maior interesse os relacionados a residências particulares, templos ou palácios, ou ainda cidades inteiras. Minha reflexão se faz principalmente sobre a "outra" casa, que pode se apresentar sob a forma de um morada que existiu em outros tempos, antes que uma intervenção heroica ou divina a tenha transformado em pedra; ou envolver uma cabana ainda exis-

41. Ge 4:17.

tente, que nos "primeiros dias" tenha sido habitada por um deus ou um herói, ou então, mais comumente, pode apresentar-se sob a forma de um rito de construção de cabanas que de certo modo se assemelham ou comemoram aquelas construídas pelos antepassados ou heróis em algum tempo remoto e importante da vida da tribo. Em todos os casos, são "outras" que se distinguem das normais no tempo e no espaço. E em todos os casos encarnam alguma sombra ou memória daquele edifício ideal que existiu antes dos tempos: quando o homem sentia-se inteiro em sua casa, e sua casa era tão justa quanto a própria natureza.

6. Os Ritos

No oitavo livro das *Metamorfoses*, Ovídio narra a história de Filemon e Báucis, cuja casa foi transformada em um templo por Zeus e Hermes, como recompensa por sua hospitalidade generosa; seus pontaletes de madeira converteram-se em colunas de mármore e a palha do telhado transformou-se em bronze dourado. E, quando chegou sua hora derradeira, estes dois velhos não morreram, mas foram transformados, ele num carvalho e ela numa tília, permanecendo sempre um ao lado do outro[1]. Essa história encantadora de felicidade na pobreza, de generosidade e fidelidade recompensadas, ilustra duas características que, a meu ver, são interessantes. Uma é a metamorfose de seres humanos em árvores; a outra, a transformação da cabana num templo de pedra.

Os dois cônjuges fiéis não eram, naturalmente, pessoas "simples": as duas árvores nas quais foram enclausurados pelos deuses eram objeto de culto usual nos santuários dos heróis. A história tem algo em comum com outras lendas que falam da transformação de seres humanos em plantas, como as de Jacinto e Narciso, muito embora esta subcategoria de metamorfose em árvores tenha conotações um tanto diferentes, em particular no que concerne aos ritos. A história de Apolo e Dafne, que aparece no início das *Metamorfoses* de Ovídio, é a mais conhecida e atraente de todas essas lendas[2]. O lou-

1. Ovídio, *As Metamorphoses*, 8.611-725.
2. Mem, 1.450-595.

reiro desempenhava um papel muito importante no culto de Apolo. Em sua descrição do maior e mais famoso de todos os santuários apolíneos, o Templo de Delfos, Pausânias inclui a história mítica da construção do edifício central. "Afirma-se que o templo mais antigo de Apolo era feito de madeira de loureiro e os ramos trazidos de Tempe. Esse templo, portanto, devia ter a forma de uma cabana. Pois os habitantes de Delfos acreditam que o segundo [templo] era feito de cera e plumas, e que fora enviado por Apolo aos hiperbóreos." (Pausânias faz aqui uma digressão sobre o mito, fundamentada num jogo de palavras entre o nome do homem Ptéron –*pteros*, asa – e um possível templo de folhas de pteridófitos que, na realidade, não me interessa aqui). "Quanto ao terceiro templo", diz Pausânias, "não é surpreendente que fosse edificado em bronze"[3]. Entretanto, no que tange ao resto da lenda, não acredito que tenha sido construído por Hefestos, nem tampouco creio na história dos cantores áureos que o poeta Píndaro menciona, ao falar deste templo específico:

> E desde o alto do frontão
> Cantam magos, todos de ouro[4].

Na minha opinião, Píndaro aqui simplesmente imitou a descrição homérica das sereias. No entanto, descobri que os relatos sobre o desaparecimento desse templo diferiam. Alguns dizem que caiu num abismo da terra, outros que foi consumido pelo fogo.

"O quarto templo foi construído por Trofônio e Agamedes, e a tradição relata que era feito de pedra. Mas, incendiou-se [...] e o templo atual foi construído [...] pelos anfictiões". Contudo, deve-se dar certo crédito à lenda, tal como aparece em Pausânias. Segundo essa descrição, o santuário original era uma cabana de galhos de loureiro: isso é claramente pertinente ao meu argumento principal, e retornarei ao tema. Porém, a história sobre o segundo e o terceiro templos também contém certas referências a algumas crenças délficas. Em Delfos, as *Thriai*, as três irmãs do destino, eram conhecidas pelo nome de Abelhas; e, se interpreto o hino homérico corretamente, viviam numa fenda do Parnaso, ocupando-se da fabricação de cera[5]. Sua divinação era confiável apenas quando se alimentavam do "doce alimento dos deuses"; se o mel lhes fosse negado, perdiam a orientação e não diziam mais a verdade. É claro que Delfos não era o único lugar em que as abelhas e o mel eram cultuados. Em Éfeso, existia uma irmandade de abelhas, as Melissas, que pertenciam ao culto de Ártemis, e havia igualmente sacerdotisas de Deméter com

3. Pausânias, *Description of Greece* 10. 5. 5.
4. Píndaro, *Fragments*, hino 8, fr. 41:70-71 [Píndaro fala sobre seis magos].
5. Homero, *Hymn*: *To Mercury* 551-563.

o mesmo nome. A ninfa Melissa e a cabra Amaltéa foram as amas gêmeas do pequeno Zeus em Creta[6]. Os comentaristas observaram nessa conexão que Canaã, ao ser prometida para os judeus, foi descrita como uma terra "da qual emanam o leite e o mel", e que os judeus tinham uma profetisa chamada abelha-Débora[7] que, por sua vez, foi identificada com outra Débora, a ama de Rebeca[8].

O mel é identificado com a infância e a amamentação, e com a profecia da água-mel. Ademais, acreditava-se que o mel fosse um conservante e, por conseguinte – ou simplesmente por associação a crianças lactentes –, uma das substâncias oferecidas aos mortos. As almas dos mortos eram, às vezes, chamadas de abelhas[9]. A cera também era um conservante, compartilhando de muitas das propriedades do mel, junto ao qual se encontrava. A cor e a translucidez do mel associavam-se, por razões bastante óbvias, ao âmbar; este se assimilava, do mesmo modo, ao ouro e, ao que parece, era depositado –assim como o ouro – nas tumbas, de forma similar ao que se fazia com o jade puro nos túmulos chineses. Segundo a lenda, o âmbar provinha do rio Eridano, na terra dos hiperbóreos[10], região lendária do Norte, que Apolo visitava ao ausentar-se de Delfos durante o inverno, e com a qual mantinha outras ligações míticas. Teria a dádiva do templo de cera, construído pelos deuses, servido para celebrar a transmissão de técnicas de fundição para algum povo setentrional? Talvez. Os hiperbóreos são apresentados na lenda como selvagens ingênuos e amáveis, que habitam uma terra ideal: estamos, pois, diante de uma versão exaltada do bom selvagem do século XVIII[11].

A sucessão de santuários fica completa com o templo de pedra, erigido por dois heróis-construtores com a ajuda do próprio deus. De acordo com certas lendas, Trofônio era filho de Apolo, mas tinha também relações familiares com Agamedes (seu enteado? seu irmão?) e ambos eram os heróis de outras lendas de construção, algumas com ecos egípcios curiosos. Entretanto, sua fama maior se deve a seu caráter de deidade do grande santuário profético beócio de Lebadia – um santuário do tipo incubatório e de natureza claramente ctônica[12].

Se devemos acreditar na lenda, esse também era o caráter do santuário de Delfos, durante o tempo em que esteve consagrado a

6. Calímaco, *Fragments*: *Hymn to Apolo*, 105; cf. Ovidio, 3. 27.

7. Jz 4:6.

8. Gn 35:8.

9. Cícero, *Tusculan Disputations*, 1. 45.

10. Heródoto, *Histories*, III, 112.

11. Alceu, *Fragments 2*; Apolônio de Rodes, *Argonautica*, 2.674-682; 4. 611-615. Plínio, *Natural History* ,4. 12. 89; Cícero, *De Natura Deorum* (Da Natureza dos Deuses), 3. 33. 57.

12. Pausânias, *op. cit.*, 9. 39. 5.

Apolo matando Píton no trípode. Moeda de Hierápolis, Museu Britânico, Londres.

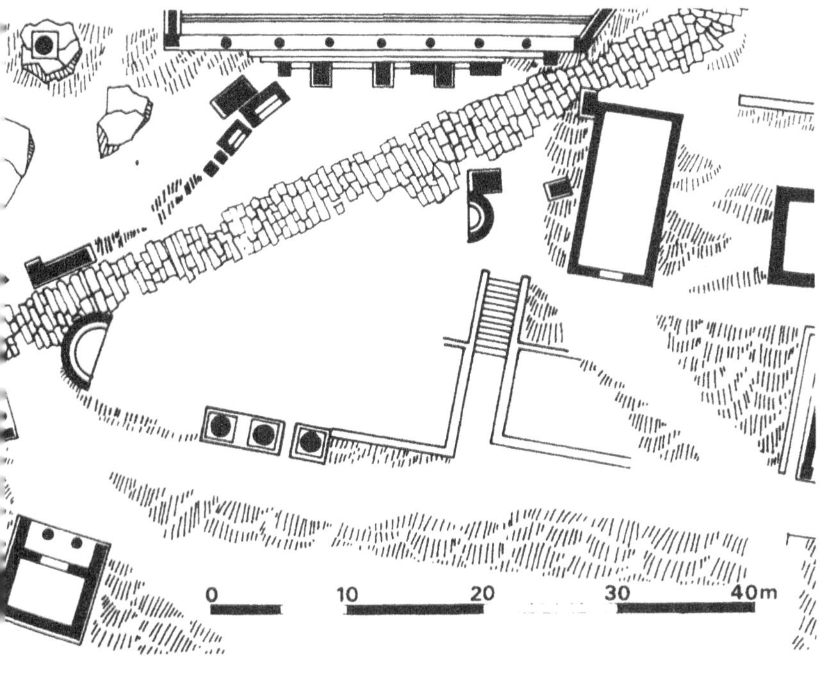

O local do templo de Delfos. O desenho mostra a "eira".

Geia, a Mãe-Terra, e era guardado por seu filho Píton, a serpente monstruosa que Apolo matou antes de assumir, ele próprio, o patronato do oráculo.

Ainda assim, existem certas ambiguidades na morte de Píton. Não se trata, como ocorre com tanta frequência nos contos de fadas, da morte de monstros, que tem por objetivo livrar o mundo de uma maldição terrível; foi um ato que exigiu uma expiação, e não a expiação simples que pode acompanhar a morte de um animal, inclusive de um animal sagrado[13]. Tal expiação exigia submissão a provas complexas e a realização de uma jornada. Esta viagem ao vale de Tempe, entre Olimpo e Ossa, tinha uma ligação ritual permanente com Delfos. A cada oito anos (ou nove, como diz Pausânias), celebrava-se em Delfos uma festa chamada Setentrião, pelos sete anos de intervalo transcorridos entre uma e outra. Vários autores nos deixaram descrições bastante confusas sobre o que nela acontecia. "O Setentrião", diz Plutarco, "parece ser uma representação da fuga de Apolo para Tempe e da perseguição que se seguiu a esta fuga. Alguns dirão que Apolo fugiu porque desejava purificar-se [...] outros, que estava perseguindo a píton ferida. O Setentrião é, portanto, uma dra-

13. Pausânias (trad. Sir James George Frazer), vol. 3, p. 53.

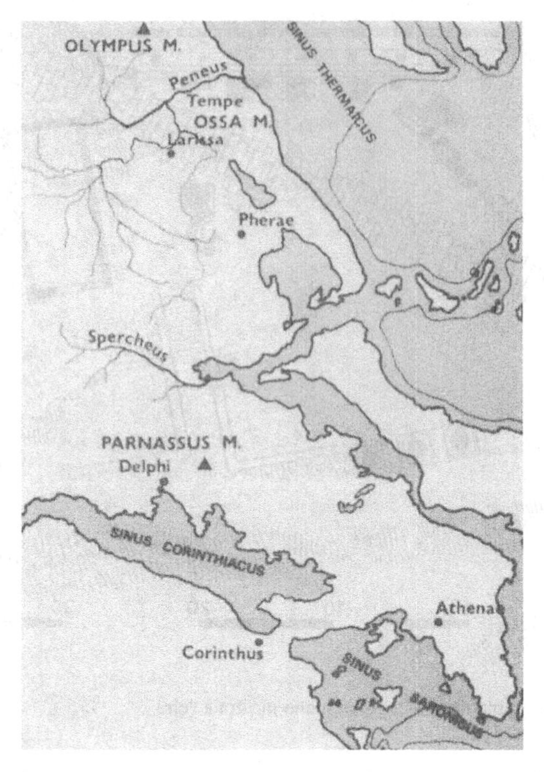

O mapa da Grécia centro-ocidental, mostrando Delfos e o vale de Tempe.

matização desses temas [...]"[14] e aqui, infelizmente, Plutarco interrompe para comentar outras cerimônias délficas. Ele volta a mencionar o Setentrião em outro livro, no qual coloca uma ênfase um tanto diferente em seu relato, que atribui a um de seus interlocutores, Cleombato de Esparta que, neste momento, fala da decadência dos oráculos.

> Pois a cabana de madeira construída para a eira [...] – diz Cleombato – não é como o ninho, o covil de uma serpente, mas a cópia da casa de algum déspota ou rei, e o ataque silencioso sobre ela, através do lugar chamado Dolonia [texto falho?] [...] então vem a procissão à luz de tochas que traz o jovem, cujos pais devem ainda estar vivos, e tão logo tenham ateado fogo à cabana e derrubado a mesa, fogem pelas portas do santuário, sem olhar para trás. E finalmente, o vagar errante e a servidão do menino e a purificação que tem lugar em Tempe fazem com que se suspeite de uma tradição antiga, de algum feito ousado.

Cleombato descarta uma interpretação etiológica do mito: "Pois é ridículo alegar que, tendo matado a fera selvagem, ele tivera que fugir para o outro extremo da Grécia, a fim de purificar-se [...]" Mesmo que os acontecimentos descritos por Cleombato tivessem ocorrido durante uma só noite, ele pressupõe a existência de ritos adicionais e, considerando-se que Tempe fica a cerca de 160 quilômetros de Delfos, é óbvio que o rito levava muito mais tempo. A cerimônia em Delfos era totalmente pública. Segundo Cleombato, eram "os ritos relacionados com o oráculo, aqueles à cuja celebração o oráculo [délfico] convidava todos os gregos que viviam entre Tempe e as Termópilas [...]"[15]

O esboço do rito em si sugere que o mito etiológico (não obstante Cleombato) possuía alguns elementos relevantes para sua possível interpretação, pois a eira sobre a qual a cabana foi construída ficava defronte (com a via-sacra do outro lado) a alguns mementos do santuário arcaico: um afloramento de pedra conhecido como a Rocha da Sibila, famosa por ter sido o local da divinação original de Pítia e próximo da suposta localização da fenda fumegante, ou alternativamente, o local do santuário de Geia, ao lado do qual Píton vivia.

Está claro que Cleombato teria tomado quaisquer feixes de lenha ou galhos de árvores empilhados, como o covil da serpente do qual a lenda falava. Porém, o rito exigia algo mais elaborado, ainda que não tão substancial quanto o palácio de um governante proto-helênico [Priamo?] – como o contexto parece indicar[16]. De qualquer modo, deveria ser muito inflamável e grande o suficiente para abrigar

14. Plutarco, *Moralia*: *Greeks Questions*, 12; cf. Eforo, citado em Estrabão, *Geography* 9. 422.

15. Plutarco, *Moralia*: *On the Decline of Oracles*, 15.

16. Joseph Fontenrose, *Python*, p. 400.

em seu interior um objeto de dimensões consideráveis, uma mesa, que seria derrubada na cerimônia. Suponho que se tratava de uma estrutura de uma única câmara: a palavra *oikesis* tem um significado tão generalizado que admite qualquer interpretação. Todavia, dado que a superfície denominada eira é triangular, tendo as laterais mais curtas cerca de vinte metros e que deveria sobrar um certo espaço para manobras, isso nos fornece um parâmetro do seu tamanho.

Convém lembrar que Plutarco estava familiarizado com uma habitação real igualmente anacrônica, a famosa cabana de Rômulo, no Palatino de Roma[17]. Creio ser isso o que ele tinha em mente: um "mégaro" tosco, erguido na última volta da via-sacra, num anfiteatro limitado pela plataforma do templo, o pórtico ateniense e os desníveis do terreno ao redor da "eira". Aqui, ao anoitecer, tinha lugar uma espécie de ataque cerimonial, durante o qual se virava uma mesa, presumivelmente no interior da estrutura. O grupo contava com um ator principal, o *kouros amphitalis*, de Cleombato, que era acompanhado pelos portadores das tochas. Não está claro quem mais participava da procissão, mas a ação envolvia a fuga do menino, indicando que o seguiam. Ora, fugas dessa natureza são bastante comuns nos ritos gregos e, na verdade, em muitos ritos primitivos, e o texto parece sugerir que, de acordo com o ritual, o ator principal seria capturado ou se deixaria capturar; os aspectos dessa caça ritual são por demais complexos para uma análise mais detalhada. Contudo, presumo que a isso se referem as palavras sobre a servidão. Plutarco, no entanto, não dá muitas informações sobre a ação subsequente e Eliano, o sofista, cujo relato fornece informações adicionais sobre essa festividade, inicia sua descrição do rito num ponto posterior. Ele finaliza sua descrição do Vale do Tempe com as seguintes palavras:

> E foi aqui, segundo os tessálios, que Apolo Pítio foi purificado por ordem de Zeus, ao ter matado a serpente Píton que guardara Delfos quando a Terra ainda tinha ali o seu oráculo. Por isso, quando Apolo fez para si uma grinalda com estes louros de Tempe, levando um ramo de louro em sua mão direita, o filho de Zeus e Leto retomou a Delfos e encarregou-se do oráculo. Existe um altar no local exato em que ele se coroou e pegou o ramo. E mesmo agora, a cada nove anos, os delfos enviam para lá jovens nobres, e um deles é o *architheros*, o líder da procissão. Depois de chegarem a Tempe e ali realizar um sacrifício esplêndido, retomam, tendo trançado grinaldas de [ramos de] aquela árvore da qual o deus-amante [texto falho?] fizera sua coroa. Quando seguem a estrada chamada Pítia [...] eles [os povos por cujo território a estrada passava] acompanham os jovens com veneração e honrarias [...] é costume coroar os vencedores dos Jogos Píticos com coroas dos mesmos louros[18].

17. Plutarco, *Lives*: *Romulus*, 20.8.
18. Eliano, *Varia historia*, 3.1.15.

Apolo Délfico, entronado e com um ramo de louro na mão. Detalhe das volutas de uma cratera de obra do Mestre Cleofonte (c. 430 a. C). Museo Archeologico di Spina, Ferrara.

Já mencionei Dafne, e a relação mítica entre Apolo e o loureiro. Em Delfos, havia mais ocasiões para o aparecimento do loureiro. Já no período histórico, erguia-se um loureiro, possivelmente moldado em metal, no edifício do templo[19]; a Sibila mastigava folhas de louro e bebia água da fonte de Castália antes de entrar em transe ou (segundo outra tradição) sacudia a árvore sagrada, numa imitação de Apoio[20]. Ademais, os que haviam consultado o oráculo voltavam coroados de louro, o que os transformava em sacrossantos, ainda que fossem escravos.

Vários temas parecem estar relacionados com Delfos: delitos de sangue e sua redenção, o mito apolíneo, uma espécie de iniciação e o louro, como Dafne transformada e como árvore específica de Apolo. Entretanto, Delfos não era a única cidade a ter uma procissão festiva (o Setentrião), na qual se carregavam ramos de louro. Em Tebas, havia uma festividade de "Maio", a Dafnefória, em honra de Apolo Ismeu. O sumo sacerdote desse culto, novamente um jovem apresentável de boa família, cujos pais ainda estavam vivos, ocupava-

19. H. W. Parke e D. E. W. Wormell, *The Delphic Oracle*, vol. 1, p. 26.
20. Aristófanes, *Plutão*, 213 e escólios.

-se das funções durante um ano, e a festa era provavelmente comemorada também a cada nove anos. O troféu ao redor do qual estava centralizada era um pedaço de madeira de oliva, decorado com folhas de louro, lã e várias quinquilharias, às quais um autor do século II atribuiu um significado cosmológico[21]; o parente masculino mais próximo do sacerdote carregava o troféu na procissão. O sacerdote em si, coroado com uma grinalda dourada e vestido com roupas longas (talvez femininas?), carregava um ramo de louro. O coro feminino que o acompanhava também levava ramos e, neste dia, todos os jovens do sexo masculino da cidade usavam coroas e carregavam ramos de louro.

Também em Atenas havia festas associadas a ramos de louro e de oliva, chamados *eiresione*. Eram as Targélias (em maio) e as Pianépsias (em outubro). Plutarco relata um mito etiológico esclarecendo as origens das Oscofórias – uma parte das Pianépsias – no qual explica as várias cerimônias, incluindo a procissão dos *eiresione*, ao referir-se à chegada de Teseu, depois de ter matado o Minotauro em Creta. Os *eiresione*, depois da procissão, eram fixados nas portas do templo de Apolo (*patroos*?)[22]. Havia também um *eiresione* fixado às portas de todas as casas de Atenas, e é muito provável que fosse queimado num ritual[23]. Os ramos desempenhavam algum papel também em muitas outras cerimônias gregas. A expulsão dos bodes expiatórios nas Targélias faz parte de um grupo amplo de rituais, nos quais as vítimas ou os participantes eram espancados com galhos verdes; muito já se escreveu sobre isso. Havia outros rituais, mais relevantes ao meu tema. Nas Panateneias, costumava-se carregar ramos. Em Samos, celebravam-se cerimônias do mesmo tipo em todas as noites de lua nova. O ramo verde cerimonial, geralmente de louro ou de oliva, possuía diversos nomes: *aisakos*, *bakhos*, *tkylla* e até mesmo *hygeia*, saúde[24]. Galhos de árvores investidos de poderes mágicos são bastante conhecidos na mitologia. Um exemplo notável é o ramo de zimbro, com o qual Medeia encantou o dragão que guardava o Velocino de Ouro – um eco curioso da Tebas cadmeia[25]. Jasão e Cadmos haviam semeado os dentes do dragão morto, dos quais nasceram diversos guerreiros; assim como Deucalião semeara em Dodona pedras, que eram os ossos de sua mãe, a Terra.

21. Proclo, em Fócio, *Biblioteca* 239, (321b). Cf. Albert Severyns, *La chrestomathie de Proclos*, vol. 2, p. 219.

22. Eustáquio, *Commentary on the Iliad* 22. 496; Plutarco, *Lives*: *Theseus* 18.

23. Aristófanes, *The Knights* 729 e escólios; *idem*, *Platão* 1054 e escólios.

24. Hesíquio, *Lexicon*, s. v. "aisako, hygeia".

25. Apolônio de Rodes, *op. cit.*, *4.135*.

Ademais, Cadmos tornara-se escravo de Ares, por ter matado a mesma serpente cujos dentes havia semeado[26].

Comentaristas modernos viram etiologias de ritos de iniciação nos relatos de lutas com demônios, que culminavam às vezes com a morte do herói nas mandíbulas do dragão, e sua ressurreição subsequente. Os dragões da mitologia são, em geral, uma encarnação do demônio-terra, às vezes (Pausânias assim o faz com Píton), o filho da grande mãe ou mesmo seu cônjuge. A derrota do dragão, sua morte ou simplesmente seu ato de vomitar o herói (mito paralelo à morte do Minotauro nas mãos de Teseu, e seu retorno dos interstícios do labirinto) parecem relacionados a um ciclo de iniciação de nove anos. Tais mitos têm um vínculo inevitável com o mundo ínfero, pois a questão da morte e da vida após a morte é uma *matéria* essencial de todo ensinamento de iniciação e de "mistério". Daí a conexão entre o poema épico e a jornada para o inferno, como no caso de Odisseu e Eneias, e no de Gilgamesh, que procura no mundo submarino a árvore da juventude eterna, que lhe é roubada por uma serpente, enquanto ele dorme: ao dela se apoderar, a serpente muda instantaneamente de pele, ganhando a imortalidade.

Em outra lenda relacionada a Gilgamesh, o deus-herói mata uma serpente "que não possui poderes mágicos" mas que impede (junto com o pássaro *Imdugud*, que constrói ninhos nos galhos da árvore, e com Lilit, que constrói a casa no seu tronco) a deusa Inana de cortar a árvore *huluppu* (salgueiro?) que a deusa plantara, e com a qual quer fazer uma cadeira[27]. Quando a serpente-guardiã morre, o pássaro *Imdugud* afasta-se voando e Lilit abandona sua morada. Gilgamesh faz um tambor com uma parte do tronco, e varetas com os galhos. No epopeia suméria, o tambor e as varetas caem no inferno. O texto possui lacunas e por isso não sabemos exatamente como ou por que isso acontece, e a última parte do poema nos conta como esses objetos preciosos são recuperados. Muito desse mito recorda as práticas de alguns xamãs de países nórdicos, ou mesmo ameríndios.

Essa epopeia talvez faça surgir na mente do leitor a relação entre o tema de meu presente ensaio e o vasto campo literário sobre os descensos ao inferno, por meio da poderosa imagem do ramo vivo, cujo poder salva o herói dos perigos que o cercam, ou lhe abre portas que, de outro modo, pareciam destinadas a permanecer fechadas para sempre. A imagem evoca também o poder contínuo da floresta sagrada, transformada num objeto de culto. Infelizmente, estaria muito além do âmbito deste ensaio explorar as ra-

26. Apolodoro, *The Library*, 3. 4. 2; Suidas, *Lexicon*, s.v. "Kadmeia, Nike"; Apolônio de Rodes, 3.1165.

27. Samuel Noah Kramer, *Sumerian Mythology*, p. 271.

mificações deste imaginário. Todavia, as façanhas de Gilgamesh são dignas de ser recordadas, mesmo que só para servir de lembrete que tais temas não são exclusivos da mitologia clássica. A temática do monstro devorador de espíritos, que tanto pode ser masculino ou feminino e, às vezes, adota a forma de um casal mãe-filho, é comum em muitas culturas do mundo inteiro. Por conseguinte, figura em múltiplas práticas de iniciação, a fim de preparar o iniciado para sua jornada à terra dos mortos bem-aventurados, de modo a evitar as manobras desses monstros. Nessa prova, os espíritos dos ancestrais mortos estarão à sua disposição para ajudá-lo: pode-se até mesmo ver o relato da rota e de seus perigos, deixado pelo ancestral-herói, que foi o primeiro a se aventurar nessa jornada. Tal descrição pode adotar a forma de uma epopeia, ou mesmo de uma representação dramática.

Com frequência, esse drama é representado, ou a epopeia cantada, durante ritos de iniciação, seja em sociedades secretas ou simplesmente em cerimônias tribais de puberdade; na Austrália, na América ou nas estepes asiáticas, o rito envolve sempre a reclusão dos postulantes/iniciados numa cabana ou numa tenda[28]. Nessa morada temporária, eles devem submeter-se a uma variedade de provas; algumas podem ser muito perigosas tendo, ocasionalmente, até resultados fatais. Neste último caso, é muito comum dizer que o monstro "engoliu" os candidatos desafortunados – que, de todo modo, são tratados como se estivessem ritualmente mortos e são, em geral, impuros – e vomitou aqueles que obtiveram êxito. Existem muitos tipos de dramas de iniciação e, correspondentemente, numerosas etiologias que os explicam[29]. Por isso, tais incidentes constituem um ingrediente essencial, inclusive dos derivativos mais remotos dessas etiologias, conforme comprovado, às vezes, por contos de fada infantis. Qualquer relato da literatura popular conterá, inevitavelmente, muitas referências a esses dramas[30].

Na Nova Guiné, a circuncisão é realizada amiúde numa cabana, identificada com um monstro, invariavelmente descrita como provida de um ventre e de uma cauda; algumas tribos a constroem com duas entradas, a maior representando a boca e a menor, o ânus. A presença do iniciado nas entranhas do monstro é, via de regra, assimilada a um retorno ao útero maternal, e a iniciação se transforma, portanto, num novo nascimento. A cabana de folhas ou de ráfia, bastante frágil, e que representa o monstro, remete-me às festividades délficas[31]. É possível que o mito etiológico contivesse uma doutrina mais próxima

28. Mircéa Eliade, *Birth and Rebirth*, p. 35.

29. Stith Thompson, *Motif-Index of Folk-Literature*, vol. 1, sec. B11, pp. 2-11; 11, vol. 3, sec. G.

30. Vladimir J. Propp, *Le Radici Storielle dei Racconti di Fate*, pp. 343-347,391 –402.

31. Eliade, pp. 35-41; cf. Margaret Mead, *Male and Female*, pp. 102-105.

da "verdade" ritual que Cleombato estava disposto a admitir, do alto de seu ceticismo esclarecido. Pois se a cabana construída na eira délfica não era o covil do dragão, mas o próprio dragão, sua destruição pelo fogo bem podia ser uma representação da morte da Píton nas mãos de Apolo, uma vez terminada a iniciação e vomitados os iniciados. Em Delfos, o costume de construir a cabana pressupunha a celebração de uma espécie de "grande ano" délfico e era acompanhada por outras cerimônias. O louro trazido de Tempe era usado para a coroação dos vencedores dos Jogos Píticos, o que lhes conferia, ao menos por um tempo, um pouco da divindade de Apolo. Porém, o costume de construir essas cabanas subsistia em outras partes da Grécia desde épocas mais remotas. Pausânias, uma vez mais, fala sobre uma festa comemorada em homenagem à Isis de Tithorea, "um dos mais antigos santuários da deusa egípcia construído pelos gregos". A festa era realizada duas vezes por ano, na primavera e no outono. Três dias antes,

> aqueles que têm permissão para entrar no santuário, purificam-no secretamente de todos os resquícios das vítimas da comemoração precedente, que são levados para um mesmo lugar e ali enterrados [...] No dia seguinte, os comerciantes erguem tendas de caniços, ou de outros materiais disponíveis. No terceiro e último dia, há uma feira na qual se vendem escravos e toda espécie de gado, bem como vestimentas, ouro e prata. Na hora posterior ao meio-dia, todos se dedicam ao culto. Os mais ricos sacrificam touros e veados; os mais pobres contentam-se com gansos e galinhas; não é permitido o sacrifício de porcos, carneiros e cabras ou bodes [...] A forma deste culto é egípcia: todos os sacrifícios são oferecidos em procissão e tão logo recebidos no santuário interno, os assistentes que permaneceram do lado de fora, incendeiam as cabanas e partem apressadamente [...][32]

Essas tendas de mercado e a cabana mais solene de Delfos compartilham do costume da cremação e da fuga precipitada. Tithorea ficava a cerca de vinte quilômetros de Delfos, e é difícil distinguir até que ponto seus habitantes herdaram os ritos de Isis de uma deidade mais antiga que ali tivesse o seu santuário, em vez de trazê-los com a deusa do Egito. Outros costumes análogos, se bem que menos conhecidos, eram praticados: num santuário consagrado aos Dióscuros na Elateia, também na Fócida, os encarregados de fazer os sacrifícios erguiam cabanas nas quais as mulheres não eram admitidas[33]. Os Dióscuros – ou *Anakes*, como eram chamados no culto ateniense – eram deuses de iniciação, que tinham sua festa durante o mês de Targélion. Aparentemente, existiu outro culto que envolvia a construção de tendas durante o Targélion: era comemorado durante o mês de Pianépsion, em honra a Deméter e Perséfone e, neste caso,

32. Pausânias, *op. cit.*, 10. 32. 17.

33. E. S. Roberts, *An Introduction to Greek Epigraphy*, vol. 1, nota 229 bis.

os homens eram excluídos[34]. Ademais, os lacônios celebravam no meio do verão outra festa, as Carneias, que envolvia um *farmakos* e uma espécie de iniciação: também a dedicavam a Apolo – na realidade, era a versão laconiana da epifania apolínea, assim como a Dafnefória era a versão fócida[35]. As Carneias duravam nove dias e os participantes, divididos em nove fratrias, festejavam em tendas ou em canópias chamadas de *skiades*, obedecendo a um ritual rigoroso e quase que militar. Alguns dos participantes usavam coroas de folhas de palmeira; Plutarco parece insinuar que cabanas, com seus telhados de folhas de palmeira entremeadas de hera, constituíam um elemento normal dos Bacanais[36].

Havia indubitavelmente outras festividades nas quais tais práticas eram seguidas; de todo modo, não estamos familiarizados com todos os ritos gregos. Entretanto, esses exemplos são suficientes para demonstrar que a construção de cabanas de folhas e de caniços pode ser vista como uma prática corrente da religião grega, tanto entre os dórios como entre os áticos, e os fócidas.

A mesma tradição também aparece na Itália, num contexto esperado, se bem que adote um caráter bastante ambíguo: os feitos dos irmãos arvais, uma fratria de iniciação. O ponto culminante de suas festividades era um banquete que tinha lugar dentro de cabanas[37]. O aparato ritual dessa fraternidade consistia de danças secretas, jogos, tochas e máscaras, bem como de cerimônias com trigo, seco ou verde, que os sacerdotes levavam em forma de coroas e faixas brancas; seus deveres incluíam as cerimônias de renovação do ano nas Saturnalias. Uma evidência muito mais clara deste costume é fornecida pela festa plebeia das Netunálias, comemorada no dia 23 de julho. Festo, o primeiro lexicógrafo conhecido, definiu a palavra *umbrae* como um termo referente às cabanas de folhas, construídas como abrigos (*tabernacula*) no dia da festa dedicada a Netuno[38]. Seria muito mais fácil comentar esse tema se conhecêssemos algo sobre a deidade itálica dos mares que, na realidade, é totalmente ofuscada nos escritos mitológicos por Posseidon[39], seu equivalente olímpico. Sabe-se muito mais a respeito de outra deidade, Anna Perenna, em cuja honra os romanos, e mais particularmente a plebe, celebravam um festival de embriaguez nos Idos de Março.

Uma vez mais, encontramos aqui uma série de enigmas. Nem mesmo estamos certos de como a deusa era adorada no culto do Es-

34. Aristófanes, *Thesmophoria* 624,658 e escólios.

35. Ateneu, *Os Deipnosophists [O Banquete dos Sofistas]* 20. 141e, 635e; Hesíquio, *Lexicon*, s. v. “Karnetai, Stafilo-dromoi”.

36. Plutarco, *Moralia*: *Convivial Questions* 4. 6. 2; cf. Euripides, *As Bacantes*, pass.

37. Gaetano Marini, *Gli atti e Monumenti de Frateli Arvali*, vol. 1, p. xxvi.

38. Festo, *De Verborum significata*, s.v. “umbrae” (M 377).

39. Georges Dumézil, *La Religion romaine archaïque*, p. 381.

tado. Macróbio sugere que, como parte das festividades do Ano Novo, um flâmine faria sacrifícios para a deusa, pública e privadamente, para que o ano fosse totalmente afortunado: *ut annare perannareque commode liceat*[40]. A parte o culto estatal, havia uma celebração popular, que Ovídio descreve na qualidade de testemunha ocular.

> Nos Idos é a festa alegre de Anna Perenna, não muito distante das tuas margens, ó Tibre, tu que viestes de terras estranhas; as pessoas se amontoam, sentando-se sobre a grama verde e bebem; cada um com seu companheiro. Alguns ficam ao ar livre, outros, em tendas; há aqueles que constroem suas cabanas com ramos frondosos, outros usam caniços secos à guisa de colunas, estendendo sobre eles suas togas. Agora estão aquecidos pelo sol e pelo vinho, e pedem aos deuses tantos anos [de vida] como as taças que bebem, e vão contando à medida que bebem. Lá encontrarás o homem que já bebeu mais do que os anos de vida de Nestor, ou a mulher que, a julgar por suas taças, igualaria a idade de Sibila [...]

Os próximos versos do poema descrevem as danças dos embriagados. A seguir, Ovídio presencia uma "procissão", rodeado pela multidão: uma bruxa velha e embriagada arrasta um velho, também ébrio[41].

Tíbulo, sem especificar qualquer data ou divindade, menciona uma festa que se comemorava em cabanas similares, amarradas com cordas[42]. Como na mesma passagem já aludira à *Parilia*, outra festa do mês de março, é possível que agora esteja se referindo ao dia consagrado a Anna Perenna[43]; em outra passagem, fala acerca de uma festividade de verão – ou assim parece – durante a qual escravos erguiam cabanas ao lado de fogueiras. Horácio menciona cabanas de pequenos ramos e folhas, que as crianças construíam em seus jogos[44]. É evidente que o costume era tão familiar em Roma como na Grécia.

Como era Anna Perenna quem oferecia ao populacho romano ou, de toda forma, a uma boa parte dele, a oportunidade de regalar-se, gostaria de examinar esta deusa enigmática mais minuciosamente. Nomes divinos que rimam, como Mutunus Tutunus ou Mamurius Veturius, figuram ocasionalmente na mitologia romana, em particular no contexto da família. Na realidade, Mamurius Veturius tinha uma relação estranha com Anna Perenna, e convém tratar dele primeiro.

No dia 14 de março, na véspera da festa de Anna Perenna, Mamurius Veturius era um *farmakos*, um bode expiatório. Devo omitir qualquer discussão acerca das curiosidades relacionadas ao calendário dessas duas festas. De todo modo, Mamurius (como o denomina Lydus, o único que descreve a cerimônia com exatidão), um

40. Macróbio, *Saturnalia*, 1.12. 6; cf. John Lydus *De Mensibus* 4. 36.
41. Ovídio, *Fasti*, 3, pp. 523-544.
42. Tíbulo, *Elegies*, 2. 5. 89-112.
43. *Idem*, 2. 1.1-24.
44. Horácio, *Satires*, 2. 3. 247-249.

homem vestido de peles de animais por razões rituais, era perseguido e "espancado" com galhos desbastados, até ser expulso da cidade. Daí a expressão "fazer o papel de Mamurius", que significava "levar uma surra". Segundo Lydus, a lenda diz que Mamurius, o ferreiro, fora espancado até sair da cidade porque os escudos que forjara, para substituir os que haviam caído do céu, trouxeram má sorte para Roma[45].

Esta etiologia não se enquadra nas formas mais antigas do mito de Mamurius. Em Propércio[46], no monólogo de Vertumno, ele aparece como um artista; num mito aparentemente mais antigo e mais importante para a religião estatal da cidade, Mamurius surge como um artífice de metais. A fraternidade sália fora instituída para guardar o escudo sagrado, *ancile*, descoberto na casa de Numa ou, segundo outra versão, caído do céu no dia 1 de março[47]. Tais objetos sagrados são muito conhecidos no folclore e na mitologia. O fato curioso é que, enquanto os sacerdotes arvais eram os doze irmãos adotivos de Rômulo, os *ancilia* da capela dos sacerdotes sálios, sobre o Palatino, eram os doze companheiros do escudo caído do céu. De todo modo, o brilhante ferreiro parece ter uma relação curiosa com o deus. Marte era, naturalmente, o protetor dos sacerdotes sálios, sendo chamado de "Mamurius Veturius" no *carmen* ritual de sua fraternidade[48]. Isso parece identificá-lo com ambos, o ferreiro da lenda e o ano velho.

Existe um outro mito que vincula Anna a Marte e que, segundo Ovídio, servia de tema para certas canções indecentes que as moças da época cantavam no dia da cerimônia. A lenda dizia que Marte, apaixonado por Minerva, pedira a Anna, que compartilhava do seu mês, que intercedesse em seu favor, atuando como intermediária. Ela, contudo, insinuou-se na câmara nupcial coberta com um véu, simulando ser a noiva, provocando a ira do deus e o regozijo de Vênus[49]. Todas essas histórias indicam claramente o *status* de Anna Perenna. De toda forma, seu nome já o demonstra. Ela era o anel (*annus*), símbolo do ano completo. É apropriado que Marte, que governa o Ano Novo e suas festas propiciatórias, a corteje. Ele também reinava sobre as Calendas, ou sobre a quinzena que se inicia no princípio do ano religioso, enquanto os Idos do mesmo mês eram reservados para a deusa. Suponho que esses dois anos novos conciliavam dois calendários arcaicos: o lunar e o solar[50]. É talvez inevitável que

45. Lydus, 3. 29; 4. 36.

46. Propércio, *Elegias*, 4. 2. 16.

47. Ovidio, *Fasti*, 3, pp. 351-408; Plutarco, *Lives*: *Numa*, 13; Dionisio de Halicarnasso, *The Roman Antiquities*, 2. 71.

48. Varrão, *On the Later Language*, 6. 49.

49. Ovidio, *Fasti*, 3, pp. 677-696.

50. Jean Bayet, *Histoire politique et psychologique de la religion romaine*, p. 106.

Anna, antiga deidade do calendário, fosse identificada com a lua. Há outras etiologias: assim como o pão fresco é utilizado no ritual, Anna é identificada com uma velha de Bovillae e com uma egípcia, ambas personagens de lendas relacionadas ao pão[51]. No entanto, o que me parece mais interessante é a identificação com Ana, irmã de Dido, rainha de Cartago[52]. Ovídio propõe uma série de explicações lendárias acerca do culto rendido à princesa fenícia, inclusive na Itália, bem como sobre sua transformação numa ninfa de rio. E difícil acreditar que sejam fruto de sua imaginação ou da de seus contemporâneos, por mais eruditos que fossem. É verdade que as Guerras Púnicas pertenciam ao passado, mas os romanos, que conservavam recordações vivas daqueles dois séculos de conflitos, sempre souberam apropriar-se das deidades de seus inimigos derrotados.

O curioso é que a Dido e a Ana da lenda não são personagens distinguíveis com exatidão, tal como aparecem na *Eneida*. De acordo com Sérvio, o próprio Virgílio suspeitava que fosse Ana, e não Dido, quem amasse Eneias[53]. Em algumas versões da lenda, ambas as irmãs – e não só Dido – cometeram o suicídio, para conseguir a deificação que a religião fenícia prometia ao herói ou à heroína que se auto-imolava[54]. Fora do contexto da *Eneida*, a própria Dido não é apenas a rainha trágica da epopeia. Seu nome original, segundo a lenda, era Elissa, o que sugere que antes de tudo foi uma deusa, e que seu caráter de rainha era secundário[55]; foi a deusa fundadora de Cartago e protetora da cidade[56]. Especulou-se, inclusive, sobre sua identificação com Taanit, a rainha fenícia dos céus[57]. Foram estabelecidas duas derivações perfeitamente convincentes do seu nome latino, a partir de raízes semíticas (do radical IDD, amar intensamente; e do radical NDD, mover-se de um lado para outro, ou seja, como a lua). Nenhuma delas, no entanto, explica os ecos semíticos curiosos dessa festa tão arcaica[58].

É difícil avançar muito em direção a uma explicação desse tipo. Não existe nenhuma descrição literária do calendário fenício, exceto uma estranha falsificação helenística, compilada por Filon de Biblos, quem pretende fornecer uma cosmogonia fenícia que inclui um relato das origens das comunidades e da construção – não muito diferente das de Vitrúvio e Lucrécio já citadas – e que conhecemos a

51. Ovídio, *Fasti*, 3, pp. 657-662; Plutarco, *On the Fortune of Alexander*, 28.
52. Ovidio, *Fasti*, 3, pp. 544-545.
53. Virgílio, *Aeneid* 4. 682; 5.4. Cf. Sílio Itálico, *Punica* 8. 29-97.
54. Gilbert Charles-Picard, *Les Religions de l'Afrique antique*, pp. 28-29.
55. Felix Jacoby, *Die Fragmente der griechischen Historiker*, Justino, xviii, iv-vi.
56. Michael C. Astour, *Hellenosemitica*, p. 273.
57. Charles-Picard, *op. cit.*, p. 65.
58. Angelo Brelich, *Tre variazioni romane*, p. 65 nota 3.

partir do paralelo evangélico de Eusebio[59]. Hipsorano, o herói civilizador desta proto-história, constrói as primeiras cabanas de caniços e de papiros. Ele briga com seu irmão, o caçador Ousus, que faz as primeiras roupas com peles de animais. E difícil precisar se aqui Filon faz eco a alguma lenda egípcia, ou limita-se a copiar essa informação egípcia de Diodoro Siculo; se está familiarizado com a história de Jacó e Esaú pelo Livro de Gênesis, ou a conhece indiretamente; é até possível que contasse com uma fonte fenícia autêntica.

De todo modo, a passagem paralela nas Escrituras é deveras interessante. Depois de brigar com Esaú, "Jacó partiu para Sucot, construiu uma casa e fez palhoças para seu rebanho; é por isso que se deu ao lugar o nome de Sucot"[60].

Sucot – tendas – é também o nome hebraico da Festa dos Tabernáculos, talvez o exemplo mais eloquente, até os dias de hoje, de um rito no qual são construídas cabanas com folhas verdes. E uma festividade de outono, um dos três grandes festivais de peregrinação ao Templo (juntamente com a Páscoa judaica e *Shavuot*, a festa das Semanas), possuindo várias características muito relevantes para o meu argumento. A primeira, naturalmente, é a própria construção das tendas, já prescrita nos mandamentos rituais mosaicos.

> No décimo quinto dia deste sétimo mês haverá, durante sete dias, a festa das Tendas para o Senhor [...] no primeiro dia tomareis frutos formosos, ramos de palmeiras, ramos de árvores frondosas e de salgueiros das ribeiras e vos regozijareis durante sete dias na presença do Senhor vosso Deus [...] Habitareis durante sete dias em cabanas. Todos os naturais de Israel habitarão em cabanas, para que os vossos descendentes saibam que eu fiz os filhos de Israel habitar em cabanas, quando os fiz sair da terra do Egito. Eu sou o Senhor vosso Deus [...][61]

A Festa dos Tabernáculos era, juntamente com a Páscoa judaica e a Festa das Semanas, uma das três grandes festividades sazonais do código sacerdotal. Como em outras festas judaicas, sua "ação" é popular: a construção de tabernáculos e a procissão com ramos de palmeiras é uma ordem para todo o povo de Israel[62]. Assim como Páscoa e *Shavuot* estão unidas no culto pelas sete semanas da "contagem do Omer"[63], a Festa dos Tabernáculos é assimilada em outra celebração, de caráter um tanto distinto: o Ano Novo e o Dia da Expiação. Estas duas festas, a Páscoa judaica e a dos Tabernáculos, possuem outras características simétricas[64]. A Páscoa é celebrada no

59. Marie-Joseph Lagrange, *Etudes sur les religions sémitiques*, p. 416.

60. Gn 33:17.

61. Lv 23:33-43; cf. Nm 29:12-38 e Dt 16:13-15.

62. Yehezkel Kaufman, *A Religião de Israel*, p. 307-308; Hans-Joachim Kraus, *Gottesdienst in Israel*, pp. 79-82.

63. Lv 23:15-16.

64. Kaufman, *op. cit.*, pp. 308-310.

Uma hupá moderna de tecido, num casamento judaico, segundo "Art Sacre".

primeiro dia de lua cheia do ano, no dia quinze de Nissan, ao passo que a Festa dos Tabernáculos é celebrada na sétima e "sabática" lua cheia, no dia quinze do mês de Tischrei. Há algo de estranho no fato do Ano Novo ser comemorado no primeiro dia do *sétimo* mês, enquanto o primeiro dia de Nissan, a primeira lua nova do ano, não exige mais comemorações – seja nas Escrituras ou na prática religiosa contemporânea – do que qualquer outro novilúnio. Não obstante, a Mischná reconhece esta anomalia: "Há quatro dias de 'Ano Novo': o primeiro dia de Nissan é o ano novo para reis e festas; o primeiro dia de Elul é o ano novo para os dízimos do gado [...]", e assim por diante. No parágrafo seguinte, diz: "O mundo é julgado quatro vezes por ano: na Páscoa, pela qualidade do grão; em Pentecostes, pela qualidade do fruto da árvore; no dia de Ano Novo, tudo o que existe no mundo passa diante Dele como legiões [...] e na Festa [dos Tabernáculos] são julgados pela água [...]"[65]

Essas duas épocas de julgamento estão intimamente vinculadas a outros "ritos de passagem" da primavera e do outono. Todos os povos vizinhos de Israel apresentavam, ao que parece, as mesmas características ambíguas em seus calendários sagrados, e é bem possível que houve mudanças de ênfase no calendário judaico, assim como em outros do Oriente Próximo[66]. A Mischná, que é uma edição

65. *Mischná*, Moed Rosch-Haschaná 1.1-2.

66. Arnold van Gennep, *Rites of Passage*, pp. 178-181; Norman H. Snaith, *The Jewish New Year Festival*, pp. 29-30, 62.

de tradições verbais muito mais antigas, datada do século II, segue as Escrituras, chamando a Festa dos Tabernáculos simplesmente de "A Festa"; do mesmo modo que para os judeus devotos, o Dia da Expiação, a festividade mais próxima à anterior no calendário judaico, continua sendo denominada de "O Dia"[67]. O Dia da Expiação é o décimo e último dos "Dias Terríveis", ou dias de julgamento do calendário judaico, que começam com o Ano Novo, o primeiro dia – e, portanto, de lua nova – do mês de Tischrei. As Escrituras prescrevem para esse período atividades mais sacerdotais que populares. O povo participava jejuando: o caráter triste que essa festa pós-exílio adquiriu está ausente dos relatos bíblicos da celebração, inclusive dos escritos rabínicos; os ritos essenciais consistiam em sacrifícios expiatórios, que renovavam a pureza do Templo e do povo[68]. A parte outros sacrifícios, dois bodes eram conduzidos diante do sumo sacerdote. À porta do Tabernáculo, este decidia, por sorteio, qual dos dois seria sacrificado como oferenda a Deus pelo pecado. O outro seria destinado a uma potestade desconhecida, chamada Azazel, e fazia o papel do "bode expiatório".

> Aarão porá ambas as mãos sobre a cabeça do bode e confessará sobre ele todas as faltas dos filhos de Israel [...] e o enviará ao deserto, conduzido por um homem preparado para isso, e o bode levará sobre si todas as faltas deles para uma região desolada [...] E aquele que tiver levado o bode a Azazel deverá lavar suas vestes e banhar o corpo com água, e depois disso poderá entrar no acampamento[69].

Esses ritos constituem uma cerimônia pública análoga aos ritos privados para purificação e cura de um leproso[70]. Sua função purificadora é evidente e deve ter sido bastante clara para as pessoas que os presenciavam[71]. A Festa dos Tabernáculos era, portanto, a festa de um povo purificado que, como evidencia sua etiologia histórica, estava celebrando sua incorporação. No Pentateuco, ela recebeu amiúde o nome de Festa de Assaf, palavra que sugere o significado duplo de *reunião* – para a colheita – e *assembleia*, enquanto povo[72].

Comentaristas modernos geralmente pressupõem que a Festa dos Tabernáculos seja a antiga festividade cananeia, ou até mesmo a festa da vindima e do Ano Novo mais geral dos semitas ocidentais, que foi adaptada pelos pastores nômades israelitas quando se esta-

67. 1 Rs 8:2; cf. João 7:2; Mischná, *Moed Taanit* 1.1; ver também Flavio Josefo, *Antiguidades Judaicas* 8. 4. 1.

68. Lv 23:27-32; Mischná, *Moed Taanit* 4. 8.

69. Lv 16:7-10; 21-27.

70. *Idem*, 14.

71. Geza Roheim, *The Riddle of the Sphinx*, pp. 362-365 ; Sir James George Frazer, *The Golden Bough*, vol. 9: *The Scapegoat*, p. 35.

72. Ex 23:16, 34:22; Dt 16:13-17.

beleceram na Terra Prometida[73]. A lei mosaica alocava a situação etiológica essencial desta festa na história sagrada da nação.

A Páscoa judaica – o julgamento pelo grão, a festa da colheita da cevada – era marcada pelo sacrifício dos primogênitos, cujo sangue fora utilizado para marcar os umbrais das portas, e pela apressada refeição ritual dentro da casa. A Festa dos Tabernáculos, com seu bode expiatório e a imagem frágil dos quarenta anos de vida nômade e precária da nação, representava o julgamento pelo destino e pela água: uma prova inevitavelmente mais pública, em que o povo era forçado a sair de sua habitação permanente, para se abrigar em tendas construídas nos topos dos telhados ou em campo aberto.

Para um não-iniciado, as tendas não constituíam as características mais óbvias da comemoração da festa. Um dos interlocutores do *Simpósio*, de Plutarco comenta que

> a festa solene do judeus se ajusta perfeitamente, no que concerne à estação e ao cerimonial, aos ritos de Dioniso. O que eles chamam de "A Festa", é comemorado no apogeu da vindima, exibindo mesas sobre as quais são colocados todos os tipos de frutos; eles festejam em cabanas construídas especialmente de palmeiras e de hera, chamando a véspera da Festa dos Tabernáculos de *skinion*. Alguns dias mais tarde, dedicam a Dioniso outra cerimônia, que não é secreta e sim pública. Pois sacodem ramos de palmeiras na celebração das Cradireförias, e entram no Templo carregando tirsos, durante as Tirsofórias. Não sei o que fazem tão logo entram. Todavia, é natural pressupor que tais festividades sejam celebradas em honra de Dioniso[74].

A identificação do Deus do Antigo Testamento (que em grego, recebe às vezes o nome de *iao* e, em consequência, é assimilado a *iakhos*) com Dioniso era corrente em alguns escritores gnósticos. Neste caso particular, Plutarco aparentemente interpretou o Dia da Expiação e os Tabernáculos como uma só festa, considerando a procissão de Hosana, característica diária do ritual dos Tabernáculos, como uma celebração distinta[75]. A menção dos dois tipos de ramos e o fato de ele afirmar, nessa mesma passagem, que a palavra *levita* deriva de Lísias indicam que Plutarco utiliza aqui como evidência nada mais que rumores. No entanto, é interessante que, a seu ver, os ritos do Dia da Expiação e da Festa dos Tabernáculos sejam suficientemente similares às festividades atenienses do Pianépsion (ou talvez esteja pensando na Haloa ateniense, que ocorria na mesma estação do ano que a Hanucá judaica?), para que um paralelismo tão próximo lhe pareça óbvio. Vemos, pois, que as tendas e a procissão de ramos eram elementos muito familiares para um observador grego não ini-

73. Por exemplo, Salomon Reinach, *Orpheus*, p. 195; cf. Kaufman, p. 179; Snaith, pp. 38-41.

74. Plutarco, *Moralia*: *Symposium* 4b, 1; Tácito, *Histories*, 5. 5.

75. Martin P. Nilsson, *Geschichte der griechischen Religion*, vol. 2, pp. 457-458.

Menorá, Etrog, Lulav. Detalhe de um mural sobre a Arca Sagrada da Tora na sinagoga de Doura-Europos, segundo Goodenough.

ciado. A prática ritual judaica é de uma precisão minuciosa a respeito delas. A Mischná, muito embora tenha sido escrita um século e meio após a morte de Plutarco, codifica práticas que vigoravam muito antes. A tenda deveria ser de determinado tamanho, ter sustentação própria, seu telhado não espessamente coberto para que o céu pudesse ser visto, e uma nova tenda construída a cada festividade[76]. A Mischná é também muito explícita, no que concerne aos ramos que seriam utilizados na procissão:

> Rabi Ismael diz que são necessários três ramos de muita, dois de salgueiro, um de palmeira e um de cidra [...] Rabi Akiva diz: Como são necessários apenas um ramo de palmeira e um de cidra, do mesmo modo também uma muita e um salgueiro[77].

Os rabinos podem discordar a respeito do número de ramos ritualmente correto, ou acerca do material a ser utilizado para amarrá-los e de outros detalhes, mas são claramente unânimes quanto às espécies de plantas que devem ser utilizadas para compor o *Lulav.*

Lulav é o nome atribuído ao ramo que é sacudido na procissão e levado na mão direita, enquanto o fruto cítrico, o *Etrog*, é carregado na esquerda. O *Lulav* é sacudido ritmicamente quando determinados salmos são entoados. Procissões de homens que levam o *Lulav* e o *Etrog* rodeiam o altar do Templo. No sétimo dia, chamado de Haschaná Rabá, a procissão o rodeava sete vezes, e foi provavelmente este costume que induziu Plutarco em erro. Porém, havia outras cerimônias no Templo, não ordenadas especificamente nas Escrituras, acerca das quais a Mischná oferece alguns detalhes: uma libação de vinho e água do reservatório de Siloam; essa água era tirada cerimonialmente em cada dia da festa[78]. Havia também uma cerimônia na qual se acendia um candelabro imenso no pátio das mulheres: "e não havia um só pátio em Jerusalém que não refletisse a luz de *Beit Haschoevá*"[79]. *Beit Haschoevá*, a casa, o lugar, talvez o tempo de tirar a água, associa-se também a uma dança de tochas: "Homens devotos e praticantes de boas ações costumavam dançar diante [do candelabro] com tochas acesas em suas mãos, entoando cânticos e louvores. E incontáveis levitas [tocavam] harpas, címbalos, liras e trombetas [...]" A passagem segue enumerando os diversos instrumentos musicais. Mas, a atmosfera geral da festa é melhor transmitida por uma frase que a Mischná não atribui a nenhum rabino específico: "E eles disseram, 'quem nunca viu as festividades de *Beit Haschoevá*, nunca viu em sua vida a verdadeira alegria'"[80].

76. Mischná, *Moed Suká*, 1, 2.
77. *Idem*, 3. 4.
78. *Idem*, 4. 9; cf. Luciano de Samosata, *On the Syrian Godess*, 13.
79. Mischná, *Moed Suká*, 5. 3.
80. Wem, 5.4; cf. 1 Rs 18.

Marduk mata Tiamat. Selo cilíndrico babilônico. Museu Britânico, Londres.

Deixando de lado esta hipérbole convencional, é óbvio que se tratava de uma época do ano bastante memorável. Não é de surpreender, portanto, que o rei Salomão decidisse consagrar o Templo durante a Festa dos Tabernáculos[81]. Quando Jeroboão erigiu um santuário rival, instituiu a celebração de uma festa semelhante à dos Tabernáculos, consagrando o seu santuário durante a mesma[82].

Neemias fez a leitura solene do recém-descoberto Livro das Leis no primeiro dia de Tischrei, celebrando a Festa dos Tabernáculos como uma nova "incorporação" do povo[83]. Quando Judas Macabeu comemorou a vitória sobre Antioco Epífanes purificando o Templo, o fez também com uma procissão de ramos vistosos e palmeiras, acendendo um candelabro e recordando que, pouco antes, "durante a própria festa das tendas, estavam obrigados a viver nas montanhas e nas cavernas, à maneira de feras"[84].

Existe, para finalizar, uma tradição rabínica segundo a qual Deus criou o mundo no princípio do mês de Tischrei; a Criação também é associada, de diversas formas, com o monte Moriá. E Jesus optou por iniciar sua missão em Jerusalém na Festa dos Tabernáculos[85], missão esta que terminaria na fatídica Páscoa judaica.

Havia, por conseguinte, uma conexão íntima entre a Festa dos Tabernáculos e o Templo, da mesma forma que existia uma relação entre o Templo e o tabernáculo do deserto. Ambos refletiam a identidade do povo de Israel. Não podemos negar a existência de uma certa ambiguidade no preceito bíblico de se comemorar explicitamente a perambulação de Israel pelo deserto, com tendas como

81. 1 Rs 8:2.
82. *Idem*, 7:32
83. Ne 8:2,13-18.
84. 2 Mc 10: 5-6.
85. R. J. McKelvey, *The New Temple*, pp. 59-60.

única proteção, por meio da construção de cabanas de folhagem verde, mandamento este que pressupõe uma terra fértil e cheia de bosques. As *skene* gregas e as *umbrae* romanas eram feitas indistintamente de tecidos estendidos sobre caniços, ou de ramos verdes; é muito possível que essa indiferença remonte a uma tradição mais arcaica, que o rigorismo judaico não podia tolerar[86], ainda que talvez possamos encontrar uma explicação mais plausível na adaptação de um costume agrícola à estrutura de uma etiologia histórica.

Na Diáspora, a leitura do Pentateuco – que nos tempos do pré-exílio constituía uma grande solenidade celebrada no Templo, estando reservada para as festas dos tabernáculos do sétimo ano, o Sabático – era distribuída entre todos os sábados e dias festivos do ano, em que também se lia o último capítulo do Deuteronômio e o primeiro capítulo de Gênesis[87]. Arriscarei sugerir que essa leitura parece um eco pálido da recitação que tinha lugar na Mesopotâmia, nas festividades do Ano Novo – *Enuma elish.*

Enuma elish, "Quando no Alto", são as primeiras palavras de uma epopeia da criação, que narra a criação de todas as coisas nos três deuses: Apsu, Tiamat e o nebuloso Mummu. Era recitada duas vezes no dia do Ano Novo na Babilônia, diante da imagem de Marduk que, segundo a epopeia, havia criado o mundo tal como o conhecemos, matando o monstro feminino Tiamat, o dragão da escuridão e das águas profundas. Marduk primeiro envolveu Tiamat numa rede e, quando esta escancarou sua boca-inferno para engoli-lo, fez com que os ventos soprassem sobre ela, para mantê-la aberta, disparando então uma flecha que atravessou seu coração. Os aliados de Tiamat fugiram e Marduk capturou seu cônjuge Kingu, de quem tomou um objeto ritual importante, as "Tábuas do Destino", que se converteram numa de suas insígnias reais[88].

Marduk então esmagou o crânio de Tiamat com sua clava, e abriu suas artérias. O sangue foi carregado pelos ventos e Marduk cortou seu corpo gigantesco ao meio, "como uma bolsa de couro" (ou como um mexilhão, um molusco?); da metade inferior fez a terra, erguendo a metade superior para com ela fazer o céu. Mediu o firmamento com uma vara e nele construiu sua morada. Posteriormente, Kingu foi julgado e executado e de seu sangue foram criados os primeiros homens. Os deuses, que haviam concedido ao jovem Marduk todo o poder de que dispunham, celebraram esta vitória

86. Kraus, *op. cit*, pp. 81-82; Roland des Vaux, *Ancient Israel*, p. 495.

87. Dt 31:9-13; de Vaux, *op. cit.*, p. 502.

88. James B. Pritchard, *Ancient Near Eastern Texts Relating to the Old Testament*, pp. 60-72.

com um grande banquete, que é a protocelebração do Ano Novo babilônico[89].

Essa grande epopeia era declamada duas vezes no decurso das comemorações do Ano Novo na cidade de Babilônia. No quarto dia de Nissan, à tarde – a festa principal do Ano Novo acontecia na primavera – o *urigallu*, sumo sacerdote do templo de Marduk, tinha que recitá-la com suas mãos erguidas, "do princípio ao fim"[90]. O quinto dia era dedicado às purificações, sobre as quais pouco sabemos, se bem que um de seus rituais envolvesse uma cerimônia curiosa de "cordeiro expiatório" ou *kupurra*, na qual a carcaça de um carneiro degolado era esfregada por toda a superfície de um dos templos, e o *magus* (*amil mashmashu*) tinha que jogar o corpo no Eufrates, olhando para o oeste, enquanto o portador da espada do sacrifício fazia o mesmo com a cabeça[91]. Estes dois permaneciam ritualmente impuros até o fim da festa; o próprio *urigallu* tornava-se impuro caso presenciasse qualquer parte do rito. Enquanto o templo purificado de Nabu (filho e vingador de Marduk) era recém-adornado, no grande templo Esagil o rei cedia suas insígnias ao *urigallu*, que as introduzia no santuário, depositando-as diante da estátua de Marduk. Em seguida, voltava para junto do rei e esbofeteava seu rosto; depois o conduzia ao santuário e "puxava suas orelhas, fazendo com que ele se curvasse até tocar o chão". O rei fazia uma confissão geral e era absolvido pelo *urigallu*, que lhe devolvia as insígnias e o reconduzia para fora do santuário.

> Então esbofeteará a face do rei – diz o texto ritual – depois de esbofeteada sua face / se as lágrimas caem, Bel está bem [disposto] / se as lágrimas não caem, Bel está furioso / o inimigo virá e causará sua queda.

A desordem reinava na cidade enquanto a purificação e a humilhação do rei tinham lugar no templo. Marduk, protetor da Babilônia, não estava entre os vivos. Tampouco estava exatamente morto, e sim prisioneiro "na montanha". Em algum lugar da cidade havia realmente um edifício ou lugar, conhecido como sua tumba. Ele era pranteado e procurado pelo povo. Sua carruagem vazia era levada até Bit Akitu, o edifício cerimonial que ficava fora da cidade. No sexto dia de Nissan, o deus Nabu chegava de barco de Borsipa; outros deuses também se reuniam, provenientes das cidades que protegiam. Depois de receberem as boas-vindas, uma espécie de batalha era simulada para libertar Marduk e, no oitavo dia de Nissan, comemorava-se no templo uma grande assembleia dos deuses. Poder absoluto era conferido

89. Henri Frankfort e H. A. Groenewegen-Frankfort (eds.), *Before Philosophy*, pp. 179-180.

90. François Thureau-Dangin, *Rituels accadiens*, pp. 136-139.

91. Pritchard, *op. cit*, pp. 331-334.

a Marduk antes de sua luta com Tiamat. Este é o primeiro exemplo da "determinação do destino", frase enigmática de grande importância na teologia mesopotâmica[92].

No nono dia de Nissan, uma procissão solene se dirigia a Bit Akitu, durante a qual havia, presume-se, uma espécie de representação ritual do *Enuma elish*: o rei despedaçava uma ânfora que simbolizava Tiamat. Num relato assírio, Tiamat estava representada por um pássaro, que era cortado ao meio; um carneiro a ser sacrificado representava Kingu, e assim por diante.

Nessa mesma noite, Marduk retornava à Babilônia e seu matrimônio sagrado era celebrado. As várias formas de *hieros gamos* eram bastante comuns e já foram analisadas com frequência, de modo que apenas assinalarei que a câmara na qual era representado ou celebrado, recebia o nome de *gigunu*, nome que designava estranhamente também a "tumba" na qual Marduk estava aprisionado[93]. É difícil dizer se essa cerimônia indicava, em ambos os casos, a construção de uma estrutura temporária ou se existia no zigurate uma câmara que servia para os dois objetivos. Ao que tudo indica, o lugar de celebração do *hieros gamos* era decorado com galhos verdes. Na manhã seguinte, ocorria outra "determinação do destino" para aquele ano, tão enigmática quanto a primeira, e os deuses regressavam aos seus templos[94].

O *Enuma elish*, compilação básica de todos esses ritos, é inevitavelmente um documento sincrético. Dentro da epopeia em si, a luta entre Bel Marduk, protetor da cidade da Babilônia e, portanto, rei do panteão babilônico, se sobrepõe à vitória de Ea-Enki, monarca do antigo centro de Eridu, sobre Apsu, o deus masculino das águas doces. E a estabeleceu sua morada no corpo de Apsu, assim como Marduk no corpo de Tiamat. Posteriormente, na Assíria, Assur, o deus protetor de Nínive, suplantaria Marduk na epopeia e nas cerimônias; por outro lado, em poemas análogos porém anteriores, Nibbu luta contra Labbu, e Ninurtu contra o demônio Asag; e no mais famoso de todos os textos sumérios, Gilgamesh destrói o demônio Humbaba[95]. As festividades *Akitu* eram aparentemente comemoradas em todas as partes da Mesopotâmia, muito antes do *Enuma elish* ter adotado sua forma definitiva, em meados do século II a. C.[96] Todavia, sempre houve, ao que tudo indica, relatos épicos da luta da

92. Henri Frankfort, *Kingship and the Gods*, p. 321.

93. Svend Aage Pallis, *The Babylonian Akitu Festival, p.* 109; Frankfort, p. 331 e nota 78.

94. E. O. James, *The Ancient Gods*, Londres, 1960, p. 144; *idem*, *Seasonal Feasts and Festivals*, pp. 87, 136.

95. Pallis, op. cit., p. 187.

96. Frankfort e Groenenwegen-Frankfort, p. 183.

criação, recitados durante as celebrações do Ano Novo, e com ritos análogos.

Descrevi a festa *Akitu* (chamando-a pelo seu nome acádico posterior, embora fosse conhecida também por *Zagmuk*, seu nome sumério mais antigo), tal como se realizava na cidade da Babilônia no início do primeiro milênio a. C, porque é a melhor documentada. Ela era celebrada nos primeiros dias de Nissan, o que coincidia com a época das chuvas da primavera. Contudo, por vezes era também comemorada no outono, no início do mês de Tishrei, como em Israel. Na descrição dos ritos há indicações muito claras e precisas sobre a atuação do rei e de alguns sacerdotes proeminentes; por outro lado, a orientação se limita muitas vezes a pedir que as coisas fossem feitas "como de costume". O papel desempenhado pelo povo é somente aludido. Por isso, ainda que a tradição popular de construir cabanas estivesse enraizada, a descrição dos ritos não teria por que necessariamente indicá-la. Há, entretanto, alusões curiosas a algumas práticas: a decoração do *gigunu*, os cercados de caniços que Nabu, filho de Marduk, deveria inspecionar quando entrasse na Babilônia e onde eram guardados os porcos, que representavam os aliados de Tiamat. Parece que ali também se encarcerava um prisioneiro a ser decapitado. E, finalmente, uma cerimônia curiosa que, no ritual babilônico, seguia-se à humilhação do rei.

> O *Urigallu* reunirá quarenta caniços, cada qual com três cúbitos de altura
> que não estejam cortados, dobrados ou quebrados
> mas eretos, que amarrará junto com um ramo de palmeira
> No pátio excelso cavará um fosso
> neste fosso colocará [os caniços] e o mel e o creme e o azeite da melhor qualidade [...]
> [...] ele o colocará ali e um touro branco ele [colocará diante do fosso?]
> O rei [ateará fogo] a tudo isso com um caniço ardente [jogado dentro do fosso]
> O rei e o *Urigallu* pronunciarão esta prece [...]

Da oração subsistiu apenas um verso e meio, cujas palavras fazem, da cor do touro e do fogo, objeto da invocação:

> Oh, touro celestial, brilhante luz que [ilumina as trevas]
> Touro queimado de Anu...
> Oh, Gibil...[97]

Aqui a tábua literalmente se interrompe. Os fragmentos conservados demonstram que o touro branco era oferecido ao deus-céu Anu, durante um sacrifício associado de certo modo a seu filho mais velho Gibil, deus do fogo.

97. Frankfort, *op. cit.*, p. 324 e nota 41.

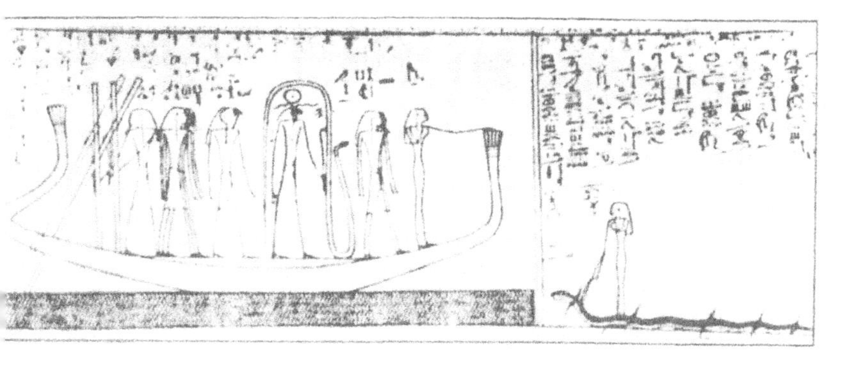

Rá destrói a serpente Apsu. Tumba de Seti I em Tebas (c. 1320 a. C.)

Em alguns mitos, os deuses do vento e da tempestade separam o céu da terra, como Enlil, ou Shu, deus egípcio do vento e do ar, que sustenta no alto o ventre do céu como uma vaca; ou o mantém na forma de uma mulher sobre Geb, a terra masculina. Mas a criação também tem a ver com a luz rompendo as trevas, impregnando a escuridão caótica. E a luz que Deus considerava boa, celebrada nas danças das tochas e no grande candelabro de Jerusalém durante a Festa dos Tabernáculos. A luz era a flecha que atravessara o coração de Tiamat e o do seu duplo, a Píton; a luz de Apolo que, como Marduk, era o "fixador de destinos"; e na mitologia egípcia, é a luz de Rá que destrói Apófis, a serpente da escuridão, quando se alça no horizonte:

> O grande disco do sol em tua testa castiga o dragão do mal
> Corta sua espinha dorsal
> A chama o destrói
> O calor o devora [...][98]

A destruição de Apófis era representada diariamente em alguns templos egípcios, mas as complexidades da vitória de Rá sobre Apófis não me interessam agora, nem tampouco seus paralelismos com as batalhas entre as serpentes da escuridão e os deuses da luz[99]. Entretanto, assinalarei que a derrota específica de Apófis, que figura na cerimônia da coroação egípcia contra os inimigos do faraó – "e eles serão como Apófis, a serpente, na manhã do Ano Novo" – coincide no calendário com a vitória de Marduk sobre Tiamat[100].

Gostaria agora de reconsiderar o uso do caniços nos ritos *Akitu*. Trata-se de um material de construção arquetípico da Mesopotâmia,

98. *Idem*, p. 132.
99. Pritchard, *op. cit.*, p. 6; Fontenrose, *op. cit*, pp. 186-188.
100. James, *Seasonal Festas*, p. 75 (a referência ali é equivocada).

anterior às tendas de couro e ao adobe, conforme aprendemos de uma das epopeias sumérias da criação:

> [...] Antes que houvesse nascido o divino Tag-Tug, quando a coroa não tinha sido posta em sua cabeça [...]
> Homens que foram criados para gozar a luz do dia
> Não podiam encontrar alimento
> O tecido-que-dá-descanso [tendas?] ainda lhes era desconhecido
> O povo fazia seus cultos em cabanas de caniços
> Faziam ruídos como carneiros, comiam ervas [...][101]

Em outro poema épico, o deus Enki anuncia a Nintud, mãe da Suméria, o desastre iminente, o Dilúvio, que ele havia decidido infligir sobre o mundo:

> [...] Ele abriu seu coração no templo
> revelou sua decisão na casa dos caniços [...][102]

Na epopeia, as casas de caniços são as habitações dos deuses e dos homens antediluvianos. A própria Inana, deusa-mãe dos sumérios, era representada nos ritos por um feixe de caniços. Isso é sugerido tanto pelo pictograma do seu nome como pelas duas obras de arte sumérias mais antigas e importantes da representação pictórica, a vasilha alta e a "gamela" de Warka[103]. Em geral, a pressuposição era de que a segunda se destinava aos animais do santuário da deusa, ao passo que a primeira foi interpretada como uma representação da festa *Akitu* em sua forma mais primitiva, na qual a morte e a ressurreição de Dumuzi/Enlil provavelmente desempenhavam um papel mais importante que nos ritos que descrevi. A deusa aparece de pé diante dos feixes eretos de caniços, que frequentemente a acompanham. Esses feixes relembram, inevitavelmente, a representação de outra deusa-mãe: o feixe de papiro chamado de pilar Djed, que representava Hathor grávida de Osíris, na encenação do mistério egípcio da morte e da ressurreição do deus, celebrada durante as cerimônias de coroação, e nas quais o ato de erguer o pilar simbolizava a ressurreição do Faraó morto. A manipulação do pilar estava vinculada a lutas simuladas, nas quais caules de papiro convertiam-se em armas rituais[104].

101. Stephen Langdon, *Le Poème sumérian duparadis*, p. 140.

102. *Idem*, p. 173.

103. Henri Frankfort, *The Art and Architecture of the Ancient Orient*, p. 10; H. A. Groenewegen-Frankfort, Arrest *and Movement*, pp. 151-153.

104. Frankfort, *Kingship*, pp. 129,178-180; cf. Sir Ernest Alfred Thompson Wallis Budge, *From Fetish to God in Ancient Egypt*, pp. 12-13, 65-66; Erich Neumann, *The Great Mother*, pp. 242-244.

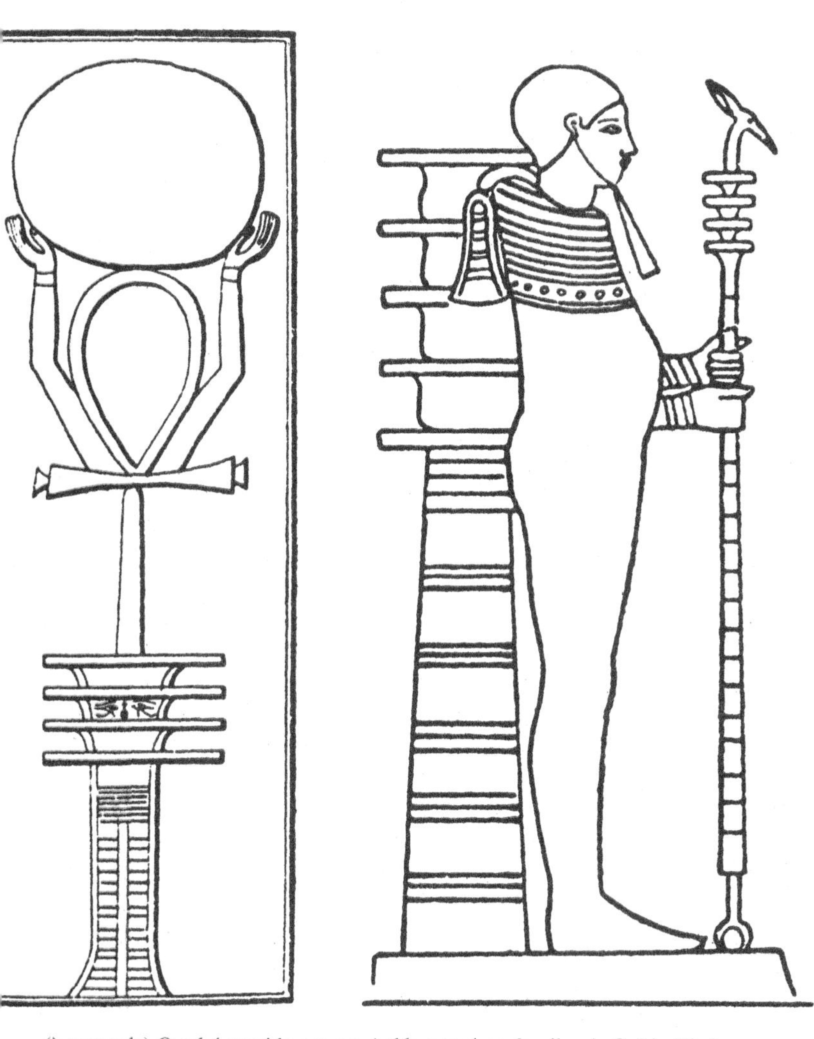

(à esquerda) O sol é erguido por um Ankh, por cima do pilar de Osfris-Djed, segundo Budge.
(à direita) O Deus Ptá de Mênfis, criador da terra, é mantido em pé por um pilar *djed*, apoiando-se em sua vara-cetro para medir as almas, segundo Budge.

O *Djed* também aparece muito cedo no contexto arquitetônico, na chamada tumba sul de Djoser, faraó da terceira dinastia. Aqui faz parte da decoração mural, de vitrificado brilhante, que em geral reproduz uma leve estrutura de madeira coberta, em forma de tenda, com esteiras de caniços[105]. Esse tipo de construção era muito comum no Egito desde os tempos remotos. Abrigos de caniços, tão abundantes no Sudão meridional, entre os Nuer e os Dinka, são utilizados ocasionalmente pelos camponeses egípcios, assumindo a forma de uma "cabana" de piso de terra batida, ovalada e abaixo do nível do terreno, que cercam com uma mureta. O desenho do piso e da mureta foi mantido nos hieróglifos que designam "eira", "cabana", "chaminé" e "horizonte"[106].

Todo o Egito era visto frequentemente como uma casa. Em particular o templo egípcio – composto por uma série de espaços plenos de colunas e cercados por um alto muro – era concebido em geral como uma imagem taquigráfica do Egito, o país das inundações. A imagem reflete os altos muros rochosos entre os quais o rio fluía, e onde o sol nasce e se põe entre duas montanhas, pois a extensa superfície rochosa está fissurada por pequenos e inumeráveis afluentes do Nilo, tanto a leste como a oeste. As colunas evocam outra imagem cósmica: a de um céu, plano como a superfície de uma mesa e sustentado por três pés. Essa imagem possui um eco "animado" no mito da deusa Nut, cujo corpo estendeu-se sobre a terra na mesma forma do céu; ou também, a imagem do céu como ventre de Hathor, a vaca cósmica[107].

O esquema ornamental das colunas egípcias era quase sempre vegetal e referia-se a outro modelo mítico, o da paisagem da criação. As três formas mais usuais são os feixes de folhas de palmeira, de flores de lótus e de papiro pressionados sobre o capitel e a base (esta última forma totalmente diferente do pilar Djed, de laterais retas e cujo capitel é uma coroa tripla, semelhante a uma cabeça). Sobre tais colunas se apoiava um teto que praticamente sempre continha alguma alusão ao céu (estrelas num fundo azul; o falcão com o disco solar; representações astronômicas) e encontravam eco fora das paredes do templo, numa "paisagem sagrada": um lago artificial entre palmeiras, rodeado de papiros e no qual flutuavam abundantes flores de lótus[108]. A costumeira avenida central do templo, símbolo do Nilo nas procissões, ficava num nível mais alto, flanqueada por pilares lotiformes, em vez de papiriformes. Erguia-se até o ponto mais alto do piso do templo, que representava o

105. Jacques Vandier, *Manuel d'archeologie égyptienne*, vol. 2, pp. 884-891.
106. *Idem*, vol. I, p. 113.
107. Cf. Leo Fraobenius, *Kulturgeschichte Afrikas*, p. 238.
108. Henri Frankfort, *Ancient Egyptian Religion, pp.* 153-156.

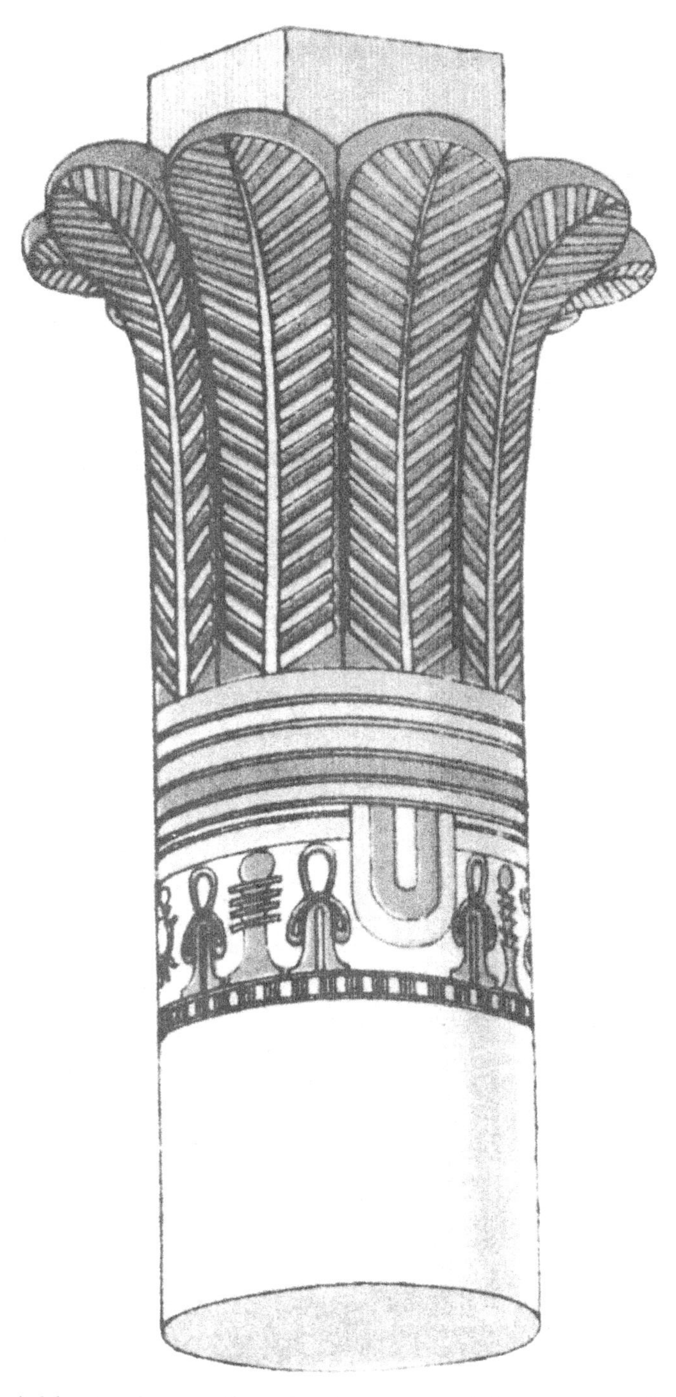

Capitel de uma coluna palmiforme. Na faixa ornamental inferior, aparecem pilares Djed, segundo Perror e Chipiez.

Maquete da reconstrução do complexo piramidal de Djoser em Saqqara, detalhe, segundo J. P. Lauer.

pequeno morro primevo que surgiu do barro caótico da não criação. Essa referência tinha grande importância na teologia egípcia, sendo reforçada por ecos tais como o teto piramidal, tão comum nos santuários divinos que, por sua vez, remetia a uma relíquia de origem celestial: o *pyramidon* sagrado, preservado em Hieracômpolis[109].

A planta que descrevi aqui é, naturalmente, só um esquema topológico, no qual os arquitetos do templo podiam introduzir variações. O simbolismo aparece documentado plenamente apenas uma vez: no templo ptolomaico inacabado de Khnum, em Esna. No entanto, o esquema iconográfico era bastante geral, seus desvios suficientemente coerentes e as referências a ele bastante difundidas pela literatura egípcia, para que resultassem familiares e claros para os egípcios cultos e, presumivelmente, também para os leigos.

Muito embora o templo fosse, entre outras coisas, um modelo em pedra da paisagem da criação, os diferentes tipos das ordens das colunas não estavam projetados para serem "lidos" como representações diretas da espécie vegetal, e sim como reproduções em pedra de características idealizadas da paisagem, algo que supostamente fora feito primeiro com materiais menos duráveis. Mesmo a coluna palmiforme, tão comum e totalmente desenvolvida já na quinta dinastia (como na tumba de Sahu-rê, em Abusir), e utilizada continuamente durante mais de dois milênios (aparece pela última vez no templo ptolomaico de Horus, em Edfu), não mostra uma palmeira que suporta o peso do telhado sobre sua coroa de folhas[110]. Ela é constituída por um fuste circular, que muito bem poderia ser o tronco da árvore, e que suporta diretamente todo o peso (como as colunas poligonais de Medinet-Habu e Deir el-Bahri), porém sua parte superior está decorada com folhas de palmeira agrupadas na forma de uma coroa ao redor do fuste. Essas folhas se mantêm unidas graças a uma correia, claramente visível nas colunas de pedra, cujas extremidades estão enfiadas para dentro, para maior segurança. É possível encontrar características como essas em muitos outros detalhes da decoração egípcia.

O primeiro uso sistemático de tais ornamentos em pedra que subsistiu é o complexo de edificações relacionado com a pirâmide de Djoser. Mesmo que as colunas palmiformes sejam de um tipo bastante rudimentar e as papiriformes nada mais que fustes retilíneos, a delicada coluna lotiforme já atingiu sua perfeição. Aparece tanto como coluna propriamente dita ou como ornamento de coluna integrado às inúmeras pinturas e esculturas, em que é presumivelmente um elemento de metal ou de madeira[111].

109. Pritchard, *op. cit.*, p. 3.

110. I. E. S. Edwards, *The Pyramids of Egypt*, pp. 179, 188.

111. Vandier, *op. cit.*, vol. 2, p. 928; Edwards, *op. cit.*, p. 63.

Uma vez mais, as colunas papiriformes da colunata da entrada não representam *fasces* de caniços que servem de apoio para o simulado teto de pequenos troncos, mas pilares de madeira, decorados com caniços amarrados, ou mesmo a anta recoberta de caniços de uma parede de tijolos[112]. É mais provável que as características ornamentais de um edifício de pedra sem precedentes sigam ou idealizem um método de construção similar tomado como sistema, ao invés de adotar voluntariamente características individuais desta construção, em especial se (como é mais provável) esta forma de construção já conta com um sistema de associações literárias e teológicas.

A coluna de caniços e de tronco dos templos de Djoser relembra também o pilar Djed que, como já assinalei, estava representado num dos "apartamentos" encontrados sob a pirâmide de Djoser. O enigmático pátio sul do edifício tem sido interpretado como uma versão em pedra das cabanas construídas para as festividades do *Sed*, que seriam utilizadas pelo faraó após sua morte. As duas esteias do sepulcro da pirâmide, assim como uma terceira, encontrada na tumba "sul" do complexo[113], mostram Djoser percorrendo os lugares da festa. O *heb-sed* era uma festividade que conservou sua importância durante os três milênios da monarquia faraônica[114]. Sendo dedicada à renovação e confirmação do rei, não era celebrada com frequência; ainda que o intervalo prescrito fosse, ao que parece, de trinta anos depois da coroação, sabemos que era comemorada mais assiduamente. Assim como a coroação, estava associada ao dia do Ano Novo, não necessariamente o solar. E como o *Akitu*, era uma festa muito longa.

A abertura era comemorada com suntuosas iluminações noturnas do templo e do pátio escolhido para a celebração. O pilar Djed era erguido no local designado; os deuses chegavam de barco, e o rei lhes dava as boas-vindas; promessas de lealdade e presentes eram trocados. O momento mais espetacular acontecia quando o faraó "consagrava" o terreno da festa, percorrendo-o quatro vezes em seu comprimento e largura, correndo ou até mesmo dançando; desse modo, tomava posse dele como de um dom divino. A festa exigia que houvesse um determinado número de edifícios, e qualquer que tenha sido sua construção verdadeira, os textos rituais reivindicavam para eles um caráter pré-histórico: "O salão do Rei Unas está repleto de caniços trançados"[115]. O complexo Djoser conta com uma série de pavilhões semelhantes (cuja decoração já descrevi). Ao reproduzir em pedra o trançado dos caniços dos pavilhões *Sed*, bem poderiam

112. *Idem*, 2, pp. 907-909.
113. Mem, pp. 888, 918.
114. Frankfort, *Kingship*, p. 79.
115. Mem, p. 80.

ter como finalidade elevar os frágeis e efêmeros pavilhões da festa *Sed* a uma eternidade litica.

Esses pavilhões são os que mais se assemelham aos descritos nos textos egípcios relacionados à festividade de Ísis em Tithorea, na Grécia, cujas práticas eram originalmente egípcias, segundo Pausânias[116]. A exceção de uma referência curiosa de Teócrito, os textos não dizem muita coisa sobre estes ritos, mas inumeráveis pinturas e baixos-relevos egípcios mostram santuários provisórios, pintados ou feitos de folhas, que eram construídos para as festas, geralmente em pequenas embarcações. As representações mais antigas destes santuários são encontradas nas pinturas das tumbas pré-dinásticas de Hieracômpolis e na cerâmica gerzeana[117].

A arquitetura egípcia em seus primórdios possui uma outra característica que gostaria de comentar aqui: o muro escalonado de tijolos, tão comum nas mastabas dos primeiros monarcas e nobres, cuja grandeza e monumentalidade são plenamente manifestas quando convertido em pedra, como no cercado de Djoser. Ao que parece, os egípcios copiaram esse elemento da Mesopotâmia, juntamente com o emprego de tijolos, com o qual esteve associado no início. Na Mesopotâmia, encontramos edifícios "monumentais" com laterais esconsas nos estratos inferiores de Tepe Gawra e Abu Sharein; o que é mais impressionante, as laterais destruídas da plataforma da qual se erguia o templo branco de Warka – cuja fachada inclui esse tipo de muro – eram, aparentemente, guarnecidas de painéis de alvenaria em recuo, e simbolizavam uma montanha[118]. Pouco se sabe acerca dos antecedentes desses edifícios da Mesopotâmia, cuja construção é anterior à invenção da escrita, se bem que existam uma ou duas ruínas claramente mais antigas, nas quais os recuos da parede externa estão conectados com contrafortes internos e, portanto, certamente a um sistema de vigas. Essa conexão não é observada nos edifícios mais monumentais do período Uruk, mas o procedimento arquitetônico continua sendo explorado, constituindo-se numa das características mais patentes dos zigurates, as sagradas montanhas artificiais, pilhas gigantescas de tijolos ainda hoje espalhadas desordenadamente na planície da Mesopotâmia. Tudo parece indicar que os egípcios adotaram simultaneamente a técnica e seu significado: assim como a cidade-pirâmide de Djoser representava todo o Egito, seus muros externos pareciam representar a parede rochosa de montanhas que demarcam o vale do Nilo. Na época do reinado de Djoser, os egípcios já utilizavam a escrita, mas as breves inscrições que subsistem são por demais lacônicas para aludir a coisas tais como o simbolismo da pirâmide. Contudo,

116. *Idem*, p. 197.

117. Vandier, *op. cit*, vol. 1, pp. 334-341, 561-563.

118. Frankfort, *Art and Architecture*, p. 4.

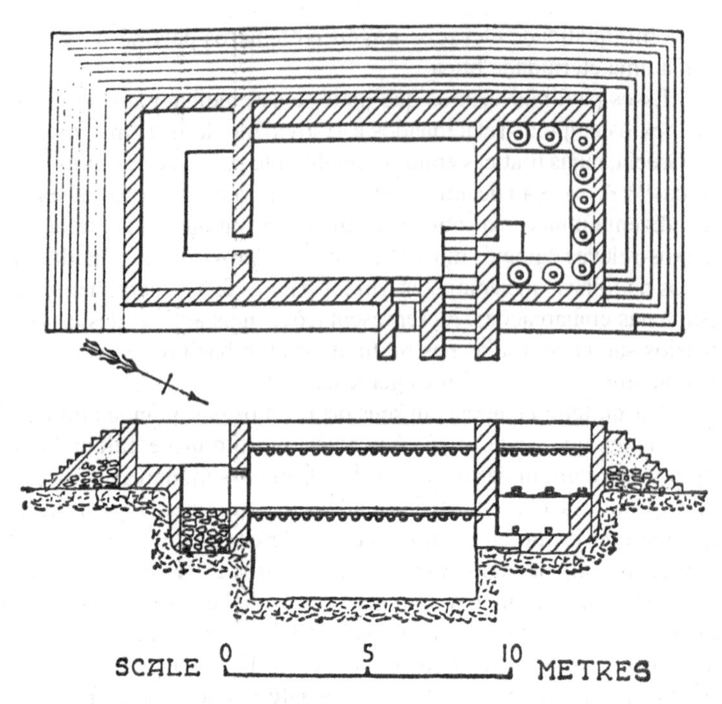

Mastaba 3038, Saqqara (provavelmente, a tumba de Ennezib, sexto faraó da primeira dinastia). Primeiro estágio, que demonstra a forma piramidal incipiente da estrutura.

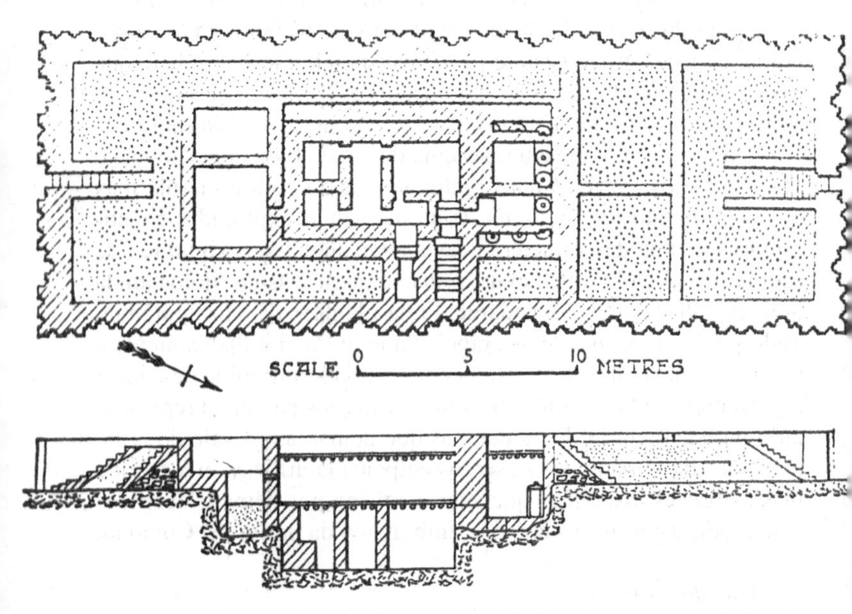

Tumba 3038, Saqqara. A pirâmide trancada original está cercada pelos habituais muros escalonados.

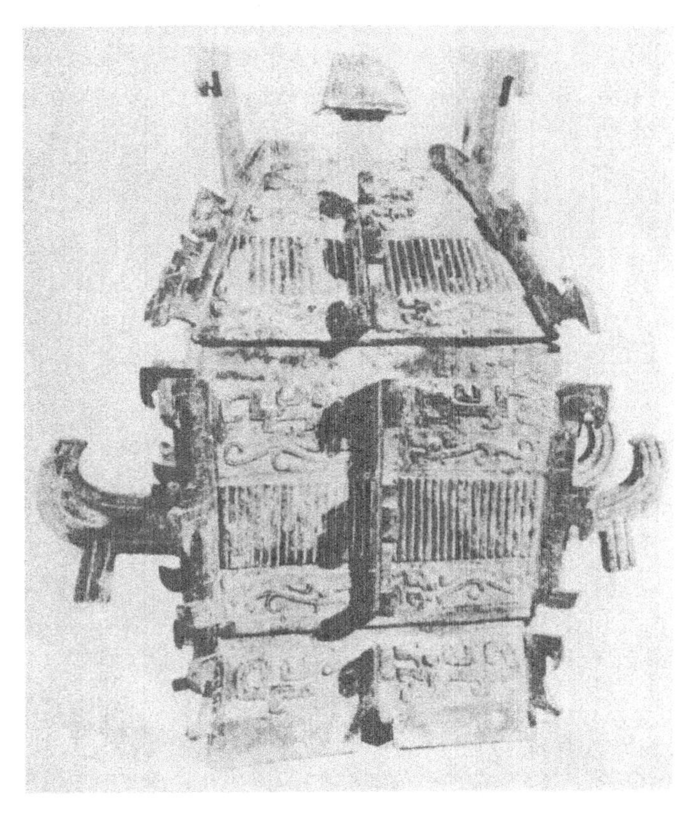

Vaso cerimonial de bronze, tipo Yu, período Shang, norte da China. Freer Art Gallery, Washington, D.C.

Urnas calcolíticas em forma de casa, Kusdeira, c. 3400 a. C. Museu de Jerusalém.

o exame de seus precedentes pode nos sugerir um enfoque. Os muros escalonados que envolvem o Djoser são, como já foi dito, análogos aos das mastabas[119], muito mais modestas. Escavações recentes demonstraram que o interior das mastabas era muito mais complexo do que se supunha. Em vários casos, descobriu-se uma estrutura independente encima da câmara funerária, posteriormente embutida no conjunto da mastaba. Ao que tudo indica, tratava-se no início de um modesto túmulo de terra, coberto com um invólucro de tijolo, como na suposta tumba da rainha Hernit, construída nos primórdios da primeira dinastia e que, no seu final, transforma-se numa diminuta pirâmide escalonada que ocupa a metade da superfície da mastaba na qual está inclusa[120]. A fusão das duas formas arquitetônicas, o túmulo funerário meridional (que se converte em pirâmide) e a fachada do palácio ou da casa setentrional (que se converte no muro exterior) é um subproduto da união dos dois reinos, expressa em termos de costumes funerários[121].

O sarcófago de madeira, em forma de casa ou de palácio, no qual os corpos eram enterrados – às vezes encolhidos (posição fetal), outras esticados – durante o primeiro período dinástico, foi o sucessor das caixas de madeira e de terracota, muito mais toscas, encontradas nas pequenas câmaras mortuárias de telhado ou abóbada de tijolos, do fim do período pré-dinástico; essas caixas, por sua vez, haviam substituído esteiras de junco, mais antigas, ou os jarros ovalados que continham cadáveres dobrados, forma de sepultamento quase que universal no Egito neolítico e calcolítico. O sarcófago-casa foi substituído mais tarde pela célebre versão antropoide[122]. Essas evoluções representaram, tanto quanto sabemos, um progresso econômico e técnico contínuo; é muito improvável que sejam resultado de revoluções teológicas extremas.

A coexistência de diferentes formas de sepultamento numa única cultura é um fenômeno muito comum, o que não justificaria que nos detivéssemos aqui para analisá-lo[123]. Ademais, a coexistência particular de recipientes em forma de útero contendo cadáveres dobrados, do corpo modelado por mortalhas de tecido e de urnas em forma de casa figura também em várias subculturas andinas. Naturalmente, não há possibilidade nenhuma de um contato histórico direto entre o Egito e o Peru. Num ponto intermediário,

119. Walter B. Emery, *Archaic Egypt*, pp. 144-146.

120. Edwards, *op. cit.*, pp. 42-45.

121. Emery, *op. cit.*, pp. 130-132.

122. Vandier, *op. cit.*, vol. 1, pp. 168-169, 192-193, 234-235; vol. 2, pp. 684-685, 800-801.

123. Carl Hentze, *Das Haus ais Weltort der Seele*, pp. 69-71, 110-112.

na China, essas práticas desenvolveram-se com grande sutileza, estando melhor documentadas que em muitas outras culturas. A minúcia dos detalhes da construção em madeira que aparecem nos grandes bronzes da dinastia Chang (c. 1500-1027 a. C), especialmente nos tipos Fang-I e Yü, evidenciam a associação entre os mortos e seus tipos de habitações. A forma dos detalhes representados nesses vasos não era, até onde sabemos, um reflexo da construção palaciana corrente, para a qual costumava-se utilizar muito mais o *pise* durante o período Chang, ao qual esses bronzes pertencem. Na verdade, a existência de cabanas redondas – demonstrada por escavações recentes como pertencentes ao período neolítico – já havia sido inicialmente deduzida a partir do formato do vaso Yü[124] . Os bronzes rituais Chia e Chüoh, mais comuns, são decorados segundo uma forma simplificada do habitat do espírito dos ancestrais: uma pequena casa, quadrada ou circular, que relembra indistintamente uma tenda ou uma cabana de caniços ou de madeira[125]. Uma forma decorativa análoga é encontrada na urna funerária ou, para sermos para precisos, nos ossuários de uma cultura europeia posterior, a dos povos "vilanovanos" (nome dado aos habitantes da Itália central e setentrional, por volta do início do primeiro milênio a. C). A urna bicônica básica, utilizada para a cremação funerária, era comum a muitos povos neolíticos da Europa[126]. Na Itália, passou por uma transformação elaborada e, já no início do milênio, existia uma grande diversidade de tipos, especialmente na Itália central. O ossuário bicônico era às vezes coroado com uma espécie de copa, à guisa de um telhado; em outras urnas, a cobertura era um elmo de bronze. Ademais, a decoração da urna era ocasionalmente antropomórfica. Eventualmente, havia uma tampa semiesférica, enfeitada de palha, sugerindo um telhado normal. Esse tipo de cobertura semiesférica apresentava às vezes, como decoração, pequenas casas salientes. Já no começo desse período, esses povos passaram a utilizar como ossuário o modelo da casa pequena, em geral de trinta centímetros de altura, em vez da uma. A grande maioria desses ossuários é de terracota escura, se bem que às vezes, tanto a casa como as umas bicônicas são de pedra e pouquíssimas, no final do período pré-histórico, após a virada do milênio, de bronze.

A julgar pelas evidências arqueológicas de que dispomos atualmente, os povos que enterravam seus mortos em cabanas redondas moravam em cabanas oblongas, quase retangulares[127]. É

124. William Watson, *China Before the Han Dinasty*, pp. 38-41.

125. Hentze, *op. cit.*, pp. 32-34.

126. V. Gordon Childe, *The Danube in Prehistory*, pp. 303-369.

127. Einar Gjerstad, *Early Rome*, vol. 4, pt. l, pp. 45, 59.

A Cabana de Rômulo, reconstruída por Giacomo Boni, e. 1900, na Colina do Palatino, próximo de Villa Mills.

tentador presumir que as cabanas circulares representam uma forma anterior de habitação, sobretudo se considerarmos que os ossuários retangulares no formato de casas surgem nos primórdios do período etrusco. Não obstante, é possível que os ossuários representassem um tipo de moradia sagrada e "breve". Mais tarde, os etruscos – que se preocupavam muito com a vida após a morte – desenvolveram essas ideias de uma maneira elaborada. Seus sarcófagos, tanto nos funerais de cremação como nos de inumação, adotavam comumente a forma de um edifício de telhado pontiagudo, com o morto nele representado; os sarcófagos, por sua vez, eram colocados dentro de tumbas esculpidas, que imitavam casas de madeira. Nas grandes necrópoles etruscas da Tarquinia e de Chiusi, há mostras exaustivas dessas práticas.

Mesmo em Roma havia, ao que parece, duas réplicas "verdadeiras" do tipo de cabana representado pelas urnas. A primeira encontrava-se no Palatino, a segunda no Capitólio. A cabana do Palatino situava-se no extremo ocidental da colina, próxima de várias antiguidades relacionadas à origem mítica da cidade, e que ocupavam um lugar correspondente nos ritos mais arcaicos da religião do estado: o Lupercal, o lugar para onde o baú contendo as crianças Rômulo e Remo fora carregado pelas águas da correnteza, e no qual vivia a loba que os amamentou, e a figueira, *ficus ruminalis*, ao lado da qual o pastor Faustolo, que iria criá-los, os encontrou. Como ele vivera primeiro naquela cabana do Palatino, ela era também conhecida como *Tugurium Faustuli*[128]. Varrão a enumera como um dos monumentos do Palatino. Dio Cássio registra, um tanto enigmaticamente, entre os maus presságios para o ano de 38 a. C, a destruição da cabana pelo fogo, "como resultado de algum ritual que os *Pontífices* ali celebravam"[129]. Nada conhecemos acerca desses ritos, porém é evidente que a cabana foi restaurada de imediato, porque Dio Cássio registra, como um dos presságios da morte de Agripa, que ela foi queimada novamente em 12 a. C. Dessa vez porque "corvos deixaram cair nacos de carne em brasa, que haviam roubado de algum altar", sobre a palha do telhado[130]. A cabana foi novamente restaurada. Os moralistas referem-se a ela como uma demonstração das origens humildes da glória romana[131]. Era ainda lembrada pelos viajantes na era cristã, o que significa que deve ter sido preservada em bom estado de conservação[132].

128. Solino, *Collectanea rerum memorabilium*, 1. 18; Zonaras, *Annales* 7. 3. 9; Varrão, 5. 53.

129. Dio Cassio, *History*, 48. 43. 4.

130. Mem, 54. 29. 8.

131. Sêneca, (Lucius Annaeus) *Letteres a Lucilius* (*ad Helvetium*), 9. 3; Valerio Máximo, *Memorabilia*, 2. 8.

132. Giuseppe Lugli, *Fontes ad topographiam veteres urbis Romae pertinentes*, vol. 8, pt. 19, la, 9-10; Sêneca (Marcus Annaeus), *Reteris Controversiae* 2.1. 4.

A cabana do Capitólio é menos conhecida, se bem que Vitrúvio especifique que sua cobertura era de palha[133]. Ele se refere simultaneamente a outra construção arcaica: o Areópago ateniense, de telhado de argila. O Areópago é uma protuberância rochosa exposta sob a Acrópole, famosa principalmente por ser o local de encontro do mais alto tribunal ateniense. Ao seu redor, agrupavam-se vários outros santuários, aos quais o destino da cidade estava vinculado, como os templos de Ares e das Fúrias e a tumba de Édipo. O tribunal, entretanto, julgava seus casos ao ar livre e, portanto, não é verossímil que necessitasse de um edifício como sede. Pausânias com certeza não o menciona, nem sequer cita qualquer telhado arcaico particular em nenhum dos outros edifícios[134]. Comenta, no entanto, o anacronismo dos acrotérios de terracota, curiosamente primitivos, do teto da *Stoa* Real da agora ateniense, onde o Areópago às vezes se reunia[135].

A *Stoa* Real era assim chamada porque era lá que o *Archon Basileus* oficiava. Ele era um dignatário da república que exercia os deveres religiosos estatais que, em outros tempos, tinham sido prerrogativa do rei. Em Roma, essas mesmas funções eram assumidas pelo *Rex sacrorum* e estavam igualmente associadas a uma construção arcaica, a Regia do Foro Romano, próxima do famoso Templo de Vesta.

Em geral, a Régia era a sede do colegiado pontifício, mas seu caráter sacro deve-se à tradição segundo a qual tinha sido a casa de "outro" grande rei de Roma, Numa[136]. Como todos os edifícios do centro de Roma, sofreu vários incêndios e destruições; e embora a forma definitiva em que sobreviveu se deva a Domício Calvino, contemporâneo de Augusto, sua restauração e qualquer outra obra que ali pudesse ter sido feita posteriormente respeitou o caráter arcaico da construção[137]. Ademais, ao longo dos séculos da existência do edifício, o coração de sua câmara principal, um disco composto por oito lousas de *capelaccio*, conservou as linhas e as dimensões que tivera desde um período anterior à data convencional do nascimento da república: desde o tempo dos reis legendários[138].

A Régia nunca foi utilizada como habitação nos tempos históricos. Era um santuário, vinculado a ritos arcaicos como o sacrifício do Cavalo de Outubro; era também o principal relicário do Estado romano, onde se guardavam as lanças, símbolos da proteção concedida a Roma por Marte, bem como aqueles *ancilia* sagrados asso-

133. Vitrúvio, *op. cit*, *2*. 1. 5.

134. Pausânias, *op. cit*, 1. 28. 5-8.

135. *Idem*, 1.3. 1.

136. Solino, *op. cit*, p. 1. 21; Festo, *op. cit*, p. 278.

137. Dio Cassio, *op. cit*, 48. 42.4-6.

138. Frank E. Brown, *The Regia*; e comunicação verbal.

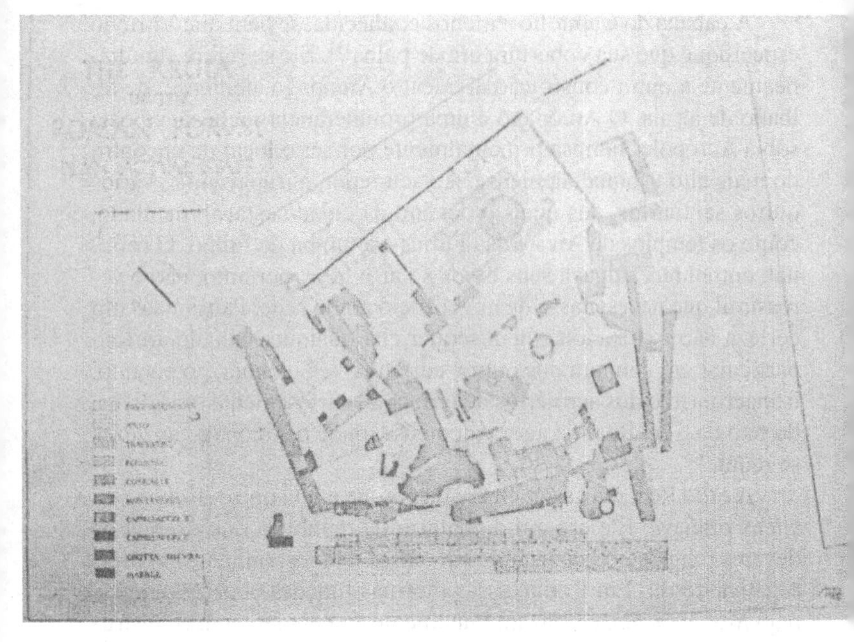

Planta da Regia do Foro Romano. O círculo na câmara meridional é o grande coração do santuário, segundo F. E. Brown.

ciados a Mamúrio Vetúrio, dos quais dependia a segurança do Estado[139].

Enquanto a cabana de Rômulo era conservada como estrutura inteira, de modo que suas paredes e telhado continuavam a ser do mesmo material rústico que a construção original, os santuários do Foro mantiveram a forma básica dos edifícios arcaicos, porém com materiais mais ricos.

> Onde agora vês bronze, terias visto em outros tempos palha
> e paredes entrançadas com o tosco salgueiro [...]

escreve Ovídio sobre o Templo de Vesta, que estava "defronte ao grande palácio de Numa, o que não se barbeava"[140]. No Foro, os edifícios eram relicários, mas no Capitólio e no Palatino, eram, eles próprios, relíquias. (Ver apêndice 4.)

Aqui posso aduzir um fenômeno contemporâneo análogo, no sentido de que os edifícios ainda são renovados segundo práticas antigas, se bem que esteja muito distante, do ponto de vista cultural e geográfico; edifícios que, num certo sentido, são ao mesmo tempo

139. Plutarco, *Moralia*: *Roman Questions* 97; Festo 295-296.
140. Ovídio, *Fasti*, 6.261.

relicários e relíquias. Trata-se do santuário de Ise, na Prefeitura de Mie, talvez o mais renomado complexo de construções religiosas japonesas.

Ise consiste de dois grupos de monumentos diversos: o templo exterior, Geku e o interior, Naiku. Cada um deles é composto por vários edifícios, santuários ancilares, depósitos, oficinas de trabalho e assim por diante, e cada qual possui um recinto interno, no qual se encontram um santuário principal e dois auxiliares, vários tesouros, cercados e portas. Em cada recinto, os edifícios guardam entre si as mesmas proporções, se bem que sejam de tamanhos diferentes; e, em cada caso, são totalmente reconstruídos a cada vinte anos, num local contíguo. O lugar que fica vazio conserva seu caráter sagrado e é coberto com grandes seixos de mármore. A única construção que nele se ergue é uma cabana pequena, dentro da qual há um poste de cerca de dois metros de altura, conhecido como *shin-no-mi-hashira* (literalmente, "a coluna augusta do coração"). O novo santuário será erigido sobre este poste, que é o *sacrum* principal do templo. O culto, todavia, concentra-se num espelho de bronze (ou de cobre), que representa *Ama-terasu-omikami*, a deusa do sol e ancestral da família imperial. O espelho é guardado em várias caixas de seda e madeira, colocadas sobre um estrado na forma de um barco, que também substitui o poste sagrado central. A remoção do estrado com o espelho é o ato central da consagração do novo templo. Os edifícios velhos são então demolidos e seus elementos sagrados de madeira quebrados em pequenas varetas, que os peregrinos levam como lembrança de sua peregrinação.

Muito embora a última reconstrução do Naiku tenha ocorrido em 1953, há poucas dúvidas de que ele reproduz com fidelidade o templo reconstruído cerimonialmente pela primeira vez em 692 d. C. pela imperatriz Jito, templo este que fora edificado originalmente vinte anos antes por seu esposo, o imperador Temmu, primeiro Mikado a governar o Japão unificado (673-686)[141]. A construção de Ise feita por Temmu foi o cumprimento de uma promessa: o local já era venerável quando a reconstrução cerimonial foi instituída. Ise não é o único santuário Xintó onde é perpetuada essa reconstrução cerimonial, se bem que seja o mais famoso, pois todo japonês deve fazer uma peregrinação a ele ao menos uma vez na vida, e também o único conhecido que tem conservado a sua forma primitiva por tão longo período de tempo.

Talvez a característica mais curiosa da construção em Ise seja o procedimento utilizado para sustentar o telhado. As câmaras dos santuários são erguidas sobre *pilotis* de madeira, análogos ao pilar sagrado central. As paredes são feitas de painéis de tamanho considerável, na maioria dos casos emoldurados, ainda que, em alguns

141. Kenzo Tange e Noboru Kawazoe, *Ise*, p. 199.

Uma casa *takayuka*. Gravada numa placa de bronze, século I ou II d. C, período Yayoi, segundo Drexler.

dos edifícios menores, estejam simplesmente encaixados uns nos outros, método que presumimos tenha sido utilizado para construir o santuário original. A característica mais estranha é que o telhado não repousa sobre as paredes[142]. Os caibros apoiam-se sobre as terças, mas a trave é sustentada independentemente por duas grandes colunas, situadas em ambas as extremidades, fincadas diretamente no solo.

Resquícios escassos de casas japonesas primitivas mostram que este tipo de construção permanece. No entanto, a julgar pelos raros fragmentos e pelos modelos funerários, a maioria era de habitações com telhado de palha e estrutura rudimentar (principalmente nas regiões do Norte e do Oeste do país), ou talvez moradias sobre *pilotis* em outras províncias. Um edifício construído dessa maneira, com a trave sobre colunas independentes, tal como em Ise, aparece num desenho que decora um dos painéis de um bronze Yayoi (660 a. C.-97 d. C), um objeto em forma de sino e de uso incerto, se bem que seu esquema decorativo geral sugere alguma espécie de finalidade ritual[143].

142. *Idem, p.* 191.

143. Robert Treat Paine e Alexander Soper, *The Art and Architecture of Japan*, pp. 162-163; J. Edward Kidder, *Early Japanese Art*, pp. 37-41.

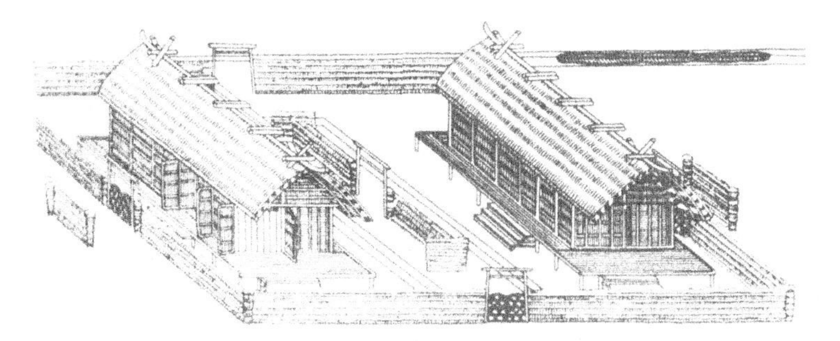

O Daijo-kyu, santuário central do recinto japonês da coroação, segundo Tange e Kawazoe.

É bem possível que o edifício representado não seja uma casa, e sim um celeiro: a associação entre celeiros e edifícios imperiais é muito antiga. De todo modo, há muitas aldeias e casas sobre *pilotis* no Sudeste asiático, para que esse tipo de construção necessite de uma alegação específica no contexto japonês pré-histórico[144]. Ademais, existem registros de outra reconstrução cerimonial no Japão. A antiga cerimônia de coroação do Mikado tinha lugar num acampamento provisório, o *Daijo-Kyu*, descrito no *Jogan Kyakushiki*[145]. Eram ao todo cerca de cem pavilhões, rodeados por uma cerca *sakuki*; construídos sem fundações, com toras não desbastadas, e cobertos de grama verde, recém-cortada. Os dois pavilhões centrais eram estruturas compridas e estreitas, e o imperador, como parte do rito central, o *Ononike*, comia uma refeição em cada um deles; a comida era fornecida respectivamente pelas províncias orientais e ocidentais. Por intermédio do consumo desses alimentos, ele passava a "encarnar" as duas partes do país, do mesmo modo que os pavilhões as "representavam". O *Jogan Kyakushiki* foi redigido no período Heian (794-893 d. C), e descreve celebrações contemporâneas, se bem que fale de ritos já veneráveis. Por outro lado, comentaristas posteriores trataram extensivamente deste rito, nem sempre chegando a um acordo. Na era Heian, até o próprio ato da construção já estava ritualizado, sendo monopólio de uma guilda familiar de artesãos. A construção de santuários provisórios, edificados *ad hoc* para ocasiões específicas, foi uma prática muito comum no Japão até bem mais tarde. Tudo isso significa que tais práticas eram deveras conhecidas no Japão antes do Mikado Temmu ter prometido construir o santuário de Ise do outro lado da baía, caso conseguisse reprimir a rebelião das províncias orientais. Sua vitória marcou o

144. Tange e Kawazoe, *op. cit*, p. 199.

145. D. C. Holton, *The Japanese Enthronement Ceremonies*, pass.; Sir Ernest Saton, 'Ancient Japanese Rituals", *Transactions of the Asiatic Society of Japan*, vol. 9, pass.

Santuário de Ise. O Geka, ou santuário exterior. Gravura do século XVIII.

"estabelecimento" de Ise como santuário principal do Japão imperial, mas o local em si, bem como o cedro japonês que nele crescia, era sagrado ainda antes.

O cedro japonês (criptoméria) é uma árvore relacionada aos santuários xintoístas, apesar da planta sagrada do Xintó, o *sakaki*, ser um arbusto da família da planta do chá. O *shin-no-mi-hashira* representa um ramo de *sakaki* encravado no solo. Existe uma profecia com relação à imperatriz Jingo-Kogo (201-269), que fala de um ramo de *sakaki* em Ise e da donzela que desce voando do céu. Essa profecia é interpretada como uma referência ao pilar sagrado central do templo e ao reflexo do sol no espelho a ele associado que, por sua vez, remete a outro vínculo existente entre um ramo de *sakaki*, um espelho e a donzela do sol. Este é um dos mitos japoneses – ou, em todo caso, xintoístas – mais importantes da criação. Ele fala da cólera da deusa Amaterasu, personificação do sol e ancestral da dinastia imperial, que, furiosa com as maldades de seu irmão Susa-no-wo, deus do trovão, retirou-se para uma caverna, mergulhando o mundo nas trevas. As oito miríades de deuses reuniram-se ao redor da entrada da gruta. Uzume, a deusa do riso e da dança, executou uma dança obscena diante da entrada, sobre uma tina de madeira virada com a boca para baixo, e os milhões de deuses riram. Amaterasu, intrigada por aquelas risadas, saiu para dar uma espiada e, ao ver seu reflexo num espelho que tinha sido colocado sobre uma árvore de *sakaki* na entrada da caverna, foi puxada para fora do seu refúgio e persuadida a não mais voltar para lá.

O espelho de Ise é um dos objetos de culto essenciais da religião xintoísta e uma das insígnias reais do Mikado; outro deles é a espada de Susa-no-wo, guardada no santuário Izumi em Kitsuki, mais um

Santuário de Ise. O Naiku, ou santuário interior. Gravura do século XVIII.

edifício de aspecto deliberadamente arcaico[146]. A edificação desse templo era, em si mesma, mítica; as crônicas contam como os pilares do templo "foram fixados na parte mais funda do solo, e suas travessas elevadas até o plano do céu". O pilar central de Ise é também o ramo de *sakaki* e o pilar "fixado na parte mais funda do solo", como a árvore celestial de tantas lendas. Em Ise, esse pilar central encontra eco nos dois pilares exteriores, ao passo que em Izumi, a cumeeira do telhado repousa sobre um grosso pilar central, enquanto as duas colunas situadas no centro dos muros externos não são especialmente realçadas. Izumi é uma reconstrução do século XVIII. As "reconstruções" gráficas revelam um santuário de proporções muito mais estranhas que, no entanto, não alteram essencialmente suas implicações iconográficas. Os historiadores da arquitetura presumem que os santuários xintoístas passaram por um estágio "primitivo", antes que sua construção fosse ritualizada. Não obstante, é bem possível que encarnem ritos de edificação anteriores à criação dos cultos em Ise ou em Kitsuki; comentaristas do Xintó insistem que o estilo dos primeiros santuários derivava de cabanas primitivas, usadas como habitações. De qualquer forma, o estilo "xintoísta puro", o *shinmei-zukuri*, é uma formalização do estilo *kuroki-zukuri*, próprio dos pavilhões provisórios das cerimônias de coroação e entronização do imperador. Em Ise, e nos santuários que o imitam, são mostradas exemplarmente as técnicas rústicas de uma época que precedeu a codificação de procedimentos construtivos. Na segunda metade do século XVIII, houve um renascimento do Xintó e seus

146. Basil Hall Chamberlain e W. B. Mason, *A Handbook for Travellers in Japan*, p. 428.

protagonistas buscaram no estilo de Ise um modelo para a arquitetura religiosa. Em numerosos santuários foram suprimidas as adições posteriores, para devolvê-los ao estilo *shinmei-zukuri*.

A divindade viva do Mikado era uma instituição muito diferente da imortalidade de Augusto. Rômulo não foi o antepassado de uma casa imperial, mas o fundador da cidade e o instaurador de suas instituições. Sua casa era, pois, uma garantia da antiguidade das instituições e um testemunho de sua autenticidade; testemunho também do movimento dinâmico da história, que havia criado um Estado partindo de uma cabana como a de Rômulo até alcançar a glória das habitações dos governantes nos vastos complexos de mármore do Palatino. Ise, por outro lado, proclamava a realização, para todo o sempre, dos imperadores de um passado mítico, gerados e orientados pelos deuses.

Apresentei ritos praticados por diversos povos: gregos, romanos, judeus, egípcios e japoneses, nos quais uma cabana "primitiva" era construída seja ritualmente – e em intervalos sazonais – seja reproduzindo deliberadamente um estado "primitivo", com propósitos rituais análogos. Todos são ritos de povos urbanizados, ou semi-urbanizados, possuindo portanto formas de construção mais permanentes e elaboradas, em contraposição às quais a cabana "primitiva" constitui uma recordação das origens. Os procedimentos são análogos e, indubitavelmente, outros desse tipo poderiam ser encontrados nas sociedades antigas, assim como nas modernas e "fechadas". O retorno às origens é um procedimento ritual muito conhecido. A variante particular de construir e habitar uma cabana semelhante às dos antepassados mais remotos (como no caso dos judeus e dos japoneses) sugere uma tentativa cosmogônica de renovar o tempo, restituindo as condições "que existiam no início"; ademais, o exemplo japonês sugere uma identidade entre a casa e o território. Por isso, o rito não renova o tempo apenas para o ocupante da cabana, mas para todos aqueles que habitam o território que ela representa. O costume romano é mais sumário, o da Mesopotâmia muito mais circunstancial; os contos de fada falam de ritos já esquecidos pela história, porém profundamente enraizados na memória popular. Todos eles contêm alguma variante das ideias de renovação e transição; a analogia entre cabana, terra e mundo, de um lado, e entre cabana e corpo humano, de outro. A gama de significados associados a esses ritos é limitada, por mais numerosas que sejam as variações sobre o tema. A sua persistência extraordinária, à qual já aludi, sugere que tais procedimentos rituais e as ideias a eles vinculadas têm um valor inalterável e, por conseguinte, uma relevância permanente. E isso que eu gostaria, em conclusão, de examinar num contexto diferente.

7. Uma Casa para a Alma

Afinal, o pênis é somente um símbolo fálico.
ATRIBUÍDO A C. G. JUNG

Em conclusão: minha tese é a existência de um interesse constante pela cabana primitiva. Ao que parece, praticamente todos os povos, em todas as épocas, têm demonstrado esse interesse, e o significado atribuído a esse objeto complexo não parece ter mudado muito conforme o lugar e as épocas. Na minha opinião, esse significado persistirá no futuro, com implicações permanentes e inevitáveis para as relações entre qualquer edifício e seus usuários.

Os teóricos da arquitetura citados neste ensaio reconheceram, direta ou indiretamente, a relevância da cabana primitiva, já que para muitos deles ela constituiu o ponto de referência de todas as suas especulações acerca dos elementos essenciais da arte da edificação. Tais especulações se intensificam quando a necessidade de renovar a arquitetura se faz sentir. Porém, esse interesse não se limita ao plano especulativo: diversos teóricos tentaram reconstruir tal cabana em três dimensões, para ver qual teria sido a forma "natural" do edifício: natural, racional ou de revelação divina, segundo a ótica de cada um. Alguns contentaram-se em apresentá-la mediante desenhos e gravuras; mas, por ter sido construída num cenário remoto e primordial que denominamos "Paraíso" e cuja localização não pode ser encontrada em nenhum mapa, ninguém ousou sugerir o local onde aquele original poderia ser encontrado, ou desenterrado.

Por outro lado, a ideia de reconstruir a forma original de todas as edificações tal "como tinha sido no princípio", ou como foi "revelada" por Deus ou por algum ancestral divinizado, é um elemento importante da vida religiosa de muitos povos, de modo que parece praticamente universal. Nos ritos, cabanas desse tipo são construídas sazonalmente. Tais construções têm conotações múltiplas e complexas; com frequência, identificam-se com um corpo, seja humano ou sobrenatural e perfeito, e apresentam afinidades com a terra de origem ou com todo o universo. A construção de cabanas primitivas parece particularmente associada a festividades de renovação (Ano Novo, coroação), bem como aos ritos de passagem que marcam a iniciação e o casamento. Gostaria de demonstrar, por intermédio de outra análise da Festa dos Tabernáculos, que a preocupação com o futuro, com a projeção, é endêmica ao tema em si.

Tanto na tradição rabínica quanto na cristã – em particular na patrística – a festa tinha um caráter "projetivo", pois estava íntima e inextricavelmente ligada à concepção da imortalidade e às esperanças messiânicas. Essas associações tradicionais são resumidas na interpretação do Salmo 118 (117), que fechava a procissão do Halel – a parte mais conspícua da celebração dos Tabernáculos –, e faz inclusive uma referência direta aos costumes dos quais tenho me ocupado: "Formai a procissão com ramos até aos ângulos do altar"[1]. Na liturgia da sinagoga, o Halel conservou o lugar que ocupava no serviço do Templo.

Como o Midrasch reconheceu, esse era tradicionalmente um salmo de procissão[2]. O texto e a composição referem-se inequivocamente a uma procissão pelo Templo de Jerusalém, ainda que a topografia exata não seja absolutamente evidente[3]. Apesar de todas as suas referências estritamente locais, as invocações reverberam promessas messiânicas:

> Minha força e meu canto é o Senhor, Ele foi a minha salvação! Há gritos de júbilo e salvação nas tendas dos justos [...] abri-me as portas da justiça, vou entrar celebrando ao Senhor! Esta é a porta do Senhor: os justos por ela entrarão [...] A pedra que os construtores rejeitaram tornou-se a pedra angular [...] Bendito o que vem em nome do Senhor! Da casa do Senhor nós vos abençoamos [...][4]

Tanto a tradição judaica como a cristã identificam os tabernáculos dos justos com a morada dos redimidos no reino messiânico, morada esta que tem a forma da *suká* festiva[5]. No século IV, São Metódio de Olímpia retoma a tradição rabínica, modificando-a em função de seus próprios objetivos:

1. Sl 118:27.
2. *The Midrash on the Psalms*, vol. 2, pp. 244-245.
3. Franz Delitsch, *Biblical Commentary on the Psalms*, vol. 3, pp. 207-211; Sigmund Mowinckel, *The Psalms in Israel's Worship*, vol. 1, pp. 130-131.
4. Sl 118:14-15, 19-20,22, 26.
5. Talmud (Babilônico), *Baba Batra* 75a.

> Eu também saio do Egito desta vida, chego primeiro à ressurreição, à primeira Festa dos Tabernáculos. Ali, tendo construído minha bela cabana no primeiro dia da festa, o do julgamento, celebro a festa com Cristo durante o milênio do descanso, denominado de os sete dias, os verdadeiros *shabatot*. Depois, seguindo Jesus, que cruzou os céus, eu inicio novamente minha jornada, como eles [os judeus no deserto], após o descanso da Festa dos Tabernáculos, partiram em direção à Terra Prometida, aos céus, sem mais aguardar nos tabernáculos, ou seja, meu tabernáculo que já não é mais o mesmo, tendo passado após milênio de uma forma humana e corruptível para uma grandeza e beleza angelicais [...]

São Metódio identifica seu próprio corpo com o tabernáculo; o tabernáculo com o Templo; e o Templo com o Paraíso e com Cristo[6].

Tal associação está fundamentada nas próprias palavras de Jesus, conforme relatadas nos Evangelhos; e Pedro, durante seu primeiro interrogatório em Jerusalém, identifica Cristo com a pedra rejeitada do salmo[7]. Os Evangelhos apresentam uma sanção adicional para essa associação com a festa. Quando Cristo foi transfigurado no Monte Tabor, e os discípulos viram Elias e Moisés falando com ele, Pedro pensa, em sua confusão, na edificação de três tabernáculos: "Senhor, é bom estarmos aqui. Se queres, levantarei aqui três tendas: uma para ti, outra para Moisés e outra para Elias". "Mas sem saber o que dizia", acrescenta Lucas[8]. Isso sugeriu a muitos comentaristas que o evento teve lugar durante a Festa dos Tabernáculos: a leitura de Lucas parece indicar que aconteceu em *Haschaná Rabá*.

A procissão de Hosana reaparece, talvez cronologicamente mal situada, no relato evangélico da entrada de Cristo em Jerusalém: ao entrar na cidade montado sobre um jumento, a multidão que o acompanha agita palmeiras e entoa versículos do salmo 118: "Bendito o que vem em nome do Senhor [...]" etc. dando assim a entender que reconhece a chegada do Messias como uma resposta à grande prece de salvação, que é a litania da Hosana[9].

A referência mais extensa aos costumes da festa nas Escrituras é encontrada na descrição de S. João da liturgia cósmica, que o justo executa diante do Cordeiro:

> Uma grande multidão, que ninguém podia contar, de todas as nações, tribos, povos e línguas. Estavam de pé diante do trono e diante do Cordeiro, trajados com vestes brancas e com palmas na mão [...] Aquele que está sentado no trono estenderá sua tenda *[skenosei]* sobre eles [...] o Cordeiro [...] os conduzirá até as fontes de água da vida[10].

6. S. Metódio de Olímpia, *The Symposium* (ed. e trad. Herbert Mursillo), 9.5 (pp. 124-125); cf. Jean Danielou, *The Bible and the Liturgy*, p. 337.
7. At 4:1.
8. Mt 17:4; Mc 9:5, 6; Lc 9:33.
9. Jo 12:13; cf. Zc 9:9.
10. Ap 7:9-17.

A função tríplice da festa é assinalada claramente por S. João – o "Tabernáculo", as palmeiras ondulantes da procissão, "o julgamento pela água". A *skena*, o tabernáculo, reaparece várias vezes no Apocalipse[11]; o profeta o associa ao *eschaton* – assim como as palmeiras ondulantes do *Lulav*, as palmeiras da procissão da Hosana, associavam-se à esperança messiânica e à imortalidade. No simbolismo rabínico, o *Lulav* e o *Etrog* evocam a esperança messiânica e aparecem frequentemente nas esteias das tumbas judaicas, como um testemunho da imortalidade[12]. A interpretação moralizante dos *Midraschim* e a visão escatológica de S. João mostram a elevada espiritualização de nosso tema. Isso não impede, ao contrário, que seja estruturado na mente de São Metódio como vinculações anagógicas desde a prática dos ritos à história de Israel, que, por sua vez, é identificada com os incidentes da vida de Cristo, remetendo novamente à iniciação pessoal daquele que crê na imortalidade.

Como contraprova, gostaria de verificar uma somatização radical desse mesmo tema, cujo contexto traz à luz um novo aspecto. Na verdade, imaginei como essa complexidade de ações e ideias seria tratada por um povo desprovido de toda técnica de construção, como é o caso das tribos aborígines da Austrália central.

Se é que constroem algo, seus métodos e suas concepções sobre o assunto são pouco conhecidos. Eles são coletores de alimento seminômades e, aparentemente, não possuem habitações permanentes, exceto por casas *churringa*, plataformas sobre as quais são preservados os zunidores sagrados de pedra ou de madeira. Fora isso, seus edifícios são apêndices contrapostos a alguma superfície rochosa, e no norte, cabanas de ramos de salgueiro com cobertura feita de casca de árvores (como proteção contra os mosquitos) ou cabanas de cascas lisas (como um guarda-chuva estendido)[13]. Aparentemente, os aborígines utilizam lâminas de casca de árvores à guisa de guarda--chuva, segurando-as inclinadas sobre a cabeça, assim como o Adão de Filarete protegeu sua cabeça com as mãos unidas em forma de um teto. Por vezes assentam essas mesmas lâminas sobre troncos de árvores, estabelecendo-se uma identidade imediata entre o abrigo "objetificado" e o simples prolongamento improvisado do corpo[14].

Entretanto, tribos da Austrália central, como a dos Aranda, que vivem na bacia do rio Finke, bem no centro do continente, sequer parecem ter necessidade de utilizar esse tipo tão rudimentar de cons-

11. *Idem*, 7:15, 12:12. 13:6, 21:3.

12. Erwin R. Goodenough, *Jewish Symbols in the Graeco-Roman Period*, vol. 12, pp. 86-87.

13. Baldwin Spencer e F. J. Gillen, *The Native Tribes of Central Australia*, pp. 16-23.

14. Baldwin Spencer, *The Native Tribes of the Northern Territory of Australia*, pp. 28-31.

trução. Os únicos abrigos que erguem para seu próprio uso são quebra-ventos de arbustos, que eles se limitam a arrancar, podar e empilhar. Dormem ao ar livre, assim protegidos ao lado de pequenas fogueiras que os aquecem nas estações frias. Tais quebra-ventos também desempenham um papel importante na "construção" de seus terrenos cerimoniais.

Nos seus ritos, utilizam zunidores de madeira ou de pedra, que tratam como tesouros, à semelhança da maioria das outras tribos australianas; pintam seus corpos de uma maneira bastante elaborada, enfeitando-os com peles e penas de aves; e, como outros aborígenes, também fabricam objetos cerimoniais, que são destruídos depois de utilizados uma única vez. Esses objetos são fundamentalmente de dois tipos: *nurtunja* e *waninga*. Os primeiros são feixes de capim, geralmente reforçados por uma lança ou por uma haste que serve de eixo e atados com cabelos humanos ou com uma "corda" de pele de gambá; sua decoração varia em função do totem e da ocasião. Existe também uma classe de objetos afins, as estacas cerimoniais, utilizados por várias tribos em seus rituais.

As *waninga* têm um interesse mais imediato para nós. Consistem de uma vara longa – em geral uma lança – e de uma ou duas varetas transversais, atadas perpendicularmente à primeira. Essa estrutura é revestida por um fio, enrolado densamente em linhas paralelas, de modo a formar um retângulo com dois triângulos em cada uma das extremidades menores. Como no caso da *nurtunja*, o fio é quase sempre de cabelo humano, se bem que costumam também usar fios de origem animal. A *waninga* é enfeitada com ocre, argila branca, sangue, penas e penugem.

Alguns oficiantes carregavam às vezes pequenas *waninga* e *nurtunja* sobre a cabeça, como parte de sua indumentária ritual; mais frequentemente, sobretudo no caso das primeiras, tratava-se de objetos independentes que eram carregados e que desempenhavam papel central nas cerimônias de iniciação, qualquer que fosse o totem.

Assim como a *nurtunja*, a *waninga* representa o animal ou o objeto totêmico; suas diversas partes e tratamentos decorativos estão associados aos diferentes aspectos do totem. Entretanto, sua forma geral representa também algumas constelações. A Via Láctea, o local onde os ancestrais vivem eternamente, é interpretada como uma cerca feita de *waninga*; finalmente, a *waninga* simboliza também a união do casal ancestral[15].

A *waninga* é levada de um lado para outro nas danças e procissões; é também fincada na terra e utilizada como um mapa "taxonômico", para explicar aos iniciados os mitos totêmicos, bem como sua relação com os fenômenos naturais. Em muitas iniciações, o

15. Spencer e Gillen, p. 307; GezaRoheim, *The Riddle of the Sphinx*, pp. 123-126.

postulante abraça a *waninga* num momento crucial, depois que seus mistérios lhe foram explicados.

A rigidez geométrica da construção da *waninga* talvez recorde alguns leitores de uma passagem de *Por uma Arquitetura*, de Le Corbusier, citada no início deste ensaio. Em termos de estratificação cultural convencional, os aborígines australianos que as fabricam são selvagens; nem sequer chegam a ser bárbaros. No entanto, mesmo eles fazem objetos rudimentares de uma regularidade geométrica perfeita que, num certo sentido, parece antecipar-se a toda noção de construção. Devo advertir aqui que não é minha intenção apresentar os aborígines como um *Urvolk*, que transmite para os nossos tempos, sem qualquer alteração, algumas das técnicas de nossos antepassados do paleolítico. Ao contrário, a informação de que dispomos hoje levou alguns autores a supor que os aspectos materiais da cultura aborígene regrediram com a chegada dos primeiros colonizadores europeus[16]. A evidência australiana me parece interessante por outra razão: nos coloca na presença de um povo sem edifícios que, não obstante, evoca um nexo similar entre noções primárias e as que venho rastreando ao longo deste ensaio. No exemplo acima, tais ideias se manifestam de uma forma abstrata, por intermédio de um objeto cuja única finalidade física é sua exibição; tão logo esta termina, o objeto é destruído, assim como a pintura corporal elaborada, também utilizada nesses mesmos ritos, é lavada de imediato.

A *waninga* recebe o mesmo tratamento que os desenhos do corpo. Porém, em oposição aos outros desenhos sagrados (os da *churringa*, dos bumerangues, das paredes das cavernas etc.), ela e a cabana de iniciação compartilham de uma característica comum: apresentam-se como um "mapa" coerente, formal e autossuficiente, que remete ao corpo do iniciado – que, por sua vez, se identifica com a *waninga* ao abraçá-la – à história sagrada, ao *hierogamos* e à ordem cósmica.

Contudo, a articulação da *waninga* e a denominação de suas partes relembra outro complexo de ideias: a casa e, particularmente, a casa dos iniciados imortalizados, enquanto um complexo de seres vivos. No Livro dos Mortos egípcio, o morto recebe as diretrizes que deve seguir a fim de alcançar a "salvação" (emprego o termo no sentido de bem-estar na vida após a morte). O texto lhe proporciona uma descrição minuciosa da Sala do Julgamento de Osíris, na qual deverá finalmente ser julgado. Ele deverá recitar certas fórmulas: "Homenagem a vós, ó deuses, que habitais no palácio de Maati de duas faces. Eu vos conheço, e conheço vossos nomes. Não me deixeis cair sobre vossas facas mortais, e não apresenteis minhas maldades ao deus em cujo séquito estais [...]" Ele então jura ser inocente de muitos pecados e justifica suas ações, morais e religiosas, antes de enumerar os

16. A. P. Elkin, *The Australian Aborigines*, pp. 16-17.

Kana-Kana da tribo Mantuntara, com a grande *waninga*, segundo Roheim.

ritos específicos dos quais participou. "Vem, pois, [dizem eles] e atravessa a porta deste palácio de Maati de duas faces, pois tu nos conheces". "Não te deixaremos passar, dizem os ferrolhos desta porta, a menos que nos digas nossos nomes: Língua da Balança do lugar da justiça e da verdade é vosso nome. Não te deixarei passar por mim, diz o dintel direito desta porta, a menos que digas o meu nome. Balança do suporte da justiça e da verdade é o teu nome [...]" e assim sucessivamente, através do dintel direito, da soleira, da aldrava, das folhas da porta, do piso etc.; o diálogo é realmente muito longo[17].

Em outros ritos, a tumba é identificada com o universo, atribuindo-se às suas partes o caráter de seres vivos, como a cerimônia curiosa em que os quatro celebrantes assumem o papel dos quatro pilares de Hórus (os suportes do mundo), graças aos nomes escritos em seus ombros[18]. Essa identificação de elementos construtivos da casa sagrada ou da tumba com figuras humanas é bastante comum. Franz Boas fala de um mito indígena do Noroeste, no qual o herói, filho do sol, desce à terra; tendo se casado com uma mortal, constrói uma casa. O mito narra que todas as colunas eram homens, e lhes atribui nomes diversos. As colunas frontais apoiavam uma viga em forma de serpente; as posteriores, uma viga que representava um lobo e uma serpente. A porta era suspensa por dobradiças altas, de modo que matava todo aquele que demorasse a entrar. "E tendo terminado sua casa, deu uma grande festa; as colunas e as vigas tornaram-se vivas, e os homens-coluna, que permaneciam no fundo da casa, o advertiam quando entrava um homem perverso. E as serpentes matavam imediatamente esta pessoa"[19]. Cada parte da cabana tinha seu nome, sugerindo um ritual semelhante ao cerimonial egípcio que acabo de descrever. O poder do nome ("abre-te, Sésamo") é um tropo mitológico e ritual tão conhecido, que não creio ser necessário ampliar o tema. Todavia, as partes vivas e individualizadas da cabana, do edifício, remetem-me à *waninga* australiana. É claro que a *waninga* não é, em nenhum sentido, um edifício mas, mesmo sem encerrar claramente qualquer espaço, exibe as mesmas características encarnadas pelas cabanas de iniciação. Não estou certo se esse objeto australiano representa uma etapa decadente da civilização material – podendo, portanto, ser interpretado como uma abstração das cabanas utilizadas em um período anterior e mais rico – ou se podemos considerá-lo o predecessor lógico (se bem que não cronológico) de toda construção – na suposição de que os aborígines australianos

17. Sir Ernest Alfred Thompson Wallis Budge, *The Book of the Dead*, vol. 2, p. 371 (cap. cxxv b).

18. *Idem*, vol. 3, p. 414 (cap. Cxxxvii a).

19. Franz Boas (*Indian Sagas*), citado em Vladimir J. Propp, *Le Radici Storiche dei Racconti di Fate*, p. 98.

nunca souberam construir. Com base nas evidências arqueológicas de que dispomos, minha tendência é aceitar a segunda suposição. De todo modo, parece-me notável que um povo, que somente adota um tipo dolorosamente incômodo de abrigo como expediente temporário, possa conceber essa construção extraordinária, dotando-a de toda a majestade de esperanças que o Apocalipse glorifica.

A *waninga* e as tendas e cabanas de muitos rituais compartilham dessa natureza temporária. E mesmo que seja inútil perguntar se os ritos de iniciação precederam a *waninga*, ou se este objeto desenvolveu-se como parte do ritual, ele parece demonstrar que o complexo ritual e mitológico, do qual o primitivo nada mais é que uma fachada, independe dele, devendo ser de uma antiguidade tão respeitável que chega a fazer parte da natureza biológica do homem.

Tomando-se dois exemplos totalmente díspares, do mesmo modo que a *waninga* representava a união do casal ancestral, a cabana de galhos era vista como uma "câmara nuptial" na Mesopotâmia e entre os índios Blackfoot[20]. Também os judeus tinham o costume de realizar o casamento debaixo de um dossel de ramos, que presumivelmente era uma abstração formalizada da câmara decorada com ramos e flores, na qual a união do casal ancestral fora protegida; essa prática recorda também o *gigunu* da hierogamia mesopotâmica[21]. Apesar das sucessivas proibições suntuárias que marcaram os diversos reveses da nação judaica, tanto as *hupot* de tecido quanto as de galhos entrelaçados permaneceram parte do cerimonial judaico até os dias de hoje[22]. Ademais, para a tradição talmúdica, existia uma certa unidade nesses ritos associados à construção dos tabernáculos. Provavelmente por esse motivo, os participantes da cerimônia matrimonial e da construção da *hupá* (*baal hupá*) são isentos da obrigação de construir um tabernáculo[23].

Essa identidade sugere uma solução ao enigma por mim proposto no início deste ensaio. Não que o *Talmud* realmente afirme que Adão tivesse construído uma *suká* no Paraíso. Mas, uma lenda paratalmúdica registra uma tradição sobre o casamento de Adão e Eva: "O Santo, Bendito Seja, fez erguer dez pálios nupciais para Adão, no Jardim do Éden. Todos eram feitos de pedras preciosas, de pérolas e de ouro. Não é verdade que um só palio nupcial é construído para um rei...?"[24]

20. Lord Raglan, *The Temple and the House*, p. 98.

21. *Jewish Encyclopedia*, s.v. "Huppah".

22. *Talmud de Jerusalém*, Tratado Sota 9. 15; cf. *Jewish Encyclopedia*, s.v. "Huppah".

23. *Talmud de Jerusalém*, Tratado Suká 2. 5.

24. *Pirkê de Rabi Eliezer*, pp. 88-89.

O grande amor que Deus sentia por Adão parece tê-lo convertido na imagem espelhada do rei messiânico, ao qual a tradição também atribui os dez pálios[25]. Agora, a *hupá* mencionada pelo *Pirkê de Rabi Eliezer* – seja lá quando foi que esta obra estranha tenha sido redigida – não é a cabana de galhos, mas uma grande edificação de ouro e pedras preciosas, mais apropriada para uma lenda de tal esplendor. Quaisquer que fossem seus materiais, é evidente que sua finalidade, além de delimitar um espaço físico, não era proteger do mau tempo, nem se prestar às outras funções atribuídas a um edifício. O abrigo que a *hupá* oferecia era puramente nocional, mas de todo modo necessário. Seu piso era a terra; seus apoios, seres vivos; seu telhado treliçado assemelhava-se a um diminuto céu de folhas e flores: para o casal que dentro dele se abrigava era ao mesmo tempo a imagem de seus corpos unidos e uma súplica para que o mundo consentisse em sua união. Era ainda mais do que isso; oferecia a eles – num momento crítico – uma mediação entre as sensações íntimas de seus próprios corpos e o significado do imenso e inexplorado mundo ao seu redor. Constituía, por conseguinte, ao mesmo tempo uma representação do corpo dos seus ocupantes e um mapa, um modelo e uma interpretação do mundo. Por esse motivo, devo postular uma casa para Adão no Paraíso. Não como um refúgio contra as intempéries, mas como um volume que ele poderia interpretar em função de seu próprio corpo e que, ao mesmo tempo, fosse uma exposição do plano paradisíaco em cujo centro ele se encontrava.

Para muitos leitores, tal aspiração feita em nome de inúmeros casais – iletrados ou semiletrados – em geral pouco atraentes e certamente incapazes de articular tais ideias em termos conscientes – pode parecer arbitrária, ou mesmo absurda. Entretanto, a percepção de questões bastante complexas desse tipo não implica necessariamente na capacidade de articulá-las, nem sequer de abrigá-las num nível semiconsciente. Em algum lugar nas mentes dos homens que, ao longo de milênios, colocaram em prática os costumes que descrevemos, alojava-se a convicção de que estas cerimônias elaboradas eram indispensáveis, convicção que de modo nenhum era mágica, e à qual eles davam expressão com os seus próprios corpos.

Seja como uma especulação de caráter religioso, mítico ou arquitetônico, a cabana primitiva afigurou-se como um paradigma do edifício: um padrão pelo qual outras edificações deveriam, de certa forma, ser avaliadas, pois foi a partir dessa frágil origem que todas elas surgiram. Essas cabanas encontravam-se sempre num passado idealizado. Os bárbaros ideais de Le Corbusier construíam para provar a si mesmos que pensavam; os camponeses, igualmente ideais de Loos, construíam bem porque sabiam fazê-lo instintivamente,

25. Menorat-ha-Moar.

obedecendo simplesmente a necessidades externas e às suas ideias inatas. Para Loos e para Le Corbusier, o engenheiro – despojado dos excessos da cultura, obedecendo somente à necessidade, no caso de Loos, e à razão no caso de Le Corbusier – é o verdadeiro descendente do construtor primitivo. Loos reflete fielmente atitudes anteriores. Ele é herdeiro da tradição segundo a qual a natureza humana não apresenta descontinuidade com relação ao reino animal, e a verdadeira construção deve ser, de certo modo, um prolongamento da natureza; um bom exemplo dessa atitude reflete-se nas crenças de Ruskin, para quem as melhores construções constituem, por essência, um elemento da paisagem natural. Essa postura tem o seu reverso nos escritos de Durand, nos quais a atenuação extrema do racionalismo do século XVIII resulta num convencionalismo utilitário. Mesmo assim, encontramos no século XIX autores que reconhecem a existência de outro impulso nas atividades criativas do homem: o de imitar os ritmos essenciais da natureza como estímulo para a aquisição de todas as habilidades, hipótese esta que, no caso de Semper, leva a considerar a guirlanda de margaridas como o arquétipo de toda invenção humana. Le Corbusier talvez tenha se inspirado parcialmente nessa ideia, bem como em outras precedentes, formuladas antes que os edifícios fossem idealmente situados numa natureza contínua.

Os escritores do século XVIII, tão preocupados com as origens da linguagem, consideravam que o ponto de partida das realizações propriamente humanas encontrava-se num tipo particular de inferência fundamentada nos dados da experiência, ou por vezes era um subproduto do choque causado pelo terror. Isso os levou a questionar, ao abordar os estágios avançados da civilização, o que era positivo e necessário, e o que era arbitrário e caprichoso: o que significava ajustar-se à natureza e/ou à razão, e até que ponto essas duas eram contínuas. Tais ideias refletiam e transformavam temáticas antigas. Contudo, antes que se desenvolvesse novamente a concepção de que o distanciamento do modelo "natural" era um sintoma de decadência, a tensão entre a natureza e a graça permitiu a elaboração de outros aspectos do tema. Isso levou a uma obsessão pelas regras de uma arquitetura "revelada", uma arquitetura cujas normas não decorreriam de uma sequência de deduções lógicas a partir de origens naturais, mas que se fundamentariam na solidez da revelação. Por conseguinte, um modelo de inspiração divina teve de ser proposto para todas as habilidades humanas, demasiado imperfeitas. Muito antes que tais especulações fossem sacralizadas nos livros, o retorno às primeiras habitações conhecidas passou a fazer parte desse desejo intenso de renovação mediante a volta às origens, que parecia ser o elemento de fundo da condição social humana.

Ao longo dessas numerosas transformações, o tema da cabana primitiva retorna como garantia de renovação, não só como testemunho do passado, mas como um guia para o futuro. Os psicólogos há muito observaram seu caráter perene. A paixão pela construção de espaços fechados, ou por "adotar", por tomar posse de um volume limitado sob os pés de uma cadeira ou de uma mesa como um "lugar aconchegante" para se fazer uma "casa", é um dos jogos infantis favoritos[26]. Mesmo nesse contexto encontramos a ascendência dupla da casa original, ainda que de forma radicalmente reduzida: o espaço "encontrado" da caverna, e o espaço "fabricado" da tenda ou do abrigo de folhagem. Essa "justificativa" filogenética da hipótese de Vitrúvio sobre as origens da casa é reforçada se nos lembramos que os psicólogos realçaram com frequência a orientação social de tais jogos. Eles os associaram – em sua ambivalência de prazer e de terror, seus jogos de exclusão e de inclusão – às relações entre a criança e sua mãe, do modo como se revelam no medo e na atração pelo útero materno[27].

O retorno às origens é uma constante do desenvolvimento do homem e, nessa questão, a arquitetura se adapta a todas as demais atividades humanas. A cabana primitiva – o lar do primeiro homem –não é, pois, uma preocupação incidental dos teóricos, nem tampouco um elemento fortuito de mitos ou de rituais. O retorno às origens implica necessariamente numa nova reflexão sobre nossas ações habituais, uma tentativa de renovar a validade dos atos e gestos cotidianos, ou simplesmente a revocação da sanção natural (ou mesmo divina), que permite repetir essas ações num período futuro. Nesse repensar atual do porquê e para que construímos, a cabana primitiva conservará, creio eu, toda sua força de evocação do significado original e, portanto, essencial de toda construção feita para o homem: ou seja, o significado da arquitetura. Ela segue como uma declaração perpetuamente subjacente, um núcleo intencional e irredutível, transformada pelas tensões das diferentes forças históricas, conforme tentei demonstrar.

O desejo de renovação é eterno e inevitável. A própria persistência de tensões sociais e intelectuais assegura sua recorrência, e se a procura pela renovação sempre figurou nos ritos primitivos de mudanças sazonais ou de iniciação, foi a preocupação de reformar costumes e práticas corrompidas que guiou os teóricos em seu apelo à cabana primitiva. Tudo isso me leva a crer que ela continuará a oferecer um modelo para quem quer que se interesse pela construção, uma cabana primitiva situada permanentemente, talvez além do alcance do historiador ou do arqueólogo, em algum lugar que devo

26. Susan Isaacs, *Social Development in Young Children*, pp. 362-364.
27. Norman O. Brown, *Love's Body*, p. 59.

chamar de Paraíso. E o Paraíso é uma promessa, tanto quanto uma rememoração.

Apêndices

Apêndice I

A noção de que a combinação gótica de pilares e abóbadas imitava diretamente uma floresta "primordial" aparece também na França; o jovem André Félibien des Avaux, ao editar a famosa obra de seu pai *Entretiens sur les vies et sur les ouvrages des plus excellents peintres anciens et modernes*, acrescentou uma série de escritos enigmáticos, inclusive sua própria dissertação sobre a arquitetura antiga, comparada à gótica. A seu ver, mesmo na Itália há igrejas construídas durante os séculos interpostos entre a Antiguidade e seu Renascimento, que subsistiram intactas até a sua época; algumas delas, as mais rústicas e de volume compacto, retiveram algo do caráter das cavernas e das cavidades nas quais habitaram os povos setentrionais; outras, leves e delicadas, teriam como origem abrigos frondosos que encontramos nas florestas, ou locais sombreados que os habitantes de climas temperados edificam em campo aberto para sua proteção. "É por isso" – prossegue ele – "que podemos observar, em construções desse tipo, uma infinidade de colunas bastante esbeltas, como se fossem inúmeros galhos e hastes de árvores. Às vezes, várias delas provêm daquela coluna única [...] em outras, pequenas colunas ocultam pilaretes muito altas que sustentam as abóbadas".

Tendo descrito os detalhes das estruturas abobadadas, Félibien acrescenta duas observações: que os arcos pontiagudos distribuíam o peso das abóbadas muito bem, e que os arquitetos que construíram tais edifícios com o melhor do gosto aqui descrito, justificaram os princípios de sua arte por meio de argumentos impossíveis de refutar, numa época em que a ignorância das letras; a dificuldade em referir-se ao único livro da boa arquitetura, o de Vitrúvio; e acima de tudo, a destruição quase que completa de todas as construções antigas, significavam que não havia nada que pudesse se opor ao exemplo da prática moderna.

A arquitetura gótica, no entanto, carregou dentro de si as sementes de sua própria decadência, e seus últimos edifícios parecem obras de filigrana (o que John Evelyn havia chamado anteriormente de ziguezague). Em seguida, veio a aventura da descoberta de Brunelleschi da antiga e boa maneira, e uma grande revigoração para o espírito dos arquitetos, decorrente da obra *O Sonho de Polifilo*, de Francesco Colonna.

A condição decisiva que permitiu à arquitetura alcançar sua natureza real deu-se quando tudo, até mesmo o menor ornamento, foi considerado como derivado rigorosamente da necessidade.

A arquitetura antiga fundamenta-se sobre o princípio da verdadeira e clara beleza e solidez. Por conseguinte, colunas antigas são talhadas numa imitação de troncos de árvores, e não no formato daqueles galhos flexíveis aos quais as colunas das obras góticas são comparadas e que parecem, quando muito, sustentar folhagem e flores como quiosques de jardim, ou coberturas mais leves, como tendas ou pavilhões [...]

Félibien rejeita categoricamente qualquer ideia de uma arquitetura cuja origem seja natural e "direta": trata-se de uma arte de imitação, imitação na qual a imagem da necessidade é formada numa condição cultural, uma imagem definitivamente preferível, com todas as suas associações históricas, à imitação não mediada de uma *natura naturata*.

Apêndice II

É claro que a fascinação por troncos cortados e ramos entrelaçados não se limitou aos construtores. Entre 1497 e 1498, Leonardo pintou as 16 árvores que se elevam pelas paredes da Sala delle Asse no Castelo de Sforza, em Milão, erguendo-se e se entrelaçando no mais elaborado labirinto elaborado de ramos, presos entre si por nós dourados, como se para tornar a nodosidade mais explícita. Essa pintura foi feita na mesma época em que, no claustro projetado por Bramante para a Igreja de São Ambrósio, as colunas "ad tron-chonos" que Vasari tanto admirara (se bem que as tivesse atribuído a Bramantino em vez de a Bramante) eram fixadas, tendo sido provavelmente projetadas em 1492. A galeria na Catedral de Praga data de dois anos antes; a Igreja de S. Ulrich e S. Afra, em Augsburg, é do mesmo ano; o tabernáculo do sacramento, na Igreja de S. Lorenz em Nuremberg, data de 1493; a abóbada na Igreja de Frauenkirche, em Ingolstadt, foi construída cerca de 15 anos depois. Adam Krafft, que construiu o tabernáculo de Nuremberg, repetiu sua façanha na cidade de Schwabach; e embora haja detalhes em outras igrejas e palácios da Alemanha e da Boêmia – Tilman Riemenschneider, por exemplo, as utiliza em suas esculturas de madeira –, nada iguala a efusão na fachada do Collegio de San Gregorio, em Valladolid.

O fato de a fachada inteira ser recoberta de esculturas não é, em si, extraordinário. Próximo desse local encontra-se a ainda mais célebre Igreja de San Pablo, que apresenta uma fachada hierarquicamente compartimentada e de extrema elaboração. Essa famosa igreja dominicana pode ter sido restaurada pelo infame Cardeal Torquemada, que foi seu prior; o Collegio de San Gregorio foi uma obra posterior da irmandade dos dominicanos, tendo sido fundado por Alonso de Burgos, um magnânimo bispo de Palência, em 1486.

Como ocorre com a Igreja de San Pablo, não se sabe ao certo quem projetou a fachada. Ambas as fachadas são reminiscentes de retábulos de catedrais espanholas, com suas imensas telas de madeira dourada, subdivididas em inúmeros compartimentos e tabernáculos. Seu ponto culminante talvez seja a extraordinária parede oriental do Monastério de Miraflores, de autoria de Gil de Siloé (um imigrante alemão, como Hans da Colônia, aliás, Juan de Colônia) e Diego de la Cruz, construída entre 1496 e 1499 e recoberta – como se relata –pelo primeiro ouro trazido do Novo Mundo; menos de uma década depois, Francisco de Colônia, neto de Hans, produziu uma obra ainda mais elaborada, de alabastro policromado, na parede oriental de San Nicolas, em Burgos. Esses retábulos "definitivos" foram igualados, talvez mesmo imitados, por fachadas contemporâneas, como a de San Pablo. Porém, o retábulo do Collegio de San Gregorio, que é atribuído a diferentes autores, desde Jan van de Eycken, aliás Annequin de Egas; a Gil de Siloé; assim como ao original Juan de Colônia e a seu filho Simon; e até mesmo a Macias Carpintero, que cortou sua própria garganta enquanto o edifício ainda estava sendo erguido – é de um tipo totalmente diferente. Ele é articulado por pilares que parecem brotos cortados e retorcidos atados por fitas; as canópias e bases de todas as estátuas assemelham-se às tramas elaboradas de cestaria, e toda a superfície é entalhada de forma a parecer um salgueiro entrelaçado. Nas três divisões das pilastras laterais encontram-se, embaixo, selvagens cobertos de pele empunhando clavas; a seguir, cavaleiros em armaduras portando lanças; acima deles, homens idosos (e sábios?) carregando em suas mãos bastões desbastados. No painel central, uma romãzeira ornamentada, povoada de *putti*, que cresce de um poço hexagonal, serve de suporte para as armas dos reis católicos de Castela e Leão.

A interpretação de todo o conjunto depende dos diferentes significados atribuídos à romãzeira: ela já foi vista como uma representação de Granada (por uma simples aliteração), que os reis católicos conquistaram em 1491; pode ser considerada símbolo de um casamento fértil; foi também tomada como símbolo da teologia, ciência à qual o Collegio de San Gregorio se dedicava exclusivamente.

Outro significado hieroglífico associado à romã é a coexistência de povos diferentes num só reino, sob um único domínio. Todas essas leituras servem de ponto de partida para a interpretação da árvore que, casualmente, assemelha-se a certas versões da árvore de Jessé; há um retábulo imenso dedicado a essa imagem na capela da Catedral de S. Ana de Burgos, construída cerca de dez anos antes que a fachada de San Gregorio fosse encomendada. No entanto, a árvore de Burgos permanece enquadrada no ordenamento da estrutura arquitetônica, com apenas alguns brotos conspícuos irrompendo através das molduras. Em San Gregorio, toda a arquitetura é transformada na espécie vegetal. Isto a torna muito mais caprichosa que as gavinhas simuladas que Tilman Riemenschneider ou Veit Stoss executaram em madeira (às vezes, também em bronze e pedra), mais ou menos na mesma época na Alemanha central.

O pátio interno de San Gregorio é mais solene e refinado, porém igualmente mais complexo, que a fachada, relembrando os excessos da arquitetura portuguesa contemporânea: em Alcobaça, na igreja da abadia, a porta da sacristia era emoldurada por duas árvores, seus troncos, cortados e os galhos superiores, amarrados com um nó, de modo a formar um arco; em Tomar, ao lado do rio Tejo, ao norte de Lisboa, a casa do cabido é decorada com conchas, plantas e cordas (sua incrustação refere-se, alegadamente, à uma disputa entre o rei D. Manuel e Américo Vespúcio). Rio abaixo, em Belém, há uma torre de vigia da qual zarpavam todas os grandes exploradores portugueses, cuja construção nunca foi concluída mas que apresenta ornamentos tão elaborados quanto os de Tomar. O uso de corda enquanto elemento predominante aparece ainda na Espanha. Em Burgos, o edifício civil mais importante é a Casa del Cordón, cuja característica principal é uma grande corda trançada, como a usada no hábito dos franciscanos, entalhada na fachada.

Todos esses exemplos de Milão, Portugal e Espanha, como aqueles da Boêmia, Alemanha e Itália que citei anteriormente, datam do mesmo intervalo de trinta anos (1480-1510). Eles assinalam a passagem nas terras germânicas, ibéricas e eslavas, da antiga arquitetura maçônica para a nova arquitetura livresca: da gótica para a Renascença, se preferirem. Nunca se conseguiu explicar satisfatoriamente por que o mesmo ocorreu em Milão, onde tais incertezas não prevaleciam.

Burgos, Casa del Cordon. Detalhe da entrada principal, mostrando a corda que dá nome ao palácio e que emoldura o monograma sagrado e as armas de Castela e Aragão.

Valladolid, Collegio de San Gregorio. Entrada principal.

Valladolid, Collegio de San Gregorio. Entrada principal, detalhe mostrando o pano de fundo "trançado".

Apêndice III

A fascinação pelo Templo era tão forte, tão generalizada, que quando Isaac Newton incumbiu-se de reformular a cronologia universal de acordo com os novos cálculos astronômicos, a sua preocupação em demonstrar tanto a prioridade como a superioridade do Templo de Jerusalém com relação a qualquer outra construção "monumental" chegou quase à obsessão. "Não encontrei menção nenhuma a templos suntuosos antes dos dias de Salomão", escreveu ele categoricamente. Tampouco viu qualquer motivo para rever sua opinião. Por mais irrefutáveis que fossem os argumentos de seus muitos oponentes, por mais convincentes as evidências das próprias Escrituras acerca das grandes obras de construção no Egito, nas quais os hebreus eram trabalhadores forçados antes do seu êxodo, ou acerca da habilidade superior dos fenícios na construção (que havia impelido Salomão a solicitar pedreiros e carpinteiros de Hiran, rei de Tiro), Newton permaneceu inabalável. Para ele, a arquitetura de templos teria sido projetada primeiro por Salomão, e só depois os egípcios e outras nações começaram a construir templos como sepulcros para seus príncipes; a partir de então, a arquitetura religiosa monumental espalhou-se por todo o mundo.

Acompanhado de seu comentário sobre o Livro de Daniel, Newton publicou um único plano do Templo, que não se distingue em muito da reconstrução de Louis Coppel, baseada na descrição de Josefo e publicada na Bíblia poliglota de Brian Walton.

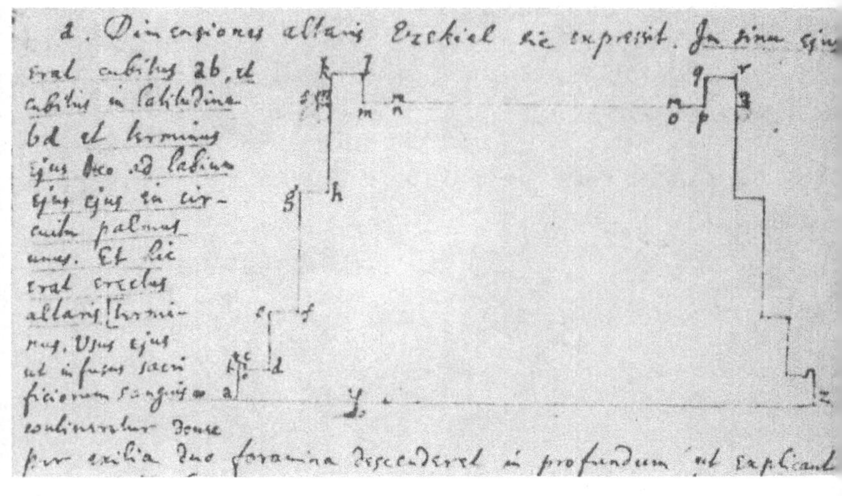

Isaac Newton: Seção do altar do Templo, desenhada na primeira página de seu *Prolegomena... in quibus agitur de Forma Sanctuarii.* MS Babson College, Wellesley, Massachussetts.

Tanto seus seguidores como seus críticos lamentaram a inexistência de "apoios verticais". A partir de alguns de seus manuscritos, parece evidente que Newton pretendia prosseguir na restauração. Mas, à semelhança de grande parte da sua história e da sua teologia, a restauração foi negligenciada e, em geral, mal compreendida.

No entanto, a ideia pela primeira vez formulada "cientificamente" (em referência a observações astronômicas), como o fez Newton, de que o Templo de Jerusalém não era apenas aquele edifício esplêndido, deveras superior à maioria, se não à totalidade dos palácios e templos que o antecederam, mas que foi o primeiro de todos esses a ser erguido, como produto de inspiração e orientação divinas, nunca fora advogada de forma tão poderosa e obstinada.

Apêndice IV

Paradoxalmente, uma cabana "mais antiga" que a do Areópago ou a "cabana de Rômulo" foi encontrada em Erétria, na ilha de Eubeia, pelos arqueólogos da Escola Suíça de Atenas, quando a primeira edição deste livro encontrava-se no prelo. Sob as ruínas do templo de Apolo Dafnéforo do século VI, existiam alguns edifícios do século VIII: um templo em forma de "grampo de cabelo" com fundações de pedra, e uma fileira central de colunas; à sua frente, um altar e, perto deste, algumas outras paredes, incluindo um edifício que poderia ter sido um octágono. Porém, o mais surpreendente é que próximo ao "templo", em ângulo com ele, existia um outro edifício menor: uma fundação de pedra, incluindo engastes para pilares de madeira. O conjunto parecia ser anterior ainda ao templo no formato de grampo, pela existência de duas ranhuras, claramente visíveis nas fundações da parede em grampo, abrindo espaço para as bases dos pilares do edifício menor em madeira.

O edifício menor foi reconstruído pelo arquiteto e arqueólogo suíço Paul Auberson; ele parece ter sido constituído por uma esbelta estrutura de madeira, amarrada com cordas, composta de uma série de pilares duplos de ambos os lados da parede – provavelmente uma parede acanhada de pedras e argila. Cada um dos pilares apoiava-se numa base circular de argila. O telhado possuía, com toda certeza, uma inclinação razoável e abrupta de duas águas, fazendo com que sua frente se apresentasse tão alta quanto sua largura. É difícil saber como denominar a estrutura: seria um templo, ou teria sido reerguido

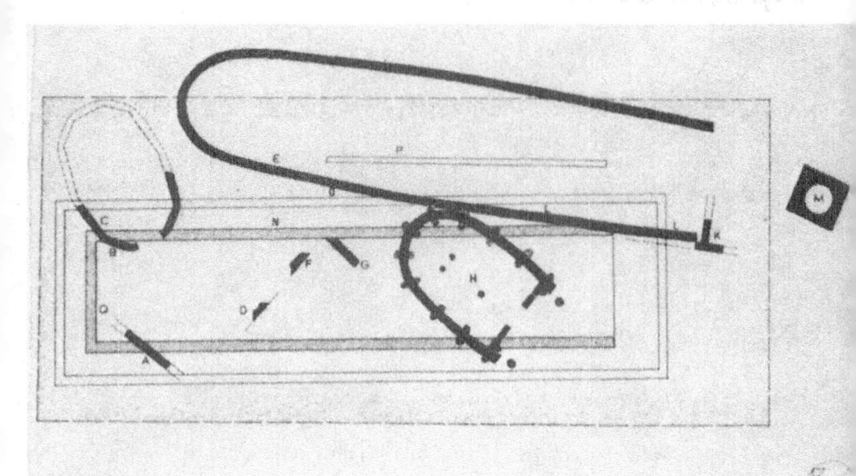

O local do culto de Apoio Dameforo. O sítio do templo construído após as Guerras Persas é delimitado por uma linha pontilhada. A linha contínua e o sombreado mostram o templo do período arcaico, destruído pelos persas; *K* e *LEI* são construções geométricas do período: o templo hecatômpedo (100') e um pórtico, provavelmente de dois estágios diferentes. *M* é um altar ou *bothros*, ao que tudo indica, anterior ao hecatômpedo, mas contemporâneo do Dafheforion, ou "casa ogival", construído em cerca de 800 a. C. ou logo depois.

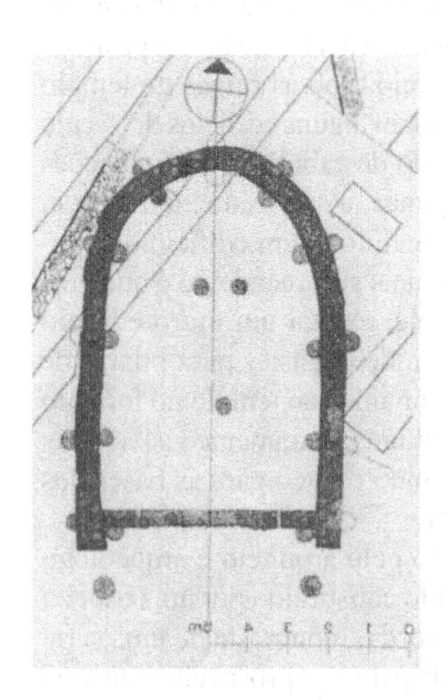

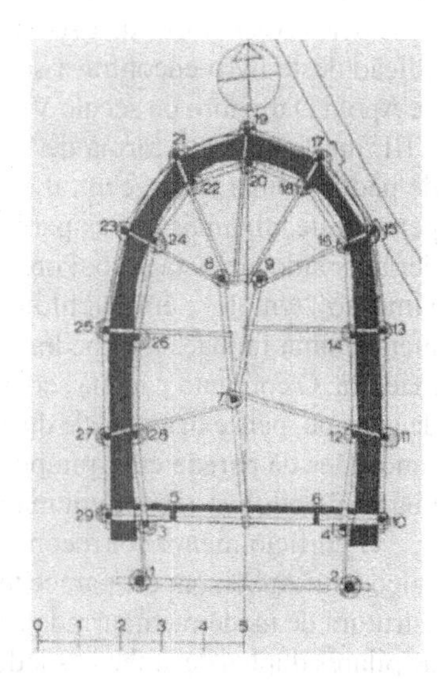

(à esquerda) O Dafheforion. Pesquisa de resquícios existentes, mostrando as paredes e as bases, bem como as duas ranhuras na parede do hecatômpedo.
(à direita) O Dafheforion. Reconstrução de Paul Auberson. As bases 1-4 formam o pórtico; 5 e 6, o vão da entrada; 7-9, a estrutura central sobre a lareira. A colocação das colunas nos centros das bases mostra claramente a junção dos elementos da estrutura.

para certas celebrações e então destruído? Não há sinal de ter sido incendiado, como a cabana de Apolo em Delfos. E ainda assim, claramente, ele se relaciona com o templo original em madeira de loureiro da lenda délfica, conforme narrada por Pausânias. A estrutura poderia ter sido de loureiro, apesar de não haver registro do seu uso na construção, à exceção da construção ritual da cabana délfica e, talvez, de outra em Tempe. Entretanto, como o Apolo ali cultuado era o Dafnéforo, sua estrutura era presumivelmente coberta de galhos de loureiro. Tudo isso permanece num nível especulativo, se bem que a reconstrução da casa "ogival" tenha resistido a críticas até agora.

A casa "ogival" é a primeira peça de evidência arqueológica da existência de "cabanas primitivas" em cidades antigas, nas quais teriam existido edifícios consideravelmente maiores e mais ricos, tanto na escala quanto na elaboração da técnica de edificação: não há resquícios físicos da cabana ateniense e das duas romanas, mas a descoberta da cabana de Erétria sugere que prática era mais difundida do que as fontes nos levaram a crer.

Bibliografia

AELIANUS, Claudius, *Varia historia*, ed. A. Gronov (Gronovius), 2 vols., Leiden, 1731.

________. *On the Characteristics of Animals*, trad. A F. Scholfield, 3 vols., Londres, 958-59.

AFANASEV, K. I.; AFANASEV, V.; e CHASANOVA, B. E. (eds.), *Iz Morii Sovetskoy Arkhitekturi*, 2 vols., Moscou, 1963.

ALBERTI, Leon Battista, *L'Architettura* (*De re aedificatoria*), ed. Paolo Portoghesi; trad. Giovanni Orlandi, 2 vols., Milão, 1966.

ALGAROTTI, Fancesco, *Opere Scelte*, 3 vols., Milão, 1823.

ALCEU (ALKAIOS) V. Lobel, E., e Page, D.

APOLLODORUS, *The Library*, ed. e trad. Sir James George Frazer, 2 vols., Londres e Nova York, 1921.

APOLLONIUS RHODIUS, *The Argonautica*, ed. e trad. R. C. Seaton, Londres e Nova York, 1902.

ARISTÓFANES (ARISTOPHANES) *[Aristophane]*, ed. Victor Coulon; trad. Hilaire van Daele, 5 vols., Paris, 1923-30.

________. The Plays, ed. e trad. Benjamin Bickley Rogers, 3 vols., Londres e Nova York, 1924.

ASTOUR, Michael C, *Hellenosemitica: An Ethnic and Cultural Study in West Semitic Impact on Mycenaean Greece*, Leiden, 1965.

ATHENAEUS DE NAUCRATIS, *The Deipnosophists*, trad. Charles Burton Gulick, 7 vols., Londres, 1927-1941.

BARON, Hans, *The Crisis of the Early Italian Renaissance*, Princeton, 1966.

BATTEUX, Charles, *Les Beaux-Arts réduits à un meme principe*, 2 vols., Paris, 1746.

BAYET, Jean, *Histoire politique et psychologique de la religion romaine*, Paris,1957.

[BELGRADO, P. Jacopo], *Dell'architettura egiziana*, Pama, 1786.

Bíblia Sacra Hebraica, Chaldaice, Graece et Latine, ed. Benedictus Arias Montano, 8 vols., Antuérpia, 1572.

Bíblia Sacra Polyglota, ed. Brian Walton, 6 vols., Londres, 1657.

BLONDEL, François, *Cours d'architecture enseigne dans l'Académie Royale d'Architecture*, 5 partes, Paris, 1675-83.

BLONDEL, Jacques – François, *Cours d 'architecture, ou traité de la décoration.distribution et construction des bâtiments. contenant les leçons données en 1750 et les années suivantes, par J.-F. B.*, 6 vols., (volumes posteriores ed. P. Patte), Paris, 1771-1777.

BÖRSCH-SUPAN, Eva, *Garten – Landschafts – und Paradiesmotive im Innenraum*, Berlim, 1967.

BOSWELL, James, *Life of Johnson*, ed. Augustine Birrell, 6 vols., Londres, 1896.

BOULLÉE, Etienne-Louis, *The Treatise on Architecture*, ed. Helen Rosenau, Londres, 1953.

________. *L'Architecture, essai sur Tart*, ed. Jean-Marie Pérouse de Montclos, Paris, 1968.

BRELICH, Angelo, *Tre Variazioni Romane sul Tema delle Origini*, Roma,1955.

BROWN, Frank E, "The Regia", *Memoirs of the American Academy in Roma*, vol. 12, Roma, 1935, pp. 67-88.

________. *Roman Houses*, Manuscrito, 1968.

BROWN, Norman O., *Love's Body*, Nova York, 1966.

BUDGE, Sir Ernest Alfred Thompson Wallis, *The Book of the Dead, 2.* ed., Londres, 1909.

________. *From Fetish to God in Ancient Egypt*, Londres, 1934.

BURKE, Edmund, *The Works*, 3 vols., Dublin, 1972.

BUTTERWORTH, E. A. S., *Some Traces of the Pre-Olympion World in Greek Literature and Myth*, Berlim, 1966.

CALÍMACO (CALUMACHUS), *Fragments*, trad. e notas de C. A Trypanis, Londres e Cambridge, 1958.

CAPELL, Lodovicus, *Trisagion, sive templi Hierosolymitani triplex delineado*, em *Bíblia Sacra Polyglota*, vol. 1.

CARAMUEL DE LOBKOWITZ, Juan, *Architectura civil recta y obliqua considerada y dibuxada en el templo de Jerusalem, erigido en el Monte Moria por el Rey Salomon... promovida a suma perfeccion en el templo y palácio de S. Lorenco cerca del Escuria! que invento com su divine Ingenio, delineo y dibuxo con sul real Mano y com exemplarios Gestos rempleando los mexores artificies de Europa erigio el Rey D. Philipe II*, Vigevano, 1678.

CENIVAL, Jean Louis de, *Living Architecture: Egyptian*, Londres, 1964.

CHAMBERLAIN, Basil Hall, e MASON, W. B., *A Handbook for Travellers in Japan*, Londres, 1903.

CHAMBERS, Sir William, *A Treatise on the Decorative Part of Civil Architecture*, Londres,1759.

________. *A Treatise on the Decorative Part of civili Architecture, with Illustrations and Notes*, ed. Joseph Gwilt, Londres, 1825.

CHARLES-PICARD, Gilbert, *Les Religions de l'Afrique antique*, Paris, 1954.

CHILDE, V. Gordon, *The Danube in Prehistory*, Oxford, 1929.

________. *Prehistoric Migrations in Europe*, Oslo, 1950.

CHOISY, Auguste, *Histoire de T architecture, 2* vols., Paris, 1899.

CÍCERO, Marcus Tullius, *De natura deorum*; *Acadêmica*, trad. H. Rackham, Londres e Nova York, 1933.

________. *Tusculan Disputations*, trad. J. E. King, Cambrigde, Mass., 1950.

CLAUDIAN, *Works*, trad. Maurice Platnauer, 2 vols., Londres e Nova York, 1922.

CLEMEN, Karl, Fontes historiae religions Germanicae, Berlim, 1928.

CLUVER, Philip, *Italia antiqua*, 3 vols., Leiden, 1624.

________, *Germania antiqua*, Leiden, 1631.

COLERIDGE, Samuel Taylor, *The Philosophical Lectures*, ed. Kathleen Cobum, Londres, 1949.

Controspazio (n. esp. sobre o Futurismo), vol. 3, ns. 4-5, abr-maio 1971.

CORBUSIER, Le, ver Le Corbusier.

DACUS, Fridericus Bernhardus, ilustrador, *Talmudicis Babylonia Codex Succo sive de Tabernaculum Festo*, Frankfurt, 1726.

DANIELOU, Jean, *The Bible and Liturgy*, Londres, 1960.

DEFOE, Daniel, *The Life and Surprising Adventures of Robinson Crusoe of York, Mariner*, Londres, 1962.

DELITZSCH, Franz, *Biblical Commentary on the Psalms*, trad. Rev David Eaton, 3 vols., Londres, 1889.

DIELS, Hermann, *Die Fragmente der Vorsokratiker*, ed. Walther Kranz, 9 ed., 3 vols., Berlim, 1959-60.

Dio CASSIO (DIO CASSIUS), *Roman History*, ed. e trad. Ernest Cary, 9 vols., Londres e Nova York, 1914.

DIONISIO (DIONYSIUS) de Halicarnassus, *The Roman Antiquities*, ed. e trad. Ernest Cary, 7 vols., Londres e Cambrigde, 1937.

DUMÉZIL, Georges, *Le Problème des centaures*, Annales du Musée Guimet, n. 41, Paris, 1929.

________. *La Religion romaine archaique*, Paris, 1966.

DURANO, Jean-Nicolas-Louis, *Precis des leçons d ‹architecture données à l'Ecole Roy ale Polytechnique*, 2 ed., 2 vols., Paris, 1821-23.

EDWARDS, I. E. S., *The Pyramids of Egypt*, Harmondsworth, Middlesex, 1961.

EINHARD, *Vita Karoli Magni* (*Scriptures rerum Germanicarum ad usum scholarum*), ed. G. H. Fertz e G. Waitz, 6 ed., Hannover, 1911.

ELIADE, Mircéa, *Birth and Rebirth*: *The Religious Meanings of Initiation in Human Culture*, trad. Willard R. Task, Nova York, 1958.

________. "Dimensions religiuses du renouvellement cosmique", *Eranos Jahrbuch*, n. 28, Zurique, 1959, p. 241.

ELKTN, A P, *The Australian Aborigines*: *How to Understand Them*, Londres, 1964.

EMERY, Walter B, *Archaic Egypt*, Harmondsworth, Middlesex, 1961.

EMPSON, William, *Seven Types of Ambiguity*, Londres, 1956.

ERMAN, Adolf, *The Ancient Egyptians*: *A Sourcebook ofTheir Writings*, trad. Aylward M. Blackman, introdução William Kelly Simpson, Nova York, 1966.

EURIPIDES, *The Plays*, trad, e notas A S. Way, 4 vols., Londres e Cambrigde, 1962.

EUSTATHIUS ARCHIEPISCOPUS THESSALONICENSIS, *Comentarii ad Homeri Odysseam Iliadem adfidem exempli Romani Editi*, 7 vols., Berlim, 1827.

FAKHRY, Ahmed., *The Pyramids*, Chicago, 1961.

FÉLIBIEN, André des Avaux, *Des Príncipes de l'architecture, de la sculpture, de la-peinture*, 3 ed., Paris, 1697.

FEROUSSON, James, *A History of Architecture in All Countries from the Earliest Times to the Present Day*, ed. R. Phene Spiers, 3 vols., Londres, 1855 (5 vols., 1893).

FESTO (FESTUS, Sextus Pompeius), *De Verborum significant quae supersunt cum Pauli Epitome*, ed. Wallace M. Lindsay, Leipzig, 1913.

Filarete's Treatise on Architecture, Being the Treatise by Antonio de Piero Averulino, Known as Filarete, trad., introdução e notas John R. Spencer, 2 vols., New Haven, Conn., e Londres, 1965.

FISCHER VON ERLACH, Johann Bernhard, *Entwurff einer historischen Architectur in Abbildung... berhumte Gebaude des alterthums undfremder Völker*, Viena, 1721.

FLETCHER, Banister, e FLETCHER, Banister F, A *History of Architecture, Being a Comparative View of the Historical Styles*, Londres, 1896 (4 ed., 1901; 14 e última ed., 1964; últimas edições atribuídas somente a Banister F. Fletcher).

FOCTLLON, Henri, *Giovanni-Battista Piranesi*, 1720-1778, Paris, 1918.

FONTANESI, Giuseppina, *Francesco Milizia, scrittore e studioso d'arte*, Bolonha, 1932.

FONTENROSE, Joseph, *Python*: *A Study of Delphic Myth and Its Origins*, Berkeley e Los Angeles, 1959.

FRANKFORT, Henri, *Cylinder Seales*, Londres, 1939.

________. *Kingship and the Gods*, Chicago, 1948.

________. *The Art and Architecture of the Ancient Orient*, The Pelican History of Art, Harmonds worth, Middlesex, 1954.

________. *Ancient Egyption Religion*, Nova York, 1961.

FRANKFORT, H. e Groenewegen-Frankfort, H. A (eds.), *Before Philosophy*: *The Intellectual Adventure of Ancient Man*, Harmondsworth, Middlesex, 1949-1959.

FRANKL, Paul, *The Gothic*: *Literary Sources and Interpretation*, Princeton, 1960.

________. *Gothic Architecture*, Harmondsworth, Middlesex, 1962.

FRASER, Douglas; HIBBARD, Howard; e LEWINE, Milton J. (eds.), *Essays on the History of Architecture Presented to Rudolf Wittkower*, Londres, 1967. Ver também Hermann, W.; Nyberg, D.; Taylor, R.
FRAZER, Sir James George, *The Golden Bough*, 12 vols., Londres, 1911.
FRÉART DE CHAMBRAY, Roland, *Parallèle de l 'architecture antique et de la moderne*, Paris, 1650.
________. *A Parallel of the Ancient Architecture with the Modern*, trad. John Evelyn, Londres, 1723.
FROBENIUS, Leo, *Kulturgeschichte Afrikas*: *Prolegomena zu einer historischen Gestaltlehre*, Zurique, 1933.
GENNEP, Arnold van, *The Rites of Passage*, Londres, 1960.
GIEDION, Siegfried., *Mechaniztion Takes Command*, Nova York e Oxford, 1958.
________. *The Eternal Present*, vol. 1: "The Origins of Art"; vol. 2: "The Origins of Architecture", Londres e Oxford, 1962.
GJERSTAD, Einar, *Early Rome*, vol. IV: *Synthesis of Archaeological Evidence*, Lund, 1966.
GOETHE, Johann Wolfgang von, *Gedenkausgabe der Werke*, ed. Ernest Beutler, 24 vols., Zurique, 1948-54.
GOFF, Beatrice Laura, *Symbols of Prehistoric Mesopotâmia*, New Haven, Conn., e Londres, 1963.
GOLDMAN, Bernard, *The Sacerd Portal*: *A Primary Symbol in Ancient Judaic Art*, Detroit, 1966.
GOLDMANN, Nicolaus, *Vollstdndige Ausweisung zu der Civil-Bau-Kunst*, Wolfenbiittel, 1696, Leipzig, 1708.
GOODENOUGH, Erwin R, *Jewish Symbols in the Graeco-Roman Period*, 12 vols., Nova York, 1958.
GRIFFITHS, J. Gwyn, *The Conflict of Hours and Seth*, Liverpool, 1960.
GROENEWEGEN-FRANKFORT, H. *A.*, *Arrest and Movement*, Londres, 1951.
GROSE, Francis, *The Antiquities of England and Wales*, 4 vols., Londres, 1773-89.
HALL, Sir James, Bart, *Essays on the Origins*, *History and Principles of Gothic Architecture*, Londres, 1813.
HARDEN, Donald, *The Phoenicians*, Londres, 1962.
HARRISON, Jane Ellen, *Prolegomena to the Study of Greek Religion*, Londres, 1921.
________. *Themis*: *A Study of the Social Origins of Greek Religion*, Londres, 1912 (1963).
HEGEL, Georg Wilhelm Friederich, *Samtliche Werke*, *Jubildumausga.be*, 26 vols., Stuttgart, 1926.
________. *Aesthetik*, 2 vols., Berlim e Weimar, 1965.
HENTZE, Carl, *Bronzgerat*, *Kultbauen*, *Religion in altesten China der Shang Zeit*, 2 vols., Antuérpia, 1951.
________. *Das Haus ais Weltort der Seele*, Stuttgart, 1961.
HERBERT, Jean, *Shinto at the Fountain-Head of Japan*, Londres, 1967.
HERODOTUS, *The Histories*, trad, e notas A D. Godley, 4 vols., Londres e Nova York, 1926.
HERRMAN, Wolfgang, *Laugier and Eighteenth-Century French Theory*, Londres, 1962.
________. "Unknown Designs for the 'Temple of Jerusalem' by Claude Perrault",
________. Em Fraser, Douglas, et al. (ed.), *Essays on the History of Architecture Presented to Rudolf* WiMovver, Londres, 1967, pp. 143-158.
HESYCHIUS, *Hesychü Alexandrinii Lexicon*, ed. Kurt Latte, 2 vols., Copenhagen, 1953-66.
HOOKE, S. H., *Middle Eastern Mythology*, Harmondsworth, Middlesex, 1963.
HOLTON, D. C, *The Japanese Enthronnement Ceremonies*, Tóquio, 1928.
HORÁCIO, *Satires*, *Epistles and Ars Poetica*, ed. e trad. H. Rustin Fairclough, Londres e Nova York, 1926.
________. *The Odes and Epodes*, ed. e trad. C. E. Bennett, Londres e Cambrigde, 1964.

HORN-ONCKEN, Alste, *Uber das Schickliche*, Abhandlungen der Akademie der Wissenschaften in Góttingen (Philosophisch-Historische Klasse, 3 série, n. 70), Góttingen, 1967.
How, W. W., and Wells, J. A., *A Commentary on Herodotus*, 4 vols., Oxford, 1928.
ISAACS, Susan, *Social Development in Young Children*, Londres, 1933.
JACOBY, Felix, *Die Fragmente der griechischen Historiker*, 14 vols., Berlim, 1923 (Leiden, 1955).
James, E. O., *Seasonal Feasts and Festivals*, Londres, 1961.
JASTROW, Morris, *The Religion of Babylonia and Assyria*, Handbooks on the History of Religion, Boston e Nova York, 1898.
JEANMAIRE, H., *Couroi et couretes*, Travaux et memories de l'Université de Lille, n. 21, Lille, 1939.
JENSEN, A E., *Mythos und Kult bei Naturvòlken*, Wiesbaden, 1960.
Jewish Encyclopedia, ed. Isidore Singer et al., 12 vols., Nova York e Londres, 1928.
JOHNSON, Philip C, *Mies van der Rohe*, *2* ed., Nova York, 1953.
JOHNSON, Samuel, *A Dictionary of the English Language*, 2 vols., Londres,1755.
JONES, Ernest, *Sigmund Freud: Life and Work*, 3 vols., Londres, 1953.
JOSEPHUS FLAVIUS, *Works*, introdução de H. St. J. Thackeary, 9 vol, Londres e Nova York, 1926 (vols, posteriores ed. Louis H. Feldman, Ralph Marcus, e A Wikgren).
KAMES, Henry Home, Lord, *Essays on the Principles of Morality and Natural Religion*, Edimburgo, 1751.
________. *Elements of Criticism*, 3 vols., Edimburgo, 1762.
________. *Sketches of the History of Man*, *2* vols., Edimburgo, 1774 (enl. ed., Londres e Edimburgo, 1788).
KANT, Immanuel, *Works*, 5 vols., Wiesbaden, 1957.
KAUFMAN, Yehezkel, *The Religion of Israel from Its Beginnig to the Babylonian Exile*, trad, e condensado por Moshe Greenberg, Londres, 1961.
KIDDER, J. Edward, *Early Japanese Art: The Great Tombs and Treasures*, Londres, 1964.
KIRCHER, Athanasius, *Latium, id nova et parallela Latii turn veteris turn novi descriptio*, Amsterdã, 1671.
KLEIN, Melanie, *Narrative of a Child Analysis*, International Psychoanalytical Library, n. 55, Londres, 1961.
KOCH, Herbert, *Von Nachleben des Vitruvius*, Deutsche Beiträge zur Altertumswissenschaft, n. 1, Baden-Baden, 1951.
KOPPERS, Wilhelm, *Primitive Man and His World*, trad. Edith Rybould, Londres e Nova York, 1952.
KRAMER, Samuel Noah, *Sumerian Mythology*, Nova York e Londres, 1944 (1961).
________. *History Begins at Sumer*, *2* ed., Londres, 1961.
KRAUS, Hans-Joachim, *Gottesdienst in Israel*, Munique, 1962.
LAGRANGE, Marie-Joseph, *Etudes sur les religions semitiques*, Paris, 1905.
LAMY, Bernard, *De Tabernaculo Foederis, de Sancta Civitate Jerusalem, et de Templo eius Libri Septem*, Paris, 1720.
LANG, Susan, "The Principles of the Gothic Revival in England", *Journal of the Society of Architectural Historians*, vol. 25, n. 4, dez. 1966, pp. 240-267.
LANGDON, Stephen, *Le Poème sumérien duparadis, du déluge et de la chute de l'homme*, Paris, Londres e Nova York, 1919.
________. *The Babylonian Epic of Creation, Restored from Recently Recovered Tablets at Assur*, Oxford, 1923.
LANGER, Susanne K., *Feeling and Form: A Theory of Art*, Nova York, 1953. Trad, bras., São Paulo, Perspectiva, 1980.
LATTE, Kurt., *Römische Religionsgeschichte*, Handbuch der Altertumswissenschaft, sec. 5, pt. 4, Munique, 1960.
LAUGIER, Marc-Antoine, *Essai sur l'architecture*, Paris, 1753.
________. *Observations sur l'architecture*, The Hague, 1765.
LE BONNIEC, Henri, *Le Culte de Cérès à Rome*, Etudes et Commentaires, 27, Paris, 1958.
LE CORBUSIER (Charles-Edouard jeanneret), *Vers une architecture*, Paris, 1926. Trad, bras., São Paulo, Perspectiva, 1975.

LEFÈVRE, André, *Les Merveilles de l'architecture*, Paris, 1880.
LEON, Jacob Jehudah Arie, *Retrato de templo de Salomon*, Middleburg, 1642.
LEROI-GORHAN, André, *Le Geste et la parole*, vol. 1 : *Technique et langage*; vol. 2: *La Mémoire et les rythmes*, Paris, 1964.
LICHTENBERG, Reinhold Freiherr von, *Haus, Dorf, Stadt*, Leipzig, 1909.
LIGHTFOOT, John, *The Temple, Especially as it Stood in the Dayes of Our Saviour*, Londres, 1650
LOBEL, E, e PAGE, D. (eds.), *Poetaram lesbioram fragmenta*, Oxford, 1955.
LOBKOWITZ, Juan Caramel de, ver Caramel.
LOOS, Adolf, *Gesammelte Schriften*, vol. 1 (único publicado), Viena, 1962.
L'ORME, Philibert de *L'Architecture*, Rouen, 1648.
LUCANUS, Marcus Annaeus, *The Civil War*, trad. J. D. Duff, Londres, 1928.
________. *Pharsalia*, trad. Robert graves, Londres, 1956.
LUCIAN DE SAMOSATA, *Works*, ed. e trad, A. M. Hamilton, 8 vols., Londres e Nova York, 1921.
LUCRETIUS CARUS, T, *De rerum natura*, trad, e notas H. A J. Munro, 3 ed., 2 vols., Cambridge, 1875.
________. *De rerum natura*, ed. e trad. W. H. D. Rouse, Londres e Nova York, 1924.
LUGLI, Giuseppe, *Roma antica, il centro monumentale*, Roma, 1946.
________. *Fontes ad topographiam veteris urbis Romae pertinentes*, 6 vols., Roma, 1952.
LURÇAT, André, *Architecture*, Paris, 1929.
LYDUS, Johannes Laurentius, *De magistratibus, de mensibus, de ostentis*, Corpus scriptorum historiae Byzantinae, ed. I. Bekker, Bonn, 1837.
MACROBIUS, Aurelius Ambrosius Theodosius, *Opera quae supersunt*, ed. F. Eyssenhardt, Leipzig, 1893.
MARINI, Gaetano, *Gli atti e monumenti de fratelli Arvali*, 2 vols., Roma, 1795.
MARTINI, Francesco di Giorgi, *Trattati di architettura ungegnerìa e arte militare*, trad, e ed. Corrado e Livia Maltese, 2 vols., Milão, 1967.
MCKELVEY, R. J., *The New Temple*: *The Church in the New Testament*, Oxford, 1969.
MEAD, Margaret, *Male and Female*: *A Study of the Sexes in a a Changing World*, Harmondsworth, Middlesex, 1950 (1962).
MEILLET, A *Esquisse d'une historie de la langue latine*, Paris, 1928-52.
MEMMO, Andrea, *Elementi d'architecttura Lodoliana*; *ossia l'arte del fabbricare con solidità scientifica e con eleganza non cappriciosa*, 2 vols., Zara, 1833-34.
MENDELSOHN, Erich, *Das Gesamtschaffen des Architekten*, Berlim, 1930.
METHODIUS, St., of Olympia, *The Symposium*, ed. e trad. Herbert Mursillo, Londres, 1958.
MIDRASH, *The Midrash on the Psalms*, trad. William G. Braude, New Haven, Conn., 1959.
MIGLIORINI, Ermanno, *Studi sul pensiero estetico del settecento*, Florença, 1966.
MILIZIA, Francesco, *Memorie degli architetti antichi e moderni*, 3 ed., 2 vols., Parma, 1781.
________. *Principii di architettura civile*, 3 vols., Bassano, 1823.
Mishnah, trad., introdução e notas de Herbert Danby, Oxford, 1933 (1958).
MONBODDO, James Burnett, Lord, *Of the origins and Progress of Language*, Edimburgo, 1773.
________. *Ancient Metaphysics, or the Science of Universais*, 6 vols., Edimburgo, 1779-1799.
MONTANUS, Benedictus Arias, "Exemplar, sive de Sacris Fabricis Liber", *In Bíblia Sacra Hebraica, Chaldaice, Graece et Latine*, vol. 8, Antuérpia, 1572.
MOWINCKEL, Sigmund, *The Psalms in Israel's Worship*, trad. D. R. Ap-Thomas, 2 vols., Oxford, 1962.
NEUMANN, Erich, *The Great Mother*, trad. Ralph Mannheim, Nova York, 1955.
NILSSON, Martin P, *Geschichte der griechischen Religion*, Handbuch der Altertumswissenschaft, sec. 5, pt. 2,2 vols., Munique, 1941,1950.
NYBERG, Dorothea, "La Sainte Antiquité: Focus of na Eighteenth-Century Architectural Debate", In Fraser, Douglas, et al. (eds.), *Essays on the History of Architecture Presented to Rudolf Wittkower, Londres*, 1967, pp. 159-169.

OUVRARD, René, *Architecture harmonique, ou application de la doctrine des proportions de la musique à l'architecture*, Paris, 1679.

OVIDIO (OVIDIUS NASO, Publius), *The Fasti of Ovid*, trad, e comentários por Sir James George Frazer, 5 vols., Londres, 1929.

________. *Fasti*, trad. Sir James George Frazer, Londres, 1931.

PAGE, Denys, *Sappho and Alcaeus: An Introduction to the Study of Ancient Lesbian Poetry*, Oxford, 1955.

PAINE, Robert Treat, and Soper, Alexander, *The Art and Architecture of Japan*, Harmondsworth, Middlesex, 1955.

PALLIS, Svend Aage, *The Babylonian Akitu Festival*, Copenhagem, 1926.

PANOFSKY; Erwin, "DerBegriff des Kunstwollens", *Zeitschriftfur Asthetik*, vol. 14 (1920), pp. 321-339.

________. *Studies in Iconology: Humanistic Themes in the Art of the Renaissance*, Nova York e Evanston, III., 1939 (1962).

PARKE, H. W., *Greek Oracles*, Londres, 1967.

PARKE, H. W. and Wormell, D. E. W., *The Delphic Oracle*, 2 vols., Londres, 1953.

PATAI, Raphael, *Man and Temple: In Ancient Jewish Myth and Ritual*, Nova York, 1947 (2 ed., 1967).

PAUSÂNIAS, *Descripiton of Greece*, trad, e introdução de Sir James George Frazer, 6 vols., Londres, 1897 (2 ed., 1913).

________. *The Description of Greece*, ed. e trad. W. H. S. Jones, 6 vols., Londres e Nova York, 1918.

PERCY, Thomas, *Reliques of Ancient English Poetry, Consisting of Old Heroic Ballads, Songs and other Pieces of our Earlier Poets, 2.* ed., 3 vols., Londres, 1767.

PERRAULT, Charles, *Parallèle des anciens et des modernes en ce qui regarde les arts et les sciences, dialogues*, 4 vols., Paris, 1688-1694.

PERRAULT, Claude, *Ordonnance des cinq espèces de colonnes selon la méthode des anciens*, Paris, 1683.

________. *A Treatise on the Five Orders of Columns in Architecture*, trad. John James, Londres, 1708.

PETROCCHI, Massimo, *Razionalismo architettonico e razionailsmo storiografico*, Roma, 1947.

PEVSNER, SirNikolaus, *Studies in Art, Architecture and Design*, 2 vols., Londres, 1968.

PHOTIUS, *Bibliothèque*, ed. e trad. René Henry, 5 vols., Paris, 1959-67.

PÍNDARO, *The Odes of Pindar, Including the Principal Fragments*, trad, com introdução de Sir John Sandys, Londres, 1937.

________. Siegesgesänge und Fragmente, ed. e trad. Oskar Wener, Munique, 1967.

PIRANESI, Giovanni Battista, *Della magnificenza ed architettura de 'romani*, Roma, 1761.

________. *Osservazione de G. B. P. sopra la lettre de M. Manette*, Roma, 1765.

________. *Una Prefazione ad un nuovo trattato della introduzione e del progresso delle belle arti in Europa ne tempi antichi*, Roma, 1765.

________. *Diverse maniere di adornar i cammini ed ogni altre parte degli edifizi desunte dall'architettura egizia, etnisca e greca*, Roma, 1769.

Pirke de Rabbi Eliezer, trad. Gerald Friedlander, Londres, 1916.

PLUTARCO, *Lives*, trad. Bemadotte Perrin, 11 vols., Londres e Nova York, 1914-26.

________. *Moralia*, trad. Frank Cole Babbitt *et al*, 15 vols., Londres e Nova York (volumes posteriores, Cambrigde, Mass.), 1927-61.

POLENI, Giovanni, *Exercitaiones Vitruvianae*, Pádua, 1739.

POPE, Alexander, *The Works*, ed. T. Warburton, 21 vols., Londres, 1760.

PRADUS, Hieronymus, and Villalpandus, Ioannes Baptista, em *Ezechielem explanationes et apparatus Urbis ac Templi Hierosolymitani*, 3 vols., Roma, 1596-1604.

PRITCHARD, James B., ed. *Ancient Near Eastern Texts Relating to the Old Testament, 2* ed., Princeton, N. J., 1955.

PROPERTIUS, Sextus, *Poems*, trad. H. E. Butler, Londres e Cambrigde, Mass., 1912.

PROPP, Vladimir J., *Le Radici storiche dei racconti di fate*, trad. Clara Coisson, Turim, 1949. (ed. russa, 1946).

________. *Morfologia della fiaba* Turim, 1966 (ed. russa, 1926).

________. *Morphology of the Folkatle*, American Folklore Society Publications, vol. 9, Austin, Tex., 1968.

PUGIN, A Welby, *Contrasts, or A Parallel between the Noble Edifices of the Midlle Ages and Corresponding Buildings of the Present Day, Shewing the Present Decay of Taste*, Londres, 1836.

________. *The True Principles of Pointed oe Christian Architecture. Set Forth in Two Lectures*, Londres, 1841.

QUATREMÈRE DE QUINCY, Antoine Chrysostarne, *De l'architecture égyptienne considerée dans son origine, ses príncipes et son goüt et comparée sous les mêmes rapports à l'architecture grecque*, Paris, 1803.

________. *Dictionnarie historique de l'architecture*, 2 vols., Paris, 1832.

QUILICI, Vero, *L'Architettura del construttivismo*, Bari, 1969.

QUITZSCH, Heinz, *Die asthetischen Anshauungen Gottfried Sempers*, Berlim, 1962.

RAFFAELLO Sanzio, *Tutti gli scritti*, ed. Ettore Comasecca, Milão, 1956.

RAGLAN, Lord, *The Temple and the House*, Londres, 1969.

REINACH, Salomon, *Orpheus: A History of Religions*, trad. Florence Simmonds, Nova York, 1930.

RIBART DE CHAMOUST, M., *L'Ordre François trouvédans la nature, presente au Roi le 21 septembre 1776*,

Paris, 1783. RIEGL, Alois, *Stilfragen*, Berlim, 1893.

________. *Spatrömische Kunstindustrie*, Viena, 1927.

ROBERTS, E. S., *An Introduction to Greek Epigraphy*, *2* vols., Cambrigde, 1887-1905.

ROBERTSON-SMITH, W., *Lectures on the Religion of the Semites*, Edimburgo, 1889.

ROHEIM, Geza, *Animism, Magic and the Divine King*, Londres, 1930.

________. *The Riddle of the Sphinx, or Human Origins*, Londres, 1934.

ROUSSEAU, Jean-Jacques, *Oeuvres completes*, ed. B. Gaguebin e M. Raymond, Paris, 1959, 4 vols até a data.

________. *Essai sur l'origine des langues*, Paris, 1969.

ROYAL SOCIETY OF EDIMBURGO, *Transactions of the Royal Society of Edimburgo*, Edimburgo, 1788.

RUSKIN, John, *The Poetry of Architecture*, Londres, 1893.

SATON, Ernest, "Ancient Japanese Rituals", *Transactions of the Asiatic Society of Japan*, vol. 9, Yokohama, 1881, pp. 118-211.

SCAMOZZI, Vincenzo, *L'Idea dell'architettura universale*, Veneza, 1615.

SCHLEGEL, Friedrich von, *Works*, ed. Ernst Behler, Jean-Jacques Anstett, e Hans Eichner, 12 vols, até a data, Munique, 1959.

SCHLOSSER, Julius von, *Schriftquellen zur Geschichte der karolingischen Kunst, gesammelt und erlautert*, Quellenschriften zur Kunstgeschichte & Kunsttechnik, New Series, vol. 4, Viena, 1896.

SEMPER, Gottfried., *Der Stil in den technischen und tektonischen Kunsten oderpraktische Aesthetik*, Frankfurt e Munique, 1861-63 (2nd ed., 2 vols., Munique, 1878).

________. *Wisseschaft, Industrie und Kunst*, ed. Hans M. Wingler, Mainz, 1966.

SÊNECA, Lucius Annaeus, *Letteres a Lucilius*, ed. Francis Prechac; trad. Henri Noblot, 5 vols., Paris, 1945-64.

SÊNECA, Marcus Annaeus, *Controverses et Suasoires*, Ed., trad, e notas Henri Bornecque, 2 vols., Paris, 1932.

SERVIUS, *Marius Servius* (*Honoratus*): *In Virgilium commentarius.* Ver Virgílio.

SETHE, Kurt Heinrich, *Aegyptische Lesestiicke zum Gebrauch im akademischen Unterricht*, Leipzig, 1927-28.

SEVERYNS, Albert, *Recherches sur la chrestomathie de Proclos*, Bibliothèque de la Faculte de Philosophic et Lettres de l'Université de Liège, facs. 78,79,3 vols., Paris, 1938.

SIDONIO APOLLINÁRIO (SIDONIUS APPLLINARIS, C. Solinus Modestus), *Poems and Letters*, trad, e notas por W. B. Anderson, 2 vols., Cambrigde e Londres, 1936-65.

SILIUS ITALICUS, Ti. Caius, *Punica*, ed. Ludovicus Bauer, 2 vols., Leipzig, 1890.

SMITH, Norris Kelly, *Frank Lloyd Wright: A Study em Architectural Content*, Englewood Cliffs, 1966.

SNAITH, Norman H, *The Jewish New Year Festival*, Londres, 1947.

SOANE, Sir John, *Lectures on Architecture, as Delivered to the Students of The Royal Academy from 1809 to 1836*, Publications of Sir John Soane's Museum, n.14, ed. Arthur T. Bolton, Londres, 1929.

SOLINUS, C. Julius, *Collectanea rerum memorabilium*, Berlim, 1895.

SORIANO, Marc, *Les Contes de Perrault*, Paris, 1968.

SPENCER, Baldwin, *The Native Tribes of the Northern Territory of Australia*, Londres, 1914.

SPENCER, Baldwin, e GILLEN, F. J., The *Native Tribes of Central Australia*, Londres, 1899.

SPENSER, Edmund, *The Poetical Works*, ed. J. Payne Collier, 5 vols., Londres, 1891.

STRABO, *The Geography*, trad. Horace Leonard Jones, 8 vols., Londres e Nova York, 1917-32.

STRZYGOWSKI, Josef, *Altai-Iran und Volkerwanderung. Zeitgeschichtliche Untersuchungen über den Eintritt der Wander-und Nordvòlker in die Triebhause geistigen Lebens*, Leipzig, 1917.

________. *Der Norden in der bildenden Kunst Westeuropas. Heindnisches und Christliches um das Jahr 1000*, Viena, 1926.

________. *Europas Machtkunst im Rahmen des Erdkreises*, Viena, 1941.

STURM, Leonhard Christof. *Sciagrafia Templi Hierosolymitani*, Leipzig, 1694.

________. *Der auserlessneste und verneuerte Goldaman .... mitgetheilet von L. C. S.*, Augsburg, 1721.

SUIDAS, *Lexicon* (Lexicographi Graeci, Part I), ed. Ada Adler, 5 vols., Leipzig, 1928-1938.

SUMMERSON, John, *Heavenly Mansions, and Other Essays on Architecture*, Londres, 1949.

TACITUS, C. Publius Cornelius, *The Histories*, trad. Clifford H. Moore; *The Annals*, *trad.* John Jackson, 4 vols., Cambrigde e Londres, 1928-30.

Talmud (Babilônico), ed., trad, e notas por Rabbi I, Epstein, 35 vols., Londres, 1935-52.

TALMUD DE JERUSALEM, trad. Moise Schwob; introdução Maurice Liben, 11 vols., Paris, 1932-33 (cópias da ed. 1871-90).

TANGE, Kenzo, and KAWAZOE, Noboru, *Ise*: *Prototype of Japanese Culture*, Cambrigde, 1965.

TAYLOR, Renée, "Architectural Magic: Considerations on the Idea of the Escorial", em FRASER, Dougals, et al. (eds.), *Essays on the History of Architecture Presented to Rudolf Wittkower*, Londres, 1967, pp. 81-109.

THOMPSON, Stith, *Motif-Index of Folk-Literature*, ed. revista e ampliada, 6 vols., Bloomington, 1955.

THUREAU-DANGIN, François, *Rituels accadiens*, Paris, 1921.

TÍBULO (TIBULLUS), *Tibulle et les auteurs du corpus tibullianum*, Ed. e trad. Max Ponchont, Paris, 1924.

________. *Poems*, Ed.e trad. J. B. Postgate, em *Catullus, Tibullus, e Perviglium Veneris*, Londres e Cambrigde, 1950.

TORCELLAN, Gianfranco, *Una figura della Veneza settecentesca*: *Andrea Memmo*, Roma, 1963.

UGOLINUS, Blasius [e FOSCARI, Francesco], *Thesaurus Antiquitatum Sacrarum complectens selectissima clarissimum virorum opuscula in quìbus veterum Hebraeorum mores.... illustrantur*, 34 vols., Veneza, 1744 ff., vol. 8 (1747): Salomonis Van Til, Commentarius de Tabernaculo Mosis. Johannes Buxtorf, Historia Arcae Foderis. Theodorus Hasaeus, Dissertationes de Ligno Sittim, de Rubo Mosis, de Lapide Fundamenti. Jo. Henri Antonius Dorien, Diss, de Cherubinis Sancti Sanctorum. J. Buxtorfi, Diss, de Manne, Maimonide Vita a Jo: Buxtorfo descripta. Roberti Clavigeri de Maimonide, Humfrids Prideaux, Praefatio ad Maimonidem. Ludovicus Compiegne de Veil, Praefatio in Maimonidis opera. Maimonidis Constitutiones. Leonhardus Christophorus Sturm, Sciagraphia Templi Hierosolymitani.

________. vol. 9 (1748): R. Abraham Filius Davidus Arie, Comentarius de Tempio Ex Ejo qui Schitte Haggiborim inscribitur excerptus... Johannes Lightfoot, Descriptio Templi Hierosolymitani Praesertim quale erat tempore Servatoris Nostri.

VALERIUS MAXIMUS, *Factorum dictorumque memorabilium*, 3 vols., Londres, 1823.
VANDIER, Jacques, *Manuel d'archeologie égyptienne*, 6 vols., Paris, 1952-58.
VARRO, M. T, *On the Latin Language*, ed. e trad. Roland G. Kent, Cambrigde, 1958.
VAUX, Rolan de *Ancient Israel: Its Life and Institutions*, trad. John McHug, Nova York e Londres, 1961.
Vico, Giovanni Battista, *Opere, illustrate da G. Ferrari*, 7 vols., Nápoles, 1858-65
VILLAPANDA, Juan Bautista. See Pradus, Hieronymus.
VIOLLET-LE-DUC, Eugène, *Historie de l'habitation humanie*, Paris, 1875.
________. *The Habitations of Man in All Ages*, trad. Benjamin Bucknall, Londres, 1876.
___________. *Lectures on Architecture*, trad. Benjamin Bucknall, 2 vols., Londres, 1877.
VIRGÍLIO, *Virgilli Maronis Opera*, 2 vols., Lou vain, 1718. (Essa edição contém os comentários completos de Sérvio)
VITRÚVIO, M., *Vitruvius per Jucundum solito Castigatiorfactus*, Venice, 1511.
________. *Di Lucio Vitruvio Pollione de architectura libri dece traducti in vulgare Affigurati: Commentati: et com Mirando Ordine insigniti* [por Cesare Cesariano], Como, 1521.
________. *Vitruvius Teutsch. Nemlichen des Aller namhafftigsten und Hocherfarnesten romischen Architecti... Zehen Bucher von der Architectur und Kunstlichen Bauen* [Opera D. Gualthierius H. Rivius (Walter Hermann Riff)], Nuremberg, 1548.
________. *I Dieci libri dell'architectura de M.Viturvio tradotti et commentati da monsignor [Daniele] Barbaro*, Veneza, 1556.
________. *M. Vitruvii Pollionis de architectura libri decern, cum commentariis Danielis Barbari*, Veneza, 1567.
________. *Aí. Vitruvius Pollionis de architectura libri decern cum notis, castigationibus e observationibus... Omnia in unum collecta, digesta, et illustrata a Ioanne de Laet*, Antuérpia e Amesterdã, 1649.
________. *Les Dix livres d'architecture de Vitruve, corrigéz et traduits nouvellement... por M. Claude Perrault, 2.* ed., Paris, 1684.
________. *Vitruvius on Architecture*, ed. e trad. Frank Granger, 2 vols., Londres e Cambrigde, 1931 (1955).
________. *Vitruvii architettura*, ed. trad, e notas Silvio Ferri, Roma, 1960.
VOLZ, Paul, *Das Neujahrfest* (*Laubhùtenfesf*), Tubingen, 1912.
WACHSMANN, Konrad, *Holzhausbau: Technik und Gestaltung*, Berlim, 1930.
WARDE, Fowler, W, *The Religious Experience of the Roman People*, Londres, 1911.
________. *The Roman Festivals of the Period of the Republic*, Londres, 1933.
WARTON, Rev T.; BENTHAM, Rev. T.; GROSE, Capt. e MILNER, Rev. J., *Essays on Gothic Architecture*, Londres, 1800.
WATSON, William, *China Before the Han Dynast*, Londres, 1961.
WHEELER, Post, *The Sacred Scriptures of the Japanese*, Londres, 1952.
WHITE, Morton e WHITE, Lucia, *The Intellectual Versus the City: From Thomas Jefferson to FrankLlyod Wright*, Cambrigde, Mass., 1962.
WHITNEY, Lois, *Primitivism and the Idea of Progress in English Popular Literature*, Baltimore, 1934.
WILDENSTEIN, Georges, "Note sur un projet d'ordre français", *Gazette des Beaux--Arts* (Maio, 1964), pp. 257-260.
WINCKELMANN, J. L, *Gedanken ilber die Nachahmung der griechischen Werke in der Molerei und in der Bildhauerkunst*, Dresdem, 1755.
________. *Geschichte der Kunst des Altertums*, Dresdem, 1764.
________. *Storia delle arti e del disegno presso gli antichi*, trad. Cistercian Monks of Sant'Ambrogio de Milão, ed. Abade Carlo Fea, 3 vols., Roma, 1783.

APÊNDICES

BALTRUSAITIS, Jurgis, *Aberrations: Quatre Essais sur la legende des formes*, Paris, 1957.
BAXANDALL, Michael, *The Limewood Sculptors of Renaissance Germany*, New Haven e Londres, 1980.

BEVAN, Bernard, *History of Spanish Architecture*, Londres, 1938.

BURKERT, Walter, *Griechische Religion der archaischenund klassischen Epoche* (Religionen der Menschheit, vol. 15), Stuttgart, 1977.

BYNE, Arthur, e Stapley, Mildred., *Spanish Architecture of the Sixteenth Century*, Nova York e Londres ,1917.

CHUECA GOITIA, Fernando, *Historia de la Arquitetura Espanola: Edad Antigua y Edad Media*, Madri, 1965.

COLDSTREAM, J.N., *Geometric Greece*, Londres, 1977.

GONZALEZ, J. J. M., *El Museo Nacional de Escultura de Valladolid*, Leon, 1977.

LAMPEREZ Y ROMEA, V., *Historia de la Arquitectura Cristiana Espanola en la Edad Media*, 3 vols., Barcelona e Madri, 1930.

MANUEL, Frank E., *Isaac Newton, Historian*, Cambridge, Mass., 1963.

________. The Religion of Isaac Newton, Oxford, 1974.

NEWTON, Isaac, *The Chronology of Ancient Kingdoms amended., to which is preferred a short chronicle from the first memory of things in Europe to the Conquest of Persia by Alexander the Great*, Londres, 1728.

________. *Observations upon the prophesies of Daniel and the Apocalypse of St. John*, Londres, 1733.

PROSKE, Beatrice Gilman, *Castilian Sculpture: Gothic to Renaissance*, Nova York, 1951.

SCHEFOLD, Karl *et al.*, *Eretria, fouilles et recherches*, 6 vols, (até a data), Bern, 1968.

STIRLING-MAXWELL, Sir William, *Annals of the Artists of Spain*, 4 vols., Londres, 1891.

STREET, George Edmund, *Some Account of Gothic Architecture in Spain*, Londres, 1865.

VALERIANO, Giovanni P, *I Ieroglifici, overo Commentarii delle occulte Significationi degl'Egittii, e altre Nationi*, Veneza, 1525.

WETHEY, Harold E., *Gil de Siloé and His School: A Study of Late Gothic Sculpture in Burgos*, Cambridge, Mass., 1936.

WHITE, Morto, e WHITE, Lucia, The Intellectual Versus the City: From Thomas Jefferson to Frank Lloyd Wright, Cambridge, 1962.

WHITNEY, Lois, Primitivism and the Idea of Progress in English Popular Literature, Baltimore, 1934.

WILDENSTEIN, Georges, "Note sur un projet d'ordre fraçais", Gazette des Beaux-Arts (May, 1964), pp. 257-260.

WINCKELMANN, J. J., Gedanken über die Nachahmung der griechischen Werke in der Malerei und in der Bildhauerkunst, Dresden, 1755.

________. Geschichte der Kunst des Altertums, Dresden, 1764.

________. Storia delle arti e del disegno presso gli antichi, trad. Cistercian Monks of Sant'Ambrogio, Milão, ed. Abade Carlo Fea, 3 vols., Roma, 1783.

WIND, Edgar, *Art and Anarchy: The Reith Lectures*, 1960, Londres, 1963

WINGLER, Hans M., *Das Bauhaus*, Colônia, 1968.

WISCHNITZER-BERNSTEIN, R., "Die messianische Hütte in der jüdischen Kunst", *Monatschrift fur Geschichte und Wissenschaft des Judentums*, neue folge, vol. 80, Berlim, 1936, pp. 377-392.

WISSOWA, Georg, *Religion und Kultus der Romer*, Munique, 1902.

WITTKOWER, Rudolf, *Architectural Principles in the Age of Humanism*, Londres, 1952.

WOOD, John, *The Origin of Building, or the Plagiarism of the Heathen Detected.*, *Bath*, 1741.

________. *Choir Gaure, Vulgary Called Stonehenge, on Salisbury Plain, Described., Restored and Explained in a Letter to the Rt. Hon. Edward, Late Earl of Oxford and Earl Mortimer*, Oxford, 1747.

WOOD, John George, *Homes without Hands, Being a Description of the Habitations of Animals, Classed According to Their Principles of Construction*, Londres, 1875.

WRIGHT, Frank Lloyd, *The Future of Architecture*, Nova York, 1963.

________. *The Living City*, Nova York, 1963.

________. *The Natural House*, Nova York, 1963.

ZIMMERN, D. Heinrich, *Das babylonische Neujahrsfest*, vol. 25: *Der alte Orient*, Leipzig, 1926.
ZONARAS, Joannes, *Annates*, ed. Charles du Fresne, Sieur du Canges, Paris, 1686-1687.
________. *Annates*, ed. M. Pinder, 3 vols., Bonn, 1841-1897.

CRÉDITO DAS IMAGENS

ALINARI, 197.
ALINARI, The Mansell Collection, Londres, p. 105 inferior direita.
ANDERSON, The Mansell Collection, Londres, pp. 103 e 136 direita.
ART SACRE, p. 173.
BIBLIOTHÈQUE NATIONALE, Paris, pp. 99,140 superior direita e superior esquerda.
BRITISH MUSEUM, Londres, p. 178.
W. B.EMERY, p. 192.
GAZETTE DES BEAUX-ARTS, p. 83.
GESCHICHTE MUSEUM, Hamburgo, pp. 144 e 145.
LUDWIG GLAESER, Nova York, p. 194.
G. GRES, Paris, pp. 4 e 5.
THE MANSELL COLLECTION, Londres, p. 135 esquerda.
METROPOLITAN MUSEUM OF ART, Nova York, p. 183.
DESENHO DE RICHARD MIRANDA, pp. 159,160.
MIT PRESS, p. 203.
THE MUSEUM OF MODERN ART, Nova York, p. 14.
GUNTHER NITSCHKE, p. 204 e 205.
OXFORD UNIVERSITY PRESS, p. 185 esquerda e direita.
PRINCETON UNIVERSITY PRESS, p. 176.
GEZA ROHEIM, p. 213.
JOSEPH RYKWERT 106 superior, p. 106 inferior.
SOVIET TOURING OFFICE, Londres, p. 17 superior e inferior.
TRUSTEES OF SIR JOHN SOANE'S MUSEUM, Londres, p. 76.
VERLAG BRUNO HESCHING, Berlim, p. 105 superior.
YALE UNIVERSITY PRESS, Nova Haven, Conn, p. 127.

Índice Remissivo

S

T

U

V

ARQUITETURA NA PERSPECTIVA

Quadro da Arquitetura no Brasil
Nestor Goulart Reis Filho (D018)
Bauhaus: Novarquitetura
Walter Gropius (D047)
Morada Paulista
Luís Saia (D063)
A Arte na Era da Máquina
Maxwell Fry (D071)
Cozinhas, Etc.
Carlos A. C. Lemos (D094)
Vila Rica
Sylvio de Vasconcellos (D100)
Território da Arquitetura
Vittorio Gregotti (D111)
Teoria e Projeto na Primeira Era da Máquina
Reyner Banham (D113)
Arquitetura, Industrialização e Desenvolvimento
Paulo J. V. Bruna (D135)
A Construção do Sentido na Arquitetura
J. Teixeira Coelho Netto (D144)
Arquitetura Italiana em São Paulo
Anita Salmoni e Emma Debenedetti (D173)
A Cidade e o Arquiteto
Leonardo Benevolo (D190)
Conversas com Gaudí
Cesar Martinell Brunet (D307)
Por Uma Arquitetura
Le Corbusier (E027)
Espaço da Arquitetura
Evaldo Coutinho (E059)
Arquitetura Pós-Industrial
Raffaele Raja (E118)
A Casa Subjetiva
Ludmila de Lima Brandão (E181)
Arquitetura e Judaísmo: Mendelsohn
Bruno Zevi (E187)
A Casa de Adão no Paraíso
Joseph Rykwert (E189)
Pós-Brasília: Rumos da Arquitetura Brasileira
Maria Alice J. Bastos (E190)
A Idéia de Cidade
Joseph Rykwert (E234)
Interior da História
Marina Waisman (E308)
O Culto Moderno dos Monumentos
Alois Riegl (EL64)
Espaço (Meta)Vernacular na Cidade Contemporânea
Marisa Barda (K26)
Arquitetura Contemporânea no Brasil
Yves Bruand (LSC)
Brasil: Arquiteturas Após 1950
Maria Alice Junqueira Bastos e Ruth Verde Zein (LSC)
A Coluna Dançante: Sobre a Ordem na Arquitetura
Joseph Rykwert (LSC)
História da Arquitetura Moderna
Leonardo Benevolo (LSC)

URBANISMO NA PERSPECTIVA

Planejamento Urbano
Le Corbusier (D037)
Os Três Estabelecimentos Humanos
Le Corbusier (D096)
Cidades: O Substantivo e o Adjetivo
Jorge Wilheim (D114)
Escritura Urbana
Eduardo de Oliveira Elias (D225)
Crise das Matrizes Espaciais
Fábio Duarte (D287)
Primeira Lição de Urbanismo
Bernardo Secchi (D306)
A (Des)Construção do Caos
Sergio Kon e Fábio Duarte (orgs.) (D311)
A Cidade do Primeiro Renascimento
Donatella Calabi (D316)
A Cidade do Século Vinte
Bernardo Secchi (D318)
A Cidade do Século XIX
Guido Zucconi (D319)
O Urbanismo
Françoise Choay (E067)
Regra e o Modelo
Françoise Choay (E088)
Cidades do Amanhã
Peter Hall (E123)
Metrópole: Abstração
Ricardo Marques de Azevedo (E224)
História do Urbanismo Europeu
Donatella Calabi (E295)
Área da Luz
R. de Cerqueira Cesar, Paulo J. V. Bruna, Luiz R. C. Franco (LSC)
Cidades Para Pessoas
Jan Ghel (LSC)
Cidade Caminhável
Jeff Speck (A&U)

COLEÇÃO ESTUDOS (ÚLTIMOS LANÇAMENTOS)

311. *A Poética de Sem Lugar: Por uma Teatralidade na Dança*
Gisela Dória
312. *Eros na Grécia Antiga*
Claude Calame
313. *Estética da Contradição*
João Ricardo C. Moderno
314. *Teorias do Espaço Literário*
Luis Alberto Brandão
315. *Haroldo de Campos: Transcriação*
Marcelo Tápia e Thelma Médici Nóbrega (orgs.)
316. *Entre o Ator e o Performer*
Matteo Bonfitto
317. *Holocausto: Vivência e retransmissão*
Sofia Débora Levy
318. *Missão Italiana: HIstórias de uma Geração de Diretores Italianos no Brasil*
Alessandra Vannucci
319. *Além dos Limites*
Josette Féral
320. *Ritmo e Dinâmica no Espetáculo Teatral*
Jacyan Castilho
321. *A Voz Articulada Pelo Coração*
Meran Vargens
322. *Beckett e a Implosão da Cena: Poética Teatral e Estratégias de Encenação*
Luiz Marfuz
323. *Teorias da Recepção*
Claudio Cajaiba
324. *Revolução Holandesa, A Origens e Projeção Oceânica*
Roberto Chacon de Albuquerque
325. *Psicanálise e Teoria Literária: O Tempo Lógico e as Rodas da Escritura e da Leitura*
Philippe Willemart

326. *Os Ensinamentos da Loucura: A Clínica de Dostoiévski*
Heitor O´Dwyer de Macedo
327. *A Mais Alemã das Artes*
Pamela Potter
328. *A Pessoa Humana e Singularidade em Edith Stein*
Francesco Allieri
329. *A Dança do Agit-Prop*
Eugenia Casini Ropa
330. *Luxo & Design*
Giovanni Cutolo
331. *Arte e Política no Brasil*
André Egg, Artur Freitas e Rosane Kaminski (orgs.)
332. *Teatro Hip-Hop*
Roberta Estrela D'Alva
333. *O Soldado Nu: Raízes da Dança Butō*
Éden Peretta
334. *Ética, Responsabilidade e Juízo em Hannah Arendt*
Bethania Assy
335. *Alegoria em Jogo: A Encenação Como Prática Pedagógica*
Joaquim Gama
336. *Jorge Andrade: Um Dramaturgo no Espaço Tempo*
Carlos Antônio Rahal
337. *Nova Economia Política dos Serviços*
Anita Kon
338. *Arqueologia da Política*
Paulo Butti de Lima
339. *Campo Feito de Sonhos*
Sônia Machado de Azevedo
340. *A Presença de Duns Escoto no Pensamento de Edith Stein: A Questão da Individualidade*
Francesco Alfieri
341. *Os Miseráveis Entram em Cena: Brasil, 1950-1970*
Marina de Oliveira
342. *Antígona, Intriga e Enigma*
Kathrin H. Rosenfield
343. *Teatro: A Redescoberta do Estilo e Outros Escritos*
Michel Saint-Denis
344. *Isto Não É um Ator*
Melissa Ferreira
345. *Música Errante*
Rogério Costa
346. *O Terceiro Tempo do Trauma*
Eugênio Canesin Dal Molin
347. *Machado e Shakespeare: Intertextualidade*
Adriana da Costa Teles
348. *A Poética do Drama Moderno*
Jean-Pierre Sarrazac
349. *A Escola Francesa de Goegrafia*
Vincent Beurdoulay
350. *Educação, uma Herança Sem Testamento*
José Sérgio Fonseca de Carvalho
351. *Autoescrituras Performativas*
Janaina Fontes Leite
353. *As Paixões na Narrativa*
Hermes Leal
354. *A Disposição Para o Assombro*
Leopold Nosek

Este livro foi impresso na cidade de Cotia,
nas oficinas da Meta Brasil, para a Editora Perspectiva.